RUSSIAN AS WE S... P9-AQV-351

С. А. ХАВРОНИНА

ГОВОРИТЕ
ПО-РУССКИ

Издание десятое

МОСКВА
«РУССКИЙ ЯЗЫК»
1989

S. KHAVRONINA

RUSSIAN
AS WE SPEAK IT

Tenth edition

RUSSKY YAZYK PUBLISHERS
MOSCOW
1989

ББК 81.2Р-9
X 12

X $\frac{4306020102-185}{015(01)-89}$ 98-89

ISBN 5-200-00373-3

Часть тиража выпускается с компакт-кассетой

FOREWORD

In preparing the present volume it was the author's intention primarily to provide a course in Russian for persons in the English speaking world who are studying the language without a teacher.

It is, however, so devised that it may equally well be used under the guidance of a tutor. It is intended for students who have reached an intermediate level by studying *Russian for Everybody*, or some similar text-book.

The book is entirely practical and the material it provides is contemporary and frankly utilitarian. It consists of nineteen lessons, each one of which deals with a particular aspect of everyday life in the Soviet Union today.

Each lesson consists of a passage for reading and a set of dialogues on a specific theme followed by notes and exercises.

The passages are given in order of increasing difficulty as regards both subject matter and language. However, as the grammar and syntax do not vary greatly in difficulty from one lesson to another, this order need not be strictly adhered to.

The notes deal mainly with points of grammar, syntax and vocabulary which present difficulty to foreign students of Russian, but some of them are factual.

Each lesson contains a section entitled "Memorize", in which certain common expressions are given. It is recommended that they should be learnt by heart.

The exercises are intended to stimulate active use of the words, expressions and constructions which occur in the reading passages and dialogues. They include exercises in translation from English into Russian, in renarration of the passage for reading, composition on the topic of the lesson. The Key provided at the end of the book enables the student to check his work. There are also tables of common idiomatic expressions as well as examples of certain syntactical constructions. A comprehensive Russian-English vocabulary is given at the end of the book.

The author suggests the following method of study.

Read the passage several times, translate it with the aid of the notes and the vocabulary; retell it, following the original passage as closely as possible,

5

not attempting to change the constructions or substitute other words for those given in the passage.

Next the dialogues should be studied; it would be advisable to memorize some of them.

The student should then do the exercises. It is advisable to attempt all the exercises provided, in order to assimilate thoroughly certain difficult items of grammar, syntax and vocabulary.

The last phase consists of the more independent types of work: translation, narration and composition. The student's success here depends on how thoroughly he has assimilated all the preceding matter provided in the lesson.

The author wishes to express her gratitude to Mr. Peter Henry, M.A., Head of the Department of Russian Studies, University of Hull, for his help in preparing this book.

The author would be grateful for any comments and suggestions for improving the book in future editions. They should be addressed to the *103012, Москва, Старопанский пер., дом 1/5, издательство «Русский язык».*

S. Khavronina

CONTENTS

1

НЕМНОГО О СЕБЕ

Меня зовут Павел Андреевич, моя фамилия Белов. (1) Мне тридцать лет. Я родился в Москве и всю жизнь живу здесь. (2) Когда мне было семь лет, я пошёл в школу. С детства я интересовался химией, поэтому после окончания школы я поступил в университет на химический факультет. Пять лет назад я окончил университет и поступил работать на завод. Я химик, работаю в лаборатории.

В прошлом году я женился. Мою жену зовут Марина. Она моложе меня на четыре года. (3) Марина врач. В прошлом году она окончила медицинский институт. Теперь она работает в детской поликлинике. Марина любит своё дело и работает с интересом. Марина хорошо поёт, у неё красивый голос. Раз в неделю Марина ходит в Дом культуры, где она поёт в хоре.

Я очень люблю спорт. Мой любимый вид спорта — плавание. Два раза в неделю после работы я хожу в бассейн, который находится недалеко от нашего дома.

По субботам мы обычно навещаем моих родителей (родители Марины живут в Одессе). Иногда мы ходим в гости к друзьям или приглашаем их к себе. Мы любим музыку и театр и часто ходим в театр и на концерты.

NOTES

(1) Меня зовут Павел Андреевич, моя фамилия Белов.

My name is Pavel Andreyevich, my surname is Belov.

Звать (меня, вас, его... зовут) is used only when speaking of animate beings and **называться**, of inanimate objects.

8

–Как его зову́т?

–Его́ зову́т Серге́й.

–Как называ́ется э́та ста́нция метро́?

–Эта ста́нция называ́ется «Арба́тская».

Every Russian has a first name **(Па́вел)**, a patronymic **(Андре́евич)** and a surname **(Бело́в)**:

> Алексе́й Ива́нович Га́рин.
> Анна Петро́вна Шестако́ва.

The patronymic is derived from the father's first name. We call children and close friends by their first names. The personal pronoun and the verb are in the singular.

> Ни́на, *иди́* обе́дать.
> Ви́ктор, где *ты был?*
> *Здра́вствуй,* Бори́с.

The usual form of address among adults is the first name and patronymic; the personal pronoun and the verb are in the plural.

> *Здра́вствуйте,* Алексе́й Васи́льевич.
> Мари́я Па́вловна, *вы придёте* к нам сего́дня ве́чером?

The official way of addressing people is **това́рищ** ('comrade') + **surname.**

> *Това́рищ Ро́зов,* сде́лайте, пожа́луйста, э́ту рабо́ту сего́дня.

Това́рищ is also used when addressing strangers.
> *Това́рищ,* скажи́те, пожа́луйста, где метро́?
> *Това́рищ продаве́ц,* покажи́те, пожа́луйста, э́ту кни́гу.

(2) Я ... всю жизнь живу́ здесь.   I've lived here all my life.

To express an action or condition which began in the past and continues in the present, the present tense is used.

Я *учу* ру́сский язы́к два го́да.	I have been studying Russian for two years.
Мы *ждём* вас це́лый час.	We have been waiting for you (for) a whole hour.
(3) Она́ моло́же меня́ на четы́ре го́да.	She is four years younger than me.

Comparison can be expressed by:

a) the genitive of comparison:

Он ста́рше *вас.*

b) the conjunction **чем** + *nominative:*

Он ста́рше, *чем вы.*

Used in a comparison **на** + *accusative* expresses the difference between the objects being compared.

Он ста́рше вас *на́ пять лет.*
Она́ моло́же меня́ *на́ три го́да.*

 # DIALOGUES

I

– Серге́й, э́то ты! Здра́вствуй!

– Кака́я встре́ча! Здра́вствуй, Па́вел! Ско́лько лет не ви́делись! Как живёшь?

– Хорошо́, спаси́бо. А ты?

– Я то́же хорошо́. (1) Где ты рабо́таешь?

– На заво́де, в лаборато́рии. А ты?

– Я рабо́таю на фа́брике. Я тепе́рь гла́вный инжене́р фа́брики.

– Ну, а как семья́?

– Отли́чно. Де́ти расту́т. Ста́рший сын, И́горь, хо́дит в шко́лу. Мла́дший, Ви́ктор,– в де́тский сад. Зо́я, моя́ жена́,– ты по́мнишь её?– рабо́тает в шко́ле. Она́ учи́тельница. А ты жени́лся и́ли всё ещё холосто́й?

– Жени́лся. Ещё в про́шлом году́. (2)

– А кто твоя́ жена́?

– Моя́ жена́ – врач. Она́ рабо́тает в де́тской поликли́нике. Приезжа́йте к нам в го́сти. Я познако́млю вас со свое́й жено́й.

– Спаси́бо. Мы с Зо́ей обяза́тельно прие́дем.

– До свида́ния. Переда́й приве́т Зо́е и де́тям.
– Всего́ хоро́шего. (3)

II

– Скажи́те, кто э́тот челове́к?
– Это мой знако́мый. Неда́вно он поступи́л рабо́тать к нам на заво́д (4).
– Как его́ зову́т?
– Его́ зову́т Никола́й Андре́евич.
– А как его́ фами́лия?
– Его́ фами́лия Соколо́в.
– Он ещё совсе́м молодо́й.
– Ему́ то́лько два́дцать четы́ре го́да. Ещё год наза́д он был студе́нтом, а тепе́рь он рабо́тает инжене́ром у нас на заво́де (5).

NOTES

(1) Я то́же хорошо́.   I'm all right too.

In conversational speech some words are omitted in both questions and replies:

– Где ты рабо́таешь?
– На заво́де, в лаборато́рии. (instead of Я *рабо́таю* на заво́де, в лаборато́рии.)
– Ну, а как семья́? (instead of Ну, а как *живёт* семья́?)

(2) Ещё в про́шлом году́   I married (already, as long
    я жени́лся.   ago as) last year.

The main meanings of **ещё** are:

a) 'another', 'more', 'else'

Да́йте, пожа́луйста, *ещё*   Give me another cup of cof-
ча́шку ко́фе.   fee, please.

Есть *ещё* вопро́сы?   Are there any more ques-
                             tions?

Повтори́те, пожа́луйста,   Repeat it once more, please.
ещё раз.

Кто *ещё* придёт?   Who else will come?

b) 'as early as'

Ещё вчера́ я слы́шал об   I already heard about it
э́том.   yesterday.

11

| *Ещё* в де́тстве я люби́л хи́мию. | I liked chemistry even (already) as a child. |

c) всё ещё 'still'

| Он *всё ещё* рабо́тает здесь. | He is still working here. |

d) ещё не, ещё нет 'not yet'

Он *ещё не* пришёл.	He hasn't come yet.
Вы *ещё не* зна́ете об э́том?	Don't you know about this yet?
Я *ещё не* ко́нчил рабо́ту.	I've not finished my work yet.

| (3) Всего́ хоро́шего. | All the best. |

(4, 5) к нам на заво́д = на наш заво́д
у на́с на заво́де = на на́шем заво́де

Memorize:

–Как вас зову́т?	–What is your (first) name?
–Меня́ зову́т Никола́й.	–My name is Nikolai.
Его́, её, тебя́, вас зову́т...	His, her, your name is....
–Ско́лько вам лет?	–How old are you?
–Мне два́дцать четы́ре го́да.	–I am twenty-four years old.
ходи́ть в го́сти к друзья́м	to go and visit friends
быть в гостя́х у друзе́й	to be visiting friends (to be on a visit with friends)
приглаша́ть друзе́й к себе́ в го́сти (приглаша́ть госте́й)	to invite friends home (to invite guests)
Приходи́те к нам в го́сти.	Do come and visit us.
Переда́йте приве́т жене́ (семье́, роди́телям, бра́ту, сестре́...)	Remember me to your wife (your family, parents, brother, sister....)
по суббо́там = ка́ждую суббо́ту	on Saturdays
по воскресе́ньям = ка́ждое воскресе́нье	on Sundays
по утра́м, по вечера́м, по ноча́м	in the mornings, in the evenings, at nights
(*but use* ка́ждый день *or* днём)	(*for* in the afternoons)

Как (ва́ши) дела́?	How are things?
Как здоро́вье?	How are you?
Как семья́?	How is your family?

EXERCISES

I. Answer the following questions.

A. 1. Как зову́т Бело́ва?
  2. Ско́лько ему́ лет?
  3. Где он роди́лся?
  4. Где он учи́лся?
  5. Кто он по специа́льности?
  6. Где он рабо́тает?
  7. Жена́т ли Бело́в?
  8. Кто его́ жена́?
  9. Как её зову́т?
  10. Ско́лько ей лет?
  11. Где она́ учи́лась?
  12. Како́й институ́т она́ око́нчила?
  13. Где она́ рабо́тает?
  14. У Бело́вых есть де́ти?
  15. Что де́лают Бело́вы по суббо́там?

B. 1. Как вас зову́т?
  2. Где вы живёте?
  3. Где вы роди́лись?
  4. Ско́лько вам лет?
  5. Вы жена́ты? (Вы за́мужем?)
  6. У вас есть де́ти?
  7. Как зову́т ва́шего сы́на (ва́шу дочь?)
  8. Кто вы по специа́льности?
  9. Где вы учи́лись?
  10. Вы лю́бите свою́ рабо́ту?
  11. Что вы де́лаете по́сле рабо́ты?
  12. Что вы де́лаете по воскресе́ньям?
  13. Вы лю́бите му́зыку?
  14. Вы ча́сто хо́дите в теа́тр?

II. Answer the following questions.

1. Ско́лько лет ва́шему бра́ту?
2. Ско́лько лет ва́шей сестре́?
3. Ско́лько лет ва́шему отцу́?
4. Ско́лько вам лет?
5. Ско́лько лет ва́шей до́чери?
6. Как вы ду́маете, ско́лько лет э́тому челове́ку?
7. Вы не зна́ете, ско́лько лет э́той де́вушке?

III. Use the correct form of the words in brackets.

Model: (Я) два́дцать лет. – Мне два́дцать лет.

1. – Ско́лько (вы) лет? – (Я) три́дцать лет. 2. – Ско́лько (он) лет? – (Он) два́дцать семь лет. 3. – Ско́лько (она́) лет? – (Она́) семна́дцать лет.

13

4. – Ско́лько лет (ва́ша сестра́)? – (Моя́ сестра́) два́дцать оди́н год.
5. – Ско́лько лет (ваш брат)? – (Мой брат) со́рок лет. 6. – Ско́лько лет (ва́ша дочь)? – (Моя́ дочь) ско́ро бу́дет пять лет.

IV. Fill in the blanks with the appropriate forms of the word год: год, го́да, лет.

1. Я учи́лся в институ́те пять ... . 2. Он око́нчил институ́т два ... наза́д. 3. Эта семья́ живёт в Москве́ де́сять ... . 4. Мой друг рабо́тал в Ли́дсе три ... . 5. Его́ оте́ц рабо́тал в шко́ле два́дцать оди́н ... . 6. На́шему сы́ну ско́ро бу́дет четы́ре ... . 7. Ско́лько вам ...? 8. Мне три́дцать три ... .

V. Answer the following questions using the words given in brackets.

Model: Где он у́чится? (шко́ла) – Он у́чится *в шко́ле.*
Куда́ он идёт (шко́ла) – Он идёт *в шко́лу.*

1. Где рабо́тает Па́вел? (заво́д) 2. Куда́ он поступи́л рабо́тать по́сле институ́та? (заво́д) 3. Где живу́т Бело́вы? (Москва́) 4. Куда́ вы хоти́те пое́хать ле́том? (Москва) 5. Где учи́лась Мари́на? (институ́т) 6. Где рабо́тает Мари́на? (де́тская поликли́ника) 7. Куда́ хо́дит Па́вел по́сле рабо́ты? (бассе́йн) 8. Куда́ ча́сто хо́дят Бело́вы? (теа́тр, кино́, конце́рты) 9. Где живу́т роди́тели Мари́ны? (Оде́сса) 10. Куда́ пое́дут ле́том Бело́вы? (Оде́сса) 11. Где вы живёте? (Ло́ндон) 12. Где у́чится ваш сын? (шко́ла) 13. Куда́ он хо́дит ка́ждый день? (шко́ла)

VI. Rearrange the following sentences according to the model.

Model: Он ста́рше, *чем я.* – Он ста́рше *меня́.*

1. Мой брат вы́ше, чем я. 2. Ва́ша сестра́ моло́же, чем вы? 3. Сестра́ краси́вее, чем брат. 4. Ваш дом бо́льше, чем наш дом. 5. Мой сын моло́же, чем ваш. 6. Я всегда́ ду́мал, что я ста́рше, чем вы. 7. Говоря́т, что Ленингра́д краси́вее, чем Москва́. 8. Москва́ древне́е, чем Ленингра́д.

VII. Rephrase the following sentences by using кото́рый in the required form instead of the conjunction где.

Model: Это дом, *где* мы жи́ли ра́ньше. – Это дом, *в кото́ром* мы жи́ли ра́ньше.

1. Это заво́д, где рабо́тает Па́вел. 2. Бассе́йн, где пла́вает Па́вел, нахо́дится ря́дом. 3. Я зна́ю институ́т, где учи́лась Мари́на. 4. Го́род, где мы жи́ли ра́ньше, называ́ется Влади́мир. 5. Вы бы́ли в шко́ле, где у́чится ваш сын? 6. Ле́том мы пое́дем в дере́вню, где живу́т мои́ роди́тели. 7. Вчера́ был конце́рт хо́ра, где поёт Мари́на.

VIII. Join the following pairs of simple sentences to make complex sentences. Use the conjunctions и, потому́ что, поэ́тому, где, кото́рый.

1. Па́вел око́нчил институ́т. Тепе́рь он рабо́тает на заво́де. 2. Мари́на – де́тский врач. Она́ рабо́тает в де́тской поликли́нике. 3. Они́ ча́сто хо́дят на конце́рты. Они́ лю́бят му́зыку. 4. Я был на заво́де. Там рабо́тает Па́вел. 5. Мы хо́дим в бассе́йн. Он нахо́дится недалеко́ от на́шего до́ма.

IX. Replace the words in italics by synonyms according to the model.

Model: Ка́ждый вто́рник я хожу́ в институ́т. – *По вто́рникам* я хожу́ в институ́т.

1. *Каждую субботу* мы хо́дим к роди́телям. 2. *Каждую сре́ду* Мари́на поёт в хо́ре. 3. *Ка́ждый ве́чер* мы смо́трим телеви́зор. 4. *Ка́ждое воскресе́нье* они́ хо́дят в клуб. 5. *Ка́ждое у́тро* де́ти гуля́ют в па́рке. 6. *Ка́ждый четве́рг* я занима́юсь ру́сским языко́м по ра́дио.

X. a) Conjugate the verbs:

поступи́ть, люби́ть, ходи́ть, жить, петь.

b) Make up sentences with them.

XI. Make up questions to which the following sentences would be the answers.

Model:–......?
    –Моего́ бра́та зову́т
    Влади́мир.

    –Как зову́т ва́шего бра́та?
    –Моего́ бра́та зову́т Влади́мир.

1. –......?
    –Мою́ жену́ зову́т А́нна.
2. –......?
    –Она́ рабо́тает в шко́ле.
3. –......?
    –Она́ око́нчила институ́т два го́да наза́д.
4. –......?
    –Э́того челове́ка зову́т Серге́й Ива́нович.
5. –......?
    –Он рабо́тает на на́шем заво́де.
6. –......?
    –Он инжене́р.
7. –......?
    –Он рабо́тает на на́шем заво́де три го́да.
8. –......?
    –По суббо́там мы хо́дим в го́сти.
9. –......?
    –Мы хо́дим в теа́тр почти́ ка́ждую неде́лю.

XII. Translate into Russian.

1. My name is Irina. What's yours? 2. Jim has graduated from the Institute and is now working in a factory. Where do you work? 3. My sister is three years older than me. My mother is five years younger than my father. 4. "How old is this man?" "I think he is forty." 5. They often go and visit their friends. Yesterday they visited their parents. 6. On Saturdays we go to the theatre, the cinema or a concert. 7. Do come and see us. 8. Give my regards to your parents.

XIII. Talk about yourself and your family using the following words and expressions:

роди́ться, жить, рабо́тать, поступи́ть, око́нчить, учи́ться, люби́ть, интересова́ться, жени́ться (вы́йти за́муж), мне (ему́, ей) ... лет, меня́ (его́, её) зову́т...

XIV. Make up a dialogue entitled «Встре́ча с дру́гом че́рез пять лет», drawing on material from the whole lesson.

XV. Read and retell the following.

–Ско́лько тебе́ лет, де́вочка?

15

– Когда́ я гуля́ю с па́пой, мне оди́н-
надцать лет, а когда́ с ма́мой – то́лько
де́вять.

* * *

– Ма́ма, где вы с па́пой родили́сь?
– Я родила́сь в Москве́, а па́па –
в Ки́еве.
– А где я родила́сь?
– А ты в Ленингра́де.
– А как же мы все тро́е познако́-
мились?

2

НАША СЕМЬЯ

Я хочу́ познако́мить вас с на́шей семьёй. Э́то мой оте́ц. Его́ зову́т Андре́й Петро́вич. Ему́ шестьдеся́т два го́да. Мою́ мать зову́т А́нна Никола́евна. Ей пятьдеся́т семь лет. В мо́лодости мои́ роди́тели жи́ли в небольшо́м городке́ недалеко́ от Москвы́. Там они́ познако́мились и пожени́лись. Пото́м они́ перее́хали в Москву́. Мой оте́ц рабо́тал учи́телем в шко́ле. Он преподава́л исто́рию, ма́ма рабо́тала в шко́льной библиоте́ке. Сейча́с они́ не рабо́тают. И оте́ц и мать получа́ют пе́нсию.

У мои́х роди́телей тро́е дете́й (1) — моя́ сестра́, я и мой брат. Мою́ сестру́ зову́т Та́ня. Она́ ста́рше меня́ на́ три го́да. Та́ня око́нчила институ́т иностра́нных языко́в и тепе́рь преподаёт англи́йский язы́к в шко́ле. Де́сять лет наза́д Та́ня вы́шла за́муж (2). У неё дво́е дете́й — сын и дочь. На́ша Та́ня о́чень краси́вая, высо́кая и стро́йная же́нщина. У неё се́рые глаза́ и све́тлые во́лосы. Та́ня похо́жа на ма́му. (3)

Моего́ бра́та зову́т Ко́ля. Он моло́же меня́ на́ пять лет. Он у́чится в университе́те на физи́ческом факульте́те. Он мечта́ет стать радиофи́зиком. Ко́ля о́чень живо́й, весё́лый, энерги́чный челове́к. Он прекра́сно у́чится, хорошо́ зна́ет литерату́ру, лю́бит му́зыку, занима́ется спо́ртом. С ним всегда́ интере́сно поговори́ть. У Ко́ли мно́го друзе́й. На́ша семья́ о́чень дру́жная. Мы ча́сто звони́м друг дру́гу, а по суббо́там собира́емся у роди́телей и прово́дим там весь день.

NOTES

(1) У мои́х роди́телей   My parents have three chilтро́е дете́й.   dren.

'I have, he has', etc. is expressed in Russian by **у меня́ есть,
у него́, у неё, у нас, у вас, у них есть** + *nominative*.

У *меня есть* э́та кни́га.   I've got this book.
У *него́ есть* сестра́.   He has a sister.

The verb **есть** is used to emphasize the existence or possession of someone or something. The opposite statement contains **нет.**

У **меня** есть учебник.   У меня нет учебника.

У *меня́ нет* э́той кни́ги.   I haven't got this book.
У *него́ нет* сестры́.   He hasn't got a sister.

The verb **есть** is omitted when the statement does not assert existence or possession, but expresses quantity or describes the object.

У неё се́рые глаза́ и све́тлые   She has grey eyes and light
во́лосы.   hair.
У Мари́ны краси́вый го́лос.   Marina has a beautiful voice.
У Ко́ли мно́го друзе́й.   Kolya has many friends.

The opposite statement will not contain **нет,** as it is not a simple negation but it will give, or imply, a different or opposite description.

У неё не се́рые глаза́ (а голубы́е).
У Мари́ны некраси́вый го́лос.
У Ко́ли ма́ло друзе́й.

Compare:

У него́ *есть* брат.   У него́ *нет* бра́та.
У него́ *краси́вый* брат.   У него́ *некраси́вый* брат.
У меня́ *есть* но́вый уче́бник.   У меня́ *нет* но́вого уче́бника.

18

У меня *но́вый* уче́бник.   У меня *ста́рый* уче́бник.

In the past and in the future the forms of the verb **быть** (**был, была́, бы́ло, бы́ли; бу́дет, бу́дут**) are never omitted.

> Сего́дня у нас *была́* ле́кция.
> За́втра у нас *бу́дет* ле́кция.
> У ма́льчика краси́вый го́лос.
> У ма́льчика *был* краси́вый го́лос.
> У ма́льчика *бу́дет* краси́вый го́лос.

The negation **нет, не́ было, не бу́дет** is always followed by the genitive.

> У него́ нет *телефо́на.*
> У нас нет *э́той кни́ги.*
> У них нет *дете́й.*

(2) Та́ня вы́шла за́муж.

Russian has two verbs corresponding to 'to marry':

1. a) **жени́ться на** + *prepos. (на ком?)* when the subject is a man:

Па́вел *жени́лся на Мари́не.*   Pavel married Marina.
Мой брат *же́нится.*   My brother is going to marry.

In this case **жени́ться** may be of the perfective or the imperfective aspect.

b) **жени́ться** (imperfective)/**пожени́ться** (perfective) without any object when speaking of both partners:

Па́вел и Мари́на *пожени́-   Pavel and Marina got mar-
лись, когда́ Мари́на ко́н-   ried when Marina left col-
чила институ́т.   lege.

2*

2. **выходи́ть/вы́йти за́муж за** + *асс. (за кого?)* when the subject is a woman:

Мари́на вы́шла за́муж за Па́вла.

Marina married Pavel.

Similarly, the Russian for 'to be married' is **быть жена́тым, быть за́мужем.**

Па́вел жена́т.

Pavel is married.

Его́ брат Никола́й ещё не жена́т.

His brother Nikolai is not yet married.

Мари́на за́мужем неда́вно.

Marina has not been long married.

Та́ня давно́ за́мужем.

Tanya has been married for a long time.

(3) (Она́) похо́жа на ма́му.

She looks like (takes after) our mother.

похо́ж, похо́жа, похо́жи на + *асс. (на кого?)*

Ма́льчик похо́ж *на отца́.*

The boy looks like (takes after) his father.

Ваш брат совсе́м не похо́ж *на вас.*

There is not the slightest resemblance between you and your brother.

На кого́ похо́жа ва́ша дочь – *на вас* и́ли *на ва́шу жену́?*

Whom does your daughter take after–yourself or your wife?

 # DIALOGUES

I

– Хоти́те, я покажу́ вам наш семе́йный альбо́м? Это на́ша семья́. Это оте́ц. Это на́ша ма́ма. Это брат. Это сестра́. А э́то я.

– Ва́ши роди́тели совсе́м молоды́е. Давно́ вы фотографи́ровались?

– В про́шлом году́.

– Вы здесь о́чень похо́жи на отца́.

– Да, все так говоря́т.

– А ваш мла́дший брат и ва́ша сестра́ похо́жи на мать. Ско́лько лет ва́шей сестре́?

– Три́дцать три.

– Здесь ей мо́жно дать два́дцать три. (1)

– Я передám ей ваш комплимéнт.
– А э́то кто?
– А э́то моя́ сестра́ с му́жем и детьми́.
– У неё уже́ дво́е дете́й?
– Да, как ви́дите, сын и дочь. Моему́ племя́ннику во́семь лет, а племя́ннице – три го́да. Воло́дя уже́ хо́дит в шко́лу, а Лéночка – в де́тский сад.

II

– А у вас больша́я семья́?
– Нет, нас тро́е – жена́, я и дочь.
– Ско́лько лет ва́шей до́чери?
– Семна́дцать.
– О! Я не ду́мал, что у вас така́я больша́я дочь. Ско́ро у вас бу́дут вну́ки.
– Ну, что вы, не дай бог! (2) Пока́ Ни́на не ду́мает выходи́ть за́муж; не зна́ю, что бу́дет да́льше.
– Она́ у́чится?
– Да, в э́том году́ Ни́на конча́ет шко́лу и хо́чет поступа́ть в институ́т иностра́нных языко́в. Она́ мечта́ет стать перево́дчицей.
– Непло́хо. А како́й язы́к она́ изуча́ет?
– Неме́цкий.

NOTES

(1) Ей мо́жно дать два́дцать три.   I'd say she was twenty-three.

(2) Ну, что вы, не дай бог!   Oh no, heaven forbid!

Memorize:

– Где вы рабо́таете?	– Where do you work?
– Я рабо́таю в шко́ле.	– I work in a school.
– Я не рабо́таю, я на пе́нсии.	– I don't work, I am retired.
– Кем вы рабо́таете?	– What are you?
– Я рабо́таю учи́телем фи́зики (хи́мии, литерату́ры).	– I am a physics (chemistry) teacher (a teacher of literature).
– Что вы преподаёте?	– What do you teach?
– Я преподаю́ фи́зику (хи́мию, литерату́ру, ру́сский язы́к).	– I teach physics (chemistry, literature, Russian).

EXERCISES

I. Answer the following questions.

A. 1. О чём рассказа́л нам Па́вел?
2. Как зову́т отца́ Па́вла?
3. Ско́лько ему́ лет?
4. Ско́лько лет ма́тери Па́вла?
5. Как её зову́т?
6. Кем рабо́тали роди́тели Па́вла?
7. Где они́ живу́т сейча́с?
8. У Па́вла есть бра́тья и сёстры?
9. Ско́лько у него́ бра́тьев и сестёр?
10. Как зову́т его́ сестру́?
11. На кого́ она́ похо́жа?
12. Как зову́т его́ бра́та?
13. Никола́й рабо́тает и́ли у́чится?
14. Что де́лает сестра́ Па́вла – Та́ня?
15. У неё есть де́ти?
16. Сколько у неё детей?

B. 1. Где живёт ва́ша семья́?
2. Ско́лько челове́к в ва́шей семье́?
3. У вас есть роди́тели?
4. Где они́ живу́т?
5. Вы жена́ты? (Вы за́мужем?)
6. Когда́ вы жени́лись? (Когда́ вы вы́шли за́муж?)
7. У вас есть де́ти?
8. Ско́лько у вас детей?
9. Как их зову́т?
10. Ско́лько им лет?
11. На кого́ похо́ж ваш сын?
12. На кого́ похо́жа ва́ша дочь?
13. Ва́ши де́ти уже́ у́чатся?

II. Answer these questions in the affirmative. Special attention should be paid to the use of е с т ь.

1. У вас *есть* роди́тели? У вас *ста́рые* роди́тели? 2. У вас *есть* де́ти? У вас *ма́ленькие* де́ти? 3. У вас *есть* друзья́? У вас *мно́го* друзей? 4. У ва́ших роди́телей *есть* дом? *Како́й* у них дом? 5. У ва́шего дру́га *есть* маши́на? У него́ *но́вая* маши́на? 6. У вас *есть* кни́ги на ру́сском языке́? У вас *мно́го* книг на ру́сском языке́?

III. Fill in the blanks with the word е с т ь, where it is required.

1. – У ва́шей сестры́ ... де́ти? – Да, у неё ... де́ти. У неё уже́ ... взро́слые де́ти. 2. – У вас ... маши́на? – Да, у меня́ ... маши́на. – Кака́я у вас ... краси́вая маши́на! 3. – У ва́шего дру́га ... роди́тели? – У него́ ... совсе́м молоды́е роди́тели. 4. У моего́ сы́на ... библиоте́ка. У него́ ... мно́го книг. 5. У на́шей до́чери ... тёмные глаза́ и све́тлые во́лосы. 6. У Па́вла ... о́чень краси́вая жена́.

IV. Answer the following questions using the words given on the right.

1. У кого́ есть э́тот уче́бник?	я, он, она́, мы, мой, друг, моя́, сестра́, наш преподава́тель
2. У кого́ есть а́нгло-ру́сский слова́рь?	э́тот студе́нт, мой сосе́д, э́та де́вушка
3. У кого́ мно́го друзе́й в Москве́?	мой мла́дший брат, одна́ на́ша студе́нтка, наш профе́ссор

V. Answer the following questions.

A. 1. Ваш брат жена́т? Он давно́ жена́т? Когда́ он жени́лся? На ком он жени́лся? 2. Ва́ша сестра́ за́мужем? Она́ давно́ за́мужем? Когда́ она́ вы́шла за́муж? За кого́ она́ вы́шла за́муж? Ско́лько ей бы́ло лет, когда́ она́ вы́шла за́муж? 3. Вы жена́ты (за́мужем)? Ско́лько лет вы жена́ты (за́мужем)? Когда́ вы жени́лись (вы́шли за́муж)?

B. А э́то Джон Пи́терс и его́ жена́ Мэ́ри. Кто из них жени́лся? Кто из них вы́шел за́муж? На ком жени́лся Джон? За кого́ вы́шла за́муж Мэ́ри? Джон жена́т и́ли хо́лост? Мэ́ри за́мужем и́ли нет?

VI. Put the words in brackets in the appropriate form.

1. Говоря́т, что я похо́ж на (ста́рший брат). 2. Моя́ мла́дшая сестра́ похо́жа на (я). 3. Вы о́чень похо́жи на (мой друг). 4. Ва́ша сестра́ совсе́м не похо́жа на (вы). 5. Мой ста́рший брат похо́ж на (оте́ц).

VII. Answer these questions in the negative.

A. 1. У вас есть семья́? 2. У него́ есть роди́тели? 3. У них есть де́ти? 4. У них есть маши́на? 5. У неё есть уче́бник? 6. У ва́шего сосе́да есть сын? 7. В э́том го́роде есть теа́тр? 8. На э́той у́лице есть магази́ны? 9. В э́той библиоте́ке есть кни́ги на ру́сском языке́? 10. В кио́ске есть газе́ты?

B. 1. Вчера́ был уро́к? 2. За́втра бу́дет ле́кция? 3. В суббо́ту был экза́мен? 4. В воскресе́нье бу́дет экску́рсия? 5. Сего́дня у́тром был дождь?

VIII. Answer the following questions using the words given on the right.

Model: – Почему́ вы не пи́шете?
– Я не пишу́, потому́ что *у меня́ нет ру́чки.* | ру́чка

1. Почему́ вы не чита́ли э́ту статью́?	журна́л
2. Почему́ вы не посмотре́ли слова́ в словаре́?	слова́рь
3. Почему́ ва́ши друзья́ не́ были вчера́ в теа́тре?	биле́ты
4. Почему́ студе́нты в коридо́ре, а не в кла́ссе?	ле́кция
5. Почему́ э́тот молодо́й челове́к всегда́ оди́н?	друзья́
6. Почему́ вы не купи́ли э́ту вещь?	де́ньги
7. Почему́ вы не хоти́те идти́ в кино́?	вре́мя

IX. Make up questions to which the following sentences would be the answers.

1. – ......?
   – У меня́ есть сестра́ и два бра́та.
2. – ......?
   – Они́ живу́т в Москве́.

23

3. – ......?
   – Бра́тья у́чатся, а сестра́ рабо́тает.
4. – ......?
   – Её зову́т Ле́на.
5. – ......?
   – Она́ рабо́тает дире́ктором шко́лы.
6. – ......?
   – Да, она́ за́мужем.
7. – ......?
   – У неё дво́е дете́й.
8. – ......?
   – Ле́на вы́шла за́муж семь лет наза́д.

X. Make up dialogues about your parents, your brothers and sisters.

XI. Translate into Russian.

1. My parents live in a small town not far from London. My father used to be a head master. He does not work now. He has retired. (*lit.* He gets a pension.) 2. I have a sister. Her name is Ann. Ann is four years younger than me. She works in a library. Ann is learning Russian. She wants to be a Russian teacher. (She wants to teach Russian in a school.) 3. This is my friend Jim. He got married not long ago. Jim has a very pretty wife. Her name is Mary. She has dark hair and grey eyes.

4. – Have you any children?
   – Yes (I have).
   – Are they very young (*lit.* small)?
   – No, not very. My son is ten and my daughter seven.
   – Who does your son take after?
   – They say he takes after my wife.
   – And who does your daughter take after?
   – My daughter takes after me.

XII. Describe your family and your children drawing on material from the lessons.

XIII. Read and retell the following.

☮ – Ива́н Ива́ныч! Кака́я встре́ча! Я не ви́дел тебя́ сто лет. Ты си́льно
измени́лся: и во́лосы у тебя́ седы́е, и глаза́ совсе́м други́е...
   – Прости́те, но меня́ зову́т Никола́й Никола́евич.
   – Как? Ты и и́мя измени́л?

3

⊘ ДОМ И КВАРТИРА

Как я уже́ сказа́л, мои́ роди́тели живу́т в Москве́, и ка́ждую суббо́ту мы е́здим к ним в го́сти. Ра́ньше они́ жи́ли в небольшо́м двухэта́жном до́ме (1) в це́нтре Москвы́. Не́сколько лет наза́д у́лицу, где стоя́л их дом, расши́рили и все ста́рые дома́ слома́ли (2). Роди́тели получи́ли кварти́ру в большо́м но́вом до́ме в Юго-За́падном райо́не Москвы́. Дом, в кото́ром они́ тепе́рь живу́т, нахо́дится недалеко́ от ста́нции метро́. В их до́ме де́вять этаже́й. Кварти́ра роди́телей на тре́тьем этаже́. (3) Она́ состои́т их трёх ко́мнат: столо́вой, спа́льни роди́телей и ко́мнаты моего́ бра́та Никола́я.

Две́ри всех трёх ко́мнат выхо́дят в большу́ю квадра́тную пере́днюю (4); небольшо́й коридо́р ведёт из пере́дней в ку́хню (5), ва́нную и туале́т. Кварти́ра о́чень ую́тная, тёплая, све́тлая, со все́ми удо́бствами. Окна двух ко́мнат выхо́дят на юг, тре́тьей ко́мнаты – на за́пад.

Самая большая комната в квартире – столовая. Здесь посредине комнаты стоит стол (6) и несколько стульев. Слева от двери у стены стоит сервант, справа – диван, телевизор и два кресла. На полу лежит большой толстый ковёр. (7) Напротив двери – большое окно и дверь на балкон. Всё лето у них на балконе цветут цветы.

NOTES

(1, 3) Они жили в двух-этажном доме.	They lived in a two-storeyed house.
Квартира находится на третьем этаже.	The flat is on the second floor.

Мы живём на третьем этаже.

There is a difference between the English and Russian ways of numbering storeys. The Russian **пе́рвый эта́ж** means 'ground floor'.

(2) Улицу расширили и дома сломали.	The street was widened and the houses were pulled down. (They widened... and pulled down... .)

There is no subject in this sentence. It is understood (рабочие, строители), but there is no need for it to be expressed since it is unimportant who performed the action. This sort of sentence is very common in Russian.

Этот дом *построили* год назад.	This house was built a year ago.
На нашей улице *открыли* новый магазин.	A new shop was opened in our street. (They opened....)
Мне *сказали* об этом вчера.	They told me (I was told) about it yesterday.
(4) Двери выходят в переднюю.	The doors (of the rooms) open into the hall.
Окна выходят на юг.	The windows face south.
(5) Коридор ведёт в кухню.	The corridor leads to the kitchen.
(6,7) Посредине комнаты стоит стол.	There is a table in the middle of the room.
На полу лежит большой ковёр.	There is a large carpet on the floor.

In Russian the position of objects is described by verbs like **стоять, лежать, висеть,** which are more common than their English counterparts. These Russian verbs are used in particular to render the English 'to be' and 'there is (are)'.

В комнате *стоит* стол.	There is a table in the room.
На столе *стоит* лампа и лежат книги.	There is a lamp and some books on the table.
На столе *стоят* тарелки, бокалы, *лежат* ложки, вилки и ножи.	There are some plates, glasses, spoons, forks and knives on the table.

На столе стоит лампа.

В комнате висит лампа.

| На стене́ *виси́т* портре́т ма́-тери. | There is a portrait of my mother on the wall. |
| На сте́нах *вися́т* карти́-ны. | There are pictures on the walls. |

The verbs **стоя́ть, лежа́ть, висе́ть** are intransitive. The nouns indicating positions answer the question *где?* and are put in the prepositional case preceded by **в** or **на**.

На столе́ лежа́т кни́ги.

На по́лке стоя́т кни́ги. Три кни́ги лежа́т на по́лке.

DIALOGUES

I

— Здра́вствуй, Андре́й! Говоря́т, ты получи́л но́вую кварти́ру?

— Да, мы уже́ перее́хали в но́вый дом. Приезжа́йте к нам в суббо́ту на новосе́лье.

— Спаси́бо. С удово́льствием. Кварти́ра больша́я?

— Нет, не о́чень: три ко́мнаты, ну и, коне́чно, ку́хня, ва́нная, туале́т и пере́дняя.

— А каки́е удо́бства?

— Все: электри́чество, газ, водопрово́д, горя́чая вода́, телефо́н.

— А како́й эта́ж?

— Четвёртый.

— Лифт есть?

— Есть. Обяза́тельно приезжа́йте с Мари́ной в суб-бо́ту.

— Спаси́бо, прие́дем.

II

– Па́вел, сего́дня звони́ла Ле́на, жена́ Андре́я, приглаша́ла нас на новосе́лье. Они́ получи́ли но́вую кварти́ру.

– Я зна́ю. Сего́дня Андре́й говори́л мне об э́том.

– Зна́ешь, каку́ю ме́бель они́ купи́ли для но́вой кварти́ры. В ко́мнате Андре́я они́ поста́вили большо́й кни́жный шкаф (1), пи́сьменный стол, дива́н и кре́сло. Пиани́но и телеви́зор стоя́т в большо́й ко́мнате. А в ку́хню они́ купи́ли ку́хонный гарниту́р.

– Андре́й сказа́л, что ку́хня у них больша́я.

– Да, на ку́хне они́ обы́чно за́втракают, а иногда́ и обе́дают.

NOTES

(1) Они́ поста́вили кни́жный шкаф.	They have put the bookcase.
На́ пол они́ положи́ли ковёр.	They have put a carpet on the floor.

As distinct from the intransitive verbs **стоя́ть, лежа́ть, висе́ть** verbs like **ста́вить/поста́вить, класть/положи́ть, ве́шать/пове́сить** are transitive indicating actions.

Compare:

Я *ста́влю* ла́мпу на стол.	Ла́мпа *стои́т* на столе́.
I'm putting the lamp on the table.	The lamp is on the table.
Я *положи́л* кни́гу на по́лку.	Кни́га *лежи́т* на по́лке.
I put the book on the shelf.	The book is on the shelf.
Я *пове́сил* карти́ну на сте́ну.	Карти́на *виси́т* на стене́.
I hung the picture on the wall.	The picture is on the wall.

Verbs like **ста́вить, класть, ве́шать** normally require the question *куда́?* Words answering this question are in the accusative after the preposition **в** or **на**.

Compare:

Где?	*Куда́?*
стоя́ть на полу́, на столе́, в шкафу́	ста́вить ⎫ на́ пол, на стол, поста́вить ⎭ в шкаф
лежа́ть на полу́, на столе́, в портфе́ле, в карма́не	класть ⎫ на́ пол, на стол, положи́ть ⎭ в портфе́ль, в карма́н
висе́ть на стене́, в шкафу́	ве́шать ⎫ на сте́ну, в шкаф пове́сить ⎭

Memorize:

Каки́е удо́бства есть в ва́шем до́ме?	What conveniences are there in your house?
Кварти́ра со все́ми удо́бствами.	A flat with all modern conveniences.
устра́ивать ⎫ новосе́лье устро́ить ⎭	to have a housewarming party
приглаша́ть ⎫ на новосе́лье пригласи́ть ⎭	to invite someone to a housewarming party

EXERCISES

I. Answer the following questions.

A. 1. Где живу́т роди́тели Па́вла?
2. В како́м до́ме они́ жи́ли ра́ньше?
3. В како́м до́ме они́ живу́т тепе́рь?
4. На како́м этаже́ их кварти́ра?
5. Ско́лько этаже́й в их до́ме?
6. Ско́лько ко́мнат в их кварти́ре?
7. Куда́ выхо́дят о́кна их ко́мнат?
8. Каки́е удо́бства есть в их до́ме?
9. Кака́я ко́мната в их кварти́ре са́мая больша́я?
10. Кака́я ме́бель стои́т у них в столо́вой?

B. 1. Где вы живёте?
2. Ско́лько этаже́й в ва́шем до́ме?
3. Ско́лько ко́мнат в ва́шей кварти́ре?
4. Кака́я ме́бель стои́т у вас в столо́вой?
5. Кака́я ме́бель стои́т в ва́шей ко́мнате?
6. Куда́ выхо́дят о́кна ва́шей ко́мнаты?
7. Каки́е удо́бства есть в ва́шем до́ме?
8. Где стои́т ваш пи́сьменный стол?
9. Где стои́т кни́жный шкаф?
10. Куда́ вы кладёте кни́ги и журна́лы?
11. Куда́ вы ста́вите кни́ги?

II. Complete the following sentences using the words given on the right.

1. В суббо́ту мы бы́ли (где?) ... . 2. В суббо́ту мы ходи́ли (куда́?)	теа́тр, парк, клуб, музе́й, университе́т, шко́ла, библиоте́ка, рестора́н; конце́рт, ле́кция, уро́к
3. Ра́ньше я жил (где?) ... . 4. Неда́вно я е́здил (куда́?)	дере́вня, друго́й го́род, Лидс, Эдинбу́рг, Ливерпу́ль, Ки́ев, Ленингра́д, Сове́тский Сою́з, А́нглия, По́льша, Фра́нция; ро́дина, юг
5. Мои́ друзья́ рабо́тают (где?) ... . 6. Мои́ друзья́ поступи́ли рабо́тать (куда́?)	заво́д, фа́брика, вокза́л, ста́нция; банк, институ́т, университе́т, библиоте́ка, лаборато́рия, шко́ла

30

III. Answer the following questions using the words given on the right.

1. Где вы живёте?	большо́й ста́рый дом, тре́тий эта́ж, са́мый центр го́рода, у́лица Дру́жбы
2. Где живёт ваш друг?	друго́й райо́н, Пу́шкинская пло́щадь, ма́ленький дом, второ́й эта́ж
3. Где вы рабо́таете?	большо́й автомоби́льный заво́д, лаборато́рия
4. Где у́чится ваш мла́дший брат?	университе́т, истори́ческий факульте́т, второ́й курс
5. Где вы обы́чно отдыха́ете?	большо́й ста́рый парк, одна́ ма́ленькая дере́вня, бе́рег реки́
6. Где вы бы́ли вчера́?	о́перный теа́тр, симфони́ческий конце́рт

IV. Fill in the blanks with the verbs с т о я́ т ь, л е ж а́ т ь, в и с е́ т ь in the required form.

А. 1. В мое́й ко́мнате ... шкаф, стол и два сту́ла. 2. На столе́ ... насто́льная ла́мпа. 3. У окна́ ... сто́лик для газе́т. 4. Телеви́зор ... в большо́й ко́мнате. 5. В кла́ссе ... столы́ и сту́лья. 6. Кре́сло ... в углу́.

В. 1. На пи́сьменном столе́ ... кни́ги, журна́лы, тетра́ди. 2. На полу́ ... ковёр. 3. Мои́ тетра́ди ... в портфе́ле. 4. Письмо́ ... в кни́ге. 5. Де́ньги ... в карма́не.

С. 1. На стене́ ... карти́на. 2. Где ... ва́ши костю́мы? Костю́мы ... в шкафу́. 3. В мое́й ко́мнате ... фотогра́фии отца́ и ма́тери. 4. Над столо́м ... календа́рь. 5. Ва́ше пальто́ ... в пере́дней.

V. Fill in the blanks with the verbs с т о я́ т ь, л е ж а́ т ь, в и с е́ т ь.

Это моя́ ко́мната. У окна́ ... пи́сьменный стол. На нём ... мои́ кни́ги, журна́лы, бума́ги. На столе́ ... насто́льная ла́мпа. Спра́ва от стола́ ... дива́н. Над дива́ном ... карти́на. Ря́дом с дива́ном ... два кре́сла и ма́ленький сто́лик для газе́т. На нём ... газе́ты и журна́лы. Сле́ва от стола́ ... кни́жный шкаф.

VI. Fill in the blanks with the verbs ж и т ь, в ы х о д и́ т ь, п о л у ч и́ т ь, к у п и́ т ь, п е р е е́ х а т ь, с о с т о я́ т ь, п р и г л а с и́ т ь.

Ра́ньше на́ши друзья́ ... в са́мом це́нтре Москвы́, а тепе́рь они́ ... в друго́м райо́не. Неда́вно они́ ... кварти́ру в но́вом до́ме. Ме́сяц наза́д они́ ... туда́. Их кварти́ра ... из четырёх ко́мнат. Окна́ де́тской ... в парк. Для столо́вой они́ ... но́вую ме́бель. Друзья́ ... нас на новосе́лье.

VII. Fill in the blanks with the adjectives given on the right and the appropriate prepositions.

1. Они́ живу́т ... до́ме.	большо́й но́вый девятиэта́жный
2. Кни́ги стоя́т ... шкафу́.	большо́й ста́рый кни́жный
3. Обы́чно мы за́втракаем ... ку́хне.	на́ша ма́ленькая, тёплая и ую́тная
4. Ве́чером оте́ц лю́бит сиде́ть ... кресле	его́ (своё) ста́рое люби́мое удо́бное
5. Телеви́зор стои́т ... ко́мнате.	на́ша са́мая больша́я

VIII. Conjugate the verbs, in the present if they are imperfective and in the future if they are perfective.

1. класть/положи́ть; 2. ста́вить/поста́вить; 3. ве́шать/пове́сить

IX. Compare the use of the verbs:

стоя́ть – ста́вить/поста́вить
лежа́ть – класть/положи́ть
висе́ть – ве́шать/пове́сить

1. – Где *стои́т* ла́мпа?
  – Ла́мпа *стои́т* **на окне́.**

1. – Куда́ вы обы́чно *ста́вите* ла́мпу?
  – Обы́чно я *ста́влю* ла́мпу **на окно́.**
  – Куда́ вы *поста́вили* ла́мпу?
  – Я *поста́вил* ла́мпу **на окно́.**

2. – Где *лежа́т* кни́ги?
  – Кни́ги *лежа́т* **на столе́.**

2. – Куда́ вы обы́чно *кладёте* кни́ги?
  – Обы́чно я *кладу́* кни́ги **на стол.**
  – Куда́ вы *положи́ли* кни́ги?
  – Я *положи́л* кни́ги **на стол.**

3. – Где *виси́т* пальто́?
  – Пальто́ *виси́т* **в шкафу́.**

3. – Куда́ вы *ве́шаете* пальто́?
  – Обы́чно я *ве́шаю* пальто́ **в шкаф.**
  – Куда́ вы *пове́сили* пальто́?
  – Я *пове́сил* пальто́ **в шкаф.**

X. Fill in the blanks with the verbs **с т о я́ т ь, л е ж а́ т ь, в и с е́ т ь; к л а с т ь/ п о л о ж и́ т ь, с т а́ в и т ь/п о с т а́ в и т ь, в е́ ш а т ь/п о в е́ с и т ь.**

A. 1. Ва́за ... на окне́. Кто ... ва́зу на окно́? 2. Э́то кре́сло всегда́ ... о́коло дива́на. Почему́ вы ... его́ у две́ри? 3. Ра́ньше телеви́зор ... у окна́, а тепе́рь мы ... его́ здесь. 4. Пожа́луйста, ... сту́лья на ме́сто. 5. На́до ... цветы́ в во́ду.

B. 1. Я вошёл в ко́мнату и ... портфе́ль на стул. Портфе́ль ... на сту́ле. 2. Де́вушка ... кни́гу на стол и вы́шла из ко́мнаты. Где кни́га, о кото́рой вы говори́ли? – Она́ ... на столе́ в ва́шей ко́мнате. 3. Я всегда́ ... де́ньги в карма́н. Де́ньги ... в карма́не. Сего́дня у́тром я ... в карма́н три рубля́. 4. Вы мо́жете ... свой портфе́ль на э́тот стул. 5. Пожа́луйста, ... э́то письмо́ на тот стол.

C. 1. – Где ... моё пальто́? – Ва́ше пальто́ ... в пере́дней. 2. Куда́ вы ... моё пальто́? 3. Пла́тья и костю́мы ... в шкафу́. Жена́ ... свои́ пла́тья и костю́мы в шкаф. 4. Чей портре́т ... в ва́шей ко́мнате? 5. Вы мо́жете ... ваш плащ сюда́. 6. ..., пожа́луйста, пальто́ в шкаф.

XI. Answer the following questions according to the model.

Model: Где у́чится Анна? – Я *не зна́ю,* где у́чится Анна.

1. Где живёт Джим? 2. Где он рабо́тает? 3. Куда́ они́ пое́дут ле́том? 4. Где нахо́дится их дом? 5. Куда́ он положи́л газе́ты? 6. Где мо́жно купи́ть э́тот уче́бник? 7. Куда́ вы пойдёте в суббо́ту ве́чером? 8. Где ваш преподава́тель? 9. Где мой портфе́ль?

XII. Use the correct form of the words in brackets.

1. В ко́мнате шесть (стул) и два (кре́сло). 2. В кварти́ре четы́ре (ко́мната). 3. На столе́ лежи́т не́сколько (газе́та и журна́л). 4. Я купи́л

две (кни́га). 5. В кла́ссе двена́дцать (стол) и два́дцать четы́ре (стул). 6. В столо́вой три (окно́). 7. В на́шем до́ме де́вять (эта́ж). 8. На э́той у́лице два́дцать оди́н (дом). 9. В ва́шей ко́мнате мно́го (карти́на). 10. У него́ ма́ло (кни́га). 11. У них мно́го (де́ти). 12. Сего́дня ве́чером у нас бу́дет мно́го (гость). 13. В мое́й ко́мнате ма́ло (вещь). 14. В на́шей семье́ три (челове́к).

XIII. Describe your room or your classroom using:

verbs стоя́ть, лежа́ть, висе́ть;

prepositions (+ gen.) посреди́не, сле́ва от, напро́тив, спра́ва от, о́коло, у.

XIV. Make up questions to which the following sentences would be the answers.

1. – ......?
   – Наш дом нахо́дится в це́нтре го́рода.
2. – ......?
   – На́ша кварти́ра на второ́м этаже́.
3. – ......?
   – Пиани́но стои́т в са́мой большо́й ко́мнате.
4. – ......?
   – В мое́й ко́мнате стои́т пи́сьменный стол, дива́н, кни́жный шкаф и кре́сло.
5. – ......?
   – Кни́ги стоя́т в кни́жном шкафу́.
6. – ......?
   – Я кладу́ свои́ бума́ги в пи́сьменный стол.
7. – ......?
   – В на́шем до́ме три этажа́.
8. – ......?
   – В э́той кварти́ре три ко́мнаты.

XV. Translate into Russian.

1. We live in a small house in Oxford. It has five rooms, a kitchen, bathroom and lavatory. The kitchen, dining-room and sitting-room are downstairs and the bedrooms are upstairs. 2. My brother lives in a new five-storeyed house. The new houses all have electricity, gas, hot water and a telephone. What conveniences are laid on in your house? 3. "What (furniture) is there in your room?" "In my room there is a table, a bookcase, a settee, two chairs and an armchair. There are photographs on the walls. There is a large grey carpet on the floor." 4. I put my books in the bookcase. I put newspapers and magazines on the table. 5. Where can I put my brief-case? Where can I hang my coat?

XVI. Make up a dialogue between two friends one of whom has recently moved into a new house or flat. Use the words and expressions from the lesson.

4

МОЙ ДЕНЬ

По специа́льности я инжене́р-хи́мик. Я рабо́таю на одно́м из крупне́йших заво́дов Москвы́. Он нахо́дится на окра́ине го́рода.

Мой рабо́чий день начина́ется в во́семь часо́в утра́. (1) Я встаю́ в полови́не седьмо́го, де́лаю у́треннюю заря́дку, чи́щу зу́бы, принима́ю холо́дный душ (2). В э́то вре́мя Мари́на, моя́ жена́, гото́вит за́втрак. По́сле за́втрака, че́тверть восьмо́го, я одева́юсь, выхожу́ из до́ма и иду́ на авто́бусную остано́вку. Че́рез полчаса́, то́ есть без че́тверти во́семь, я уже́ на заво́де (3). Обы́чно я прихожу́ в лаборато́рию без десяти́ мину́т во́семь, то́ есть за де́сять мину́т до нача́ла рабо́ты (4).

Во вре́мя обе́денного переры́ва, с двена́дцати до ча́су (5), я успева́ю пообе́дать в столо́вой и немно́го отдохну́ть (6).

В пять часо́в мы конча́ем рабо́тать. Домо́й я иногда́ хожу́ пешко́м. По доро́ге я захожу́ в кни́жный магази́н посмотре́ть но́вые кни́ги. О́коло шести́ часо́в я уже́ до́ма. Я переодева́юсь и помога́ю жене́ по хозя́йству (7). В семь

часо́в мы у́жинаем. По́сле у́жина я чита́ю журна́лы и просма́триваю газе́ты. Если по телеви́зору идёт что́-нибудь интере́сное (8), мы смо́трим переда́чу. Мы ча́сто хо́дим в кино́, в теа́тры, на конце́рты. Иногда́ ве́чером к нам прихо́дят друзья́.

По вто́рникам и четверга́м я прихожу́ домо́й по́зже, часо́в в семь (9): в эти дни я хожу́ в бассе́йн.

В оди́ннадцать – в полови́не двена́дцатого я ложу́сь спать.

NOTES

(1) Мой рабо́чий день начина́ется *в во́семь часо́в утра́*.	I start work at eight o'clock in the morning. *(lit.* My work day begins... .)
Я встаю́ *в полови́не седьмо́го*.	I get up at half past six.
Я встаю́ *без че́тверти во́семь*.	I get up at a quarter to eight.
(2) (Я) принима́ю холо́дный душ.	I take a cold shower.
(3) Я уже́ на заво́де.	I am already at the plant.

In the present tense the verb **быть (есть)** is omitted.

– Где ваш муж?
– Мой муж сейча́с на рабо́те.

In the past and future it must be used.

– Где вы *бы́ли* вчера́?
– Мы *бы́ли* в теа́тре.
– За́втра ве́чером я *бу́ду* до́ма.

(4) за де́сять мину́т до нача́ла рабо́ты	ten minutes before work starts
(5) с двена́дцати до ча́су	from twelve to one
(6) Я успева́ю пообе́дать и отдохну́ть.	I have time to have lunch and take a little rest.

Успева́ть/успе́ть has the meaning 'to manage to do smth. within the allowed time'.

Я успе́л поговори́ть с инжене́ром до нача́ла рабо́ты.	I managed to have a word with the engineer before we started work.
Мы успе́ли зако́нчить рабо́ту до обе́да.	We managed to finish the work before dinner.

The verb **успéть** (perfective) is always followed by a perfective verb: успéл *посмотрéть,* успéли *сдéлать,* успéл *кóнчить,* успéла *сказáть.*

(7) Я помогáю женé по хозя́йству.	I help my wife with the house-work.
(8) Éсли по телеви́зору идёт чтó-нибудь ин-терéсное...	If there is something interest-ing on TV... .

The preposition **по** + *dative* is used with the words **рáдио, телефóн, телеви́зор, пóчта.**

сообщáть по рáдио	to announce by the radio
говори́ть по телефóну	to speak on the phone
посылáть по пóчте	to send by post
покáзывать по телеви́зору	to show on TV

Идти́ is used in the meaning 'to be on' when one is talking about the theatre, cinema or television:

Что идёт сегóдня в Боль-шóм теáтре?	What's on at the Bolshoi Theatre today?
Какóй фильм идёт сегóдня в кинотеáтре «Прогрéсс»?	What film is on at the "Prog-ress" cinema today?
Что идёт сейчáс по телеви́-зору?	What is on the TV now?

Other expressions concerning the TV programme are:

Что сегóдня по телеви́зору?
Что покáзывают по телеви́зору?

(9) Я прихожу́ домóй часóв в семь.	I come home at about seven.

When the numeral is placed after the noun, it signifies an approximation.

Compare:

Он пришёл *в три часá.*	Он пришёл *часá в три.*
He came at three o'clock.	He came at about three o'clock
Ему́ *двáдцать лет.*	Ему́ *лет двáдцать.*
He is twenty years old.	He is about twenty.
В кни́ге *сто страни́ц.*	В кни́ге *страни́ц сто.*
There are a hundred pages in the book.	There are about a hundred pages in the book.

This applies to all combinations of numerals and nouns. (The phrases **óколо трёх часóв, приблизи́тельно двáдцать лет, почти́ сто страни́ц** are also possible.)

TELLING THE TIME (IN RUSSIAN)

I. Кото́рый час?   What time is it?

1. Кото́рый час?

Сейча́с час.   Сейча́с четы́ре часа́.   Сейча́с семь часо́в.

2. Кото́рый час?

Сейча́с де́сять мину́т пе́рвого   Сейча́с че́тверть (пятна́дцать мину́т) четвёртого.   Сейча́с полови́на восьмо́го.

3. Кото́рый час?

Сейча́с без пяти́ (мину́т) четы́ре.   Сейча́с без че́тверти (без пятна́дцати мину́т) четы́ре.   Сейча́с без двадцати́ пяти́ (мину́т) во́семь.

In some cases, e. g. on the radio, on trains, etc., the time is given in an official, non-conversational way, using the 24-hour clock:

13.05 – трина́дцать часо́в пять мину́т

7.35 – семь часо́в три́дцать пять мину́т

Speaking of the times of films we say:

Дайте два билета на (сеанс) девятнадцать десять.
Мы идём в кино на (сеанс) восемнадцать двадцать.

Evening performances:

17.30 (семнадцать тридцать)
19.15 (девятнадцать пятнадцать)
21.45 (двадцать один сорок пять)

II. Когда? В котором часу? At what time?

A. 1. Павел обедает в час. — Pavel has dinner at one.
Он приходит домой в четыре часа. — He comes home at four.
Мы ужинаем в семь часов. — We have supper at seven.

2. Сегодня он пришёл домой четверть пятого. — Today he came home at a quarter past four.
Они ужинают в половине восьмого. — They have supper at half past seven.

3. Павел пошёл обедать без пяти час. — Pavel went to dinner at five to one.
Он пришёл домой без четверти четыре. — He came home at a quarter to four.
Сегодня мы сели ужинать без двадцати пяти восемь. — We sat down to supper at twenty-five to eight.

B. Sometimes the time of the day is added:

Это было в три часа ночи.
Он приехал в шесть часов вечера.

In this sense **утро, день, вечер, ночь** are roughly used as follows:

5–11 – утро (5 часов утра – 11 часов утра) morning
12–16 – день (12 часов дня – 4 часа дня) afternoon
17–23 – вечер (5 часов вечера – 11 часов вечера) evening
24–4 – ночь (12 часов ночи – 4 часа ночи) night

C. 1. *Около* двух часов. (*gen.*) At about two o'clock.
Он будет здесь около двух часов.

2. *После* двух часов. (*gen.*) After two o'clock.
Павел придёт после двух часов.

3. *Через* два часа́. (*acc.*) In two hours (time).
Че́рез два часа́ я пойду́ на рабо́ту.
4. *К* двум часа́м. (*dat.*) By two o'clock.
Он придёт к двум часа́м.
5. *За* два часа́ (*acc.*) до (+ *gen.*) Two hours before.
Мы пришли́ за пять мину́т до нача́ла концерта.

III. Как до́лго? Ско́лько вре́мени? How long?

1. Два часа́.   (For) two hours.
По́сле обе́да он отдыха́л два часа́.
2. С двух до трёх.   From two to three (o'clock).
После обе́да он отдыха́л с двух до трёх часо́в.

DIALOGUES

I

– Когда́ вы встаёте?
– Обы́чно я встаю́ в полови́не седьмо́го, а в воскре-
се́нье – в полови́не восьмо́го – в во́семь.
– В кото́ром часу́ начина́ют рабо́тать на ва́шем заво́де?
– В во́семь часо́в.
– Ско́лько часо́в в день вы рабо́таете?
– Во́семь часо́в: с восьми́ до двена́дцати и пото́м с
ча́су до пяти́.
– А что вы де́лаете с двена́дцати до ча́су?
– С двена́дцати до ча́су обе́денный переры́в, в э́то
вре́мя мы обе́даем и отдыха́ем.
– А ско́лько дней в неде́лю вы отдыха́ете?
– Два дня: суббо́ту и воскресе́нье.

II

– Мари́на, я слы́шала, что вы занима́етесь (1) в
консервато́рии? Как вы успева́ете и рабо́тать и учи́ться?
– Я рабо́таю у́тром, с девяти́ до трёх, а в консерва-
то́рии занима́юсь ве́чером, с семи́ до десяти́.
– Ка́ждый день?
– Нет, коне́чно. Я хожу́ в консервато́рию че́рез день –
по понеде́льникам, среда́м и пя́тницам. Коне́чно, рабо́-
тать прихо́дится мно́го.
– А дома́шние дела́? Вы всё успева́ете де́лать до́ма?
– Дома́шними дела́ми я занима́юсь в суббо́ту. В э́тот
день я не рабо́таю. А кро́ме того́, мне помога́ет по
хозя́йству муж.

III

– Скажи́те, пожа́луйста, кото́рый час?
– Сейча́с че́тверть пя́того.
– Спаси́бо. А ва́ши часы́ не спеша́т?
– Нет, мои́ часы́ иду́т то́чно. Я проверя́л их по ра́дио в двена́дцать часо́в.
– Зна́чит, мои́ отстаю́т. На них то́лько де́сять мину́т пя́того. На́до бу́дет показа́ть их ма́стеру.

NOTES

(1) ...вы занима́етесь в ...you study at the Conserva-
консервато́рии?   toire?

Занима́ться is used very frequently in Russian. Its main meanings are:

1. **Занима́ться** + *instr. (чем?)*

– спо́ртом   to go in for sport
– литерату́рой   to study literature
– ру́сским языко́м   Russian
– дома́шними дела́ми, хо-   to do the housework
  зя́йством

2. **Занима́ться** with the meaning 'to study, to work, to do something'.

Мне ну́жно занима́ться.   I've got to work.
Он занима́ется с утра́ до   He works from morning till
  по́здней но́чи.   late at night.

Memorize:

пять мину́т пе́рвого   till 30 minutes
че́тверть пя́того   past the hour
два́дцать мину́т двена́дца-
того

40

без пяти́ час	
без че́тверти пять	
без двадцати́ двена́дцать	after 30 minutes
Часы́ иду́т то́чно	to the next hour
	My watch is right (keeps good time).
Часы́ спеша́т, отстаю́т.	My watch is fast, slow.
На мои́х (часа́х) три.	It's three by my watch.
проверя́ть ⎫ часы́	to check a watch
прове́рить ⎭	
ста́вить ⎫ часы́	to set a watch (clock)
поста́вить ⎭	

EXERCISES

I. Answer the following questions.

1. Где вы рабо́таете?
2. Кто вы по специа́льности?
3. Где нахо́дится ваш заво́д, институ́т, банк?
4. Како́й э́то заво́д, институ́т?
5. Когда́ вы встаёте?
6. Вы де́лаете у́треннюю заря́дку (гимна́стику?
7. Когда́ вы за́втракаете?
8. Когда́ вы выхо́дите из до́ма?
9. Вы хо́дите на рабо́ту пешко́м и́ли е́здите?
10. Когда́ вы начина́ете рабо́тать?
11. Где и когда́ вы обы́чно обе́даете?
12. Когда́ вы конча́ете рабо́тать?
13. Когда́ вы прихо́дите домо́й?
14. Что вы де́лаете по вечера́м?
15. Когда́ вы ложи́тесь спать?

II. Write in figures:

де́сять мину́т пя́того, два́дцать пять мину́т пе́рвого, пять мину́т пе́рвого, че́тверть тре́тьего, без че́тверти три, без двадцати́ два, полови́на деся́того, без десяти́ час, два́дцать мину́т четвёртого, без пяти́ пять, че́тверть двена́дцатого, полови́на пе́рвого.

III. Read the following times in Russian:

1.05; 5.20; 9.10; 11.25; 3.17; 12.10; 12.30; 2.15; 2.45; 4.30; 4.40; 4.45; 9.40; 9.35; 9.50; 8.55; 10.10; 10.15; 10.30; 10.45; 10.55.

IV. Answer the following questions using the figures given in brackets.

1. Когда́ вы встаёте? (6.45)
2. Когда́ вы за́втракаете? (7.15)
3. Когда́ вы начина́ете рабо́тать? (8.30)
4. Когда́ вы обе́даете? (12.30)
5. Когда́ вы прихо́дите домо́й? (5.30)
6. Когда́ вы ложи́тесь спать? (11.15)

V. Answer the following questions using the words given on the right. Use the preposition в where it is required.

1. Когда́ вы встаёте? Ско́лько вре́мени вы сего́дня спа́ли?	семь часо́в
2. Когда́ обе́дают рабо́чие? Ско́лько вре́мени продолжа́ется обе́денный переры́в?	час
3. Ско́лько часо́в вы рабо́тали сего́дня? Когда́ вы пришли́ домо́й?	четы́ре часа́
4. Когда́ ваш сын прихо́дит из шко́лы? Ско́лько вре́мени он гото́вит уро́ки?	два часа́

VI. Complete the sentences using the figures given in brackets.

Model: Я рабо́таю ... (7–4).– Я рабо́таю с семи́ часо́в (утра́) до четырёх часо́в (дня).

Note.– When the period of time in question is relatively short or when it is clear which part of the day is meant, the word denoting it is not mentioned at all. Such cases are marked *.

1. Магази́н откры́т ... (8–6). 2. Мы обе́даем ... (1–2) *. 3. Ле́кции продолжа́ются ... (9–3). 4. Мы смо́трим телеви́зор ... (7–9). 5. Врач принима́ет ... (2–8). 6. Я ждал вас ... (5–6) *. 7. Столо́вая рабо́тает ... (12–7). 8. По́сле обе́да, ... , де́ти спят (2–4) *. 9. По́сле о́тдыха, ... , они́ гуля́ют (4–6) *. 10. Метро́ рабо́тает ... (6–1).

VII. Fill in the blanks with the preposition че́рез or по́сле.

Model: Мы пойдём в кино́ ... (два часа́). – Мы пойдём в кино́ че́рез два часа́.

1. Я приду́ ... три часа́. 2. Он зашёл к нам ... рабо́ты. 3. ... ме́сяц у меня́ бу́дут экза́мены. 4. ... экза́менов студе́нты отдыха́ют. 5. ... ле́кции мы пойдём обе́дать. 6. Мы пойдём обе́дать ... час. 7. Я дам вам э́ту кни́гу ... три дня. 8. Я позвоню́ вам ... пра́здников. 9. ... обе́да зайди́те ко мне. 10. Я ко́нчу университе́т ... год.

VIII. Read out the passage below giving the expressions of time according to the 12-hour clock. Insert prepositions where necessary.

ДЕНЬ ШКО́ЛЬНИКА

Наш сын у́чится в шко́ле. Обы́чно он встаёт ... (7). Снача́ла Юра де́лает заря́дку, пото́м умыва́ется, одева́ется, убира́ет посте́ль. ...(7.45) он сади́тся за́втракать. ... (8.10) он выхо́дит их до́ма. Шко́ла, в кото́рой у́чится Юра, нахо́дится недалеко́ от на́шего до́ма. ... (8.20) он прихо́дит в шко́лу. Пе́рвый уро́к начина́ется ... (8.30). По́сле тре́тьего уро́ка, ... (11.15), де́ти за́втракают в шко́льном буфе́те. ... (1.40) уро́ки конча́ются и Юра идёт домо́й. ... (2) он обе́дает. По́сле обе́да он гуля́ет. ... (4.30) Юра начина́ет де́лать уро́ки. Обы́чно он занима́ется ... (2). ... (7) мы у́жинаем. По́сле у́жина Юра занима́ется свои́ми дела́ми: чита́ет, рису́ет, смо́трит телеви́зор и́ли идёт к това́рищу, кото́рый живёт в сосе́днем до́ме. ... (10.30) Юра ложи́тся спать.

IX. Answer the following questions using the words given on the right.

1. Чем занима́ется ваш сын?	рабо́тает, у́чится в шко́ле, в университе́те
2. Чем занима́ется э́тот учёный?	литерату́ра, исто́рия, англи́йский язы́к, филосо́фия
3. Вы давно́ занима́етесь ру́сским языко́м?	неда́вно, не́сколько лет, год, полго́да.
4. Вы занима́етесь спо́ртом?	те́ннис, футбо́л
5. Где вы обы́чно занима́етесь?	до́м, чита́льный зал, университе́тская библиоте́ка

X. Read out the sentences below. Compare the meaning and use of verb with and without the particle -ся.

Профе́ссор *ко́нчил* ле́кцию, и студе́нты вы́шли из за́ла.

Ле́кция *ко́нчилась,* и студе́нты вы́шли из за́ла.

Жизнь *измени́ла* э́того челове́ка.

Э́тот челове́к о́чень *измени́лся.*

XI. Fill in the blanks with the verbs given in brackets, with or without the particle -ся.

А. 1. Мы ... рабо́тать в семь часо́в утра́ и ... в четы́ре часа́ дня. Ле́кции в институ́те ... в де́вять утра́ и ... в три часа́ дня. (начина́ть – начина́ться, конча́ть – конча́ться) 2. Дверь ... , и вошёл преподава́тель. Преподава́тель ... дверь и вошёл в класс. (откры́ть – откры́ться) 3. Рабо́та в лаборато́рии ... . Рабо́тники лаборато́рии ... свою́ рабо́ту. (продолжа́ть – продолжа́ться) 4. Шофёр ... маши́ну на углу́ у́лицы. Маши́на ... на углу́ у́лицы. (останови́ть – останови́ться) 5. Магази́н ... в де́вять часо́в утра́ и ... в семь часо́в ве́чера. Когда́ мы ухо́дим из до́ма, мы ... о́кна. (открыва́ть – открыва́ться, закрыва́ть – закрыва́ться)

В. 1. Мать ... ма́ленького сы́на. Сын ... сам. (мыть – мы́ться) 2. Ка́ждое у́тро я ... . Я сижу́, а парикма́хер ... меня́. (брить – бри́ться) 3. Мари́на ... и вы́шла на у́лицу. Мать ... до́чку и вы́шла с ней на у́лицу. (оде́ть – оде́ться)

XII. Read the sentences below. Compare the meaning of the perfective and imperfective verbs.

Мари́на *гото́вила* у́жин.

Мари́на *пригото́вила* ужин.

Обы́чно я *ложу́сь (ложи́лся)* спать по́здно.

Вчера́ я *лёг* спать по́здно.

XIII. Insert the appropriate form of the verbs given in brackets.

1. – Что вы де́лали вчера́ ве́чером? – Я ... кни́гу. – Вы уже́ ... её? – Да, ... (чита́ть – прочита́ть) 2. – Что де́лает ваш сын? – Он ... уро́ки. – Воло́дя, ты уже́ ... уро́ки? – Да, я уже́ всё ... . (гото́вить – пригото́вить) 3. Я сиде́л мо́лча, а Серге́й ... мне о себе́, о свое́й жи́зни. (расска́зывать – рассказа́ть) 4. Па́вел ... газе́ты и стал чита́ть кни́гу (просма́тривать – просмотре́ть) 5. – Почему́ вы ... так ра́но? – Я всегда́ ... ра́но. Да́же ле́том, когда́ я жил на да́че, я ... в шесть часо́в утра́. (встава́ть – встать)

6.– Когда́ вы … спать? – Обы́чно я … спать по́здно. Вчера́ я о́чень уста́л и … спать ра́но, в полови́не деся́того. (ложи́ться – лечь) 7. Когда́ мы сиде́ли за столо́м и … , Мари́на вдруг сказа́ла мне: «Пойдём сего́дня в кино́». Мы … , бы́стро оде́лись и пошли́ в кино́. (у́жинать – поу́жинать)

XIV. Make up questions to which the following sentences would be the answers.

1. – …….?
   – Я встаю́ в полови́не седьмо́го.
2. – …….?
   – Я выхожу́ из до́ма в полови́не восьмо́го.
3. – …….?
   – Я е́зжу на рабо́ту на авто́бусе.
4. – …….?
   – Наш заво́д нахо́дится на окра́ине го́рода.
5. – …….?
   – Мы обе́даем в столо́вой.
6. – …….?
   – Мы конча́ем рабо́тать в четы́ре часа́.
7. – …….?
   – Ве́чером, по́сле у́жина, мы смо́трим телеви́зор.
8. – …….?
   – По вто́рникам я хожу́ в бассе́йн.
9. – …….?
   – Бассе́йн нахо́дится недалеко́ от на́шего до́ма.

XV. Fill in the blanks with the appropriate verb.

A. идти́ – ходи́ть

1. – Куда́ вы сейча́с …? – Я … в магази́н. 2. – Вы … домо́й? – Нет, я … на по́чту. 3. Ка́ждый день я … на рабо́ту. 4. Обы́чно я … пешко́м. 5. – Вы не зна́ете, куда́ … э́ти де́ти? – Я ду́маю, они́ … в парк. 6. Вы лю́бите … пешко́м?

B. е́хать – е́здить

1. Обы́чно я … на рабо́ту на метро́. 2. Вы то́же … на метро́? 3. Сего́дня я до́лжен … на метро́, что́бы не опозда́ть в университе́т. 4. – Вы … в Ки́ев? – Да, сейча́с я … в Ки́ев, а из Ки́ева я пое́ду в Оде́ссу. 5. Ка́ждое ле́то на́ша семья́ … на Во́лгу. 6.– Почему́ мы так ме́дленно … ? – Мы … ме́дленно, потому́ что впереди́ мно́го маши́н.

XVI. Translate into Russian.

1. I usually get up at seven o'clock in the morning. I do some physical exercises and have a shower. 2. Work begins at eight o'clock. I leave my house at half past seven. 3. I work eight hours a day, and Marina six. 4. We have a dinner break from one to two. 5. Petrov leaves his house at half past eight and arrives at the factory ten minutes before work begins. 6. Do you go to work by bus (tram, train) or do you walk? 7. On Saturdays our friends come and visit us. 8. We watch television in the evenings. 9. I'll come and see you by seven o'clock. 10. "What's your brother doing?" "He is at the university. He is reading (*lit.* studying) history."

XVII. a) Describe a typical day in your life using the vocabulary and idioms given in this lesson.

   b) Ask your colleague, another student or friend how he spends his day.

   c) Describe how your son (or daughter) spends his (or her) day.

44

5

МАРИНА ЕДЕТ НА РАБОТУ

– Детская поликлиника, в которой я работаю, – рассказывает Марина, – находится в центре города. А живём мы в районе Измайловского парка.

От дома до моей работы нет прямого сообщения. Мне приходится пользоваться двумя видами транспорта. (1) Сначала я еду на автобусе (2), потом на метро и, кроме того, десять-двенадцать минут иду пешком (3).

Обычно я выхожу из дому двадцать минут девятого. Сначала я иду к автобусной остановке. Остановка находится как раз напротив нашего дома (4). Автобусы в это время ходят часто, и мне не приходится долго ждать.

Подходит автобус. Я вхожу, предъявляю проездной билет и прохожу в салон. Обычно в эти часы в автобусе много народу (5).

Че́рез три остано́вки, у метро́, мне на́до выходи́ть. Я выхожу́ из авто́буса и иду́ к метро́. Я вхожу́ в вестибю́ль, опуска́ю пять копе́ек в автома́т и прохожу́ ми́мо контро-лёра-автома́та. Зате́м по эскала́тору спуска́юсь вниз. Подхо́дит по́езд. Я вхожу́ в ваго́н и сажу́сь, е́сли есть свобо́дное ме́сто.

На остано́вке «Пло́щадь Револю́ции» я выхожу́ из метро́ на у́лицу. Отсю́да до рабо́ты де́сять мину́т ходьбы́. Это расстоя́ние – две остано́вки – мо́жно прое́хать на тролле́йбусе. Обы́чно от метро́ до поликли́ники я иду́ пешко́м, но иногда́ е́ду на тролле́йбусе.

Е́сли я выхожу́ и́з дому поздне́е обы́чного, мне прихо́-дится брать такси́ (6), что́бы прие́хать на рабо́ту во́время.

NOTES

(1) Мне прихо́дится по́ль-зоваться двумя́ ви-дами тра́нспорта.	I have to use two types of transport.

The verb **приходи́ться** is impersonal and is used only in the following forms:

приходится (present)
приходи́лось (past)

The corresponding perfective verb is **прийти́сь** which has the following forms:

придётся (future)
пришло́сь (past)

Both verbs are used with the dative.

Иногда́ *мне* прихо́дится е́хать с переса́дкой.	I sometimes have to change (buses).
Нам придётся идти́ пеш-ко́м.	We'll have to go on foot.
Вчера́ *Мари́не* пришло́сь взять такси́.	Yesterday Marina had to take a taxi.
(2,5) Снача́ла я е́ду *на* авто́бусе...	First I take (go by) a bus....
В э́ти часы́ *в* авто́бусе мно́-го наро́ду.	At this time there are many people in the bus.

Note the use of **в** and **на**.

a) When we wish to emphasize the type of transport the preposition **на** (+ *prepos.*) is used.

$$\text{éхать}\begin{cases}\text{на авто́бусе}\\\text{на трамва́е}\\\text{на тролле́йбусе}\\\text{на маши́не}\\\text{на метро́}\\\text{на такси́}\\\text{на по́езде}\\\text{на велосипе́де}\end{cases}$$

$$\text{плыть}\begin{cases}\text{на теплохо́де}\\\text{на ло́дке}\end{cases}$$

лете́ть на самолёте

These constructions answer the question *Как? Каки́м ви́дом тра́нспорта?* (How? By what means of transport?)

– Как вы поéдете?
– Мы поéдем на трамва́е.

The following form is also possible:

éхать авто́бусом, трамва́ем, по́ездом; лете́ть самолётом.

b) When the place is meant the preposition **в** is used.

$$\begin{matrix}\text{быть, находи́ться, си-}\\\text{де́ть, уви́деть, встре́-}\\\text{тить кого́-нибудь}\\\text{и т. д.}\end{matrix}\begin{cases}\text{в авто́бусе}\\\text{в трамва́е}\\\text{в тролле́йбусе}\\\text{в по́езде}\\\text{в маши́не}\\\text{в такси́}\\\text{в самолёте}\\\text{в ло́дке}\\(but\ \text{на теплохо́де})\end{cases}$$

В маши́не сиде́л како́й-то челове́к.
Вчера́ *в трамва́е* я встре́тил своего́ дру́га.

(3) Снача́ла я éду на авто́бусе, пото́м иду́ пешко́м.   First I go by bus, then on foot.

To indicate habitual and repeated action, the verbs **ходи́ть** and **éздить** are used.

Ка́ждый день я *хожу́* на рабо́ту.
Мой сосе́д *éздит* на рабо́ту на маши́не.

47

But when the action, while being repeated, is performed in one direction only, the verbs **идти́, е́хать** are used.

> Утром я *иду́* к авто́бусной остано́вке. Я *е́ду* пять остано́вок и выхожу́. Пото́м я *е́ду* на метро́.

(4) Остано́вка *как ра́з* напро́тив на́шего до́ма. — The bus stop is *just* opposite our house.

(6) Мне прихо́дится брать такси́. — I have to take a taxi.

As distinct from the English 'take' the Russian verbs **брать/взять** are only used in the expression **брать такси́, брать маши́ну.** With all other nouns indicating means of transport **сади́ться/сесть** are used:

> Мы пойдём пешко́м и́ли *ся́дем* на трамва́й?
> Вам на́до *сесть* на пя́тый авто́бус, он идёт в центр.

DIALOGUES

I

– Скажи́те, пожа́луйста, как пройти́ к Большо́му теа́тру?
– Большо́й теа́тр недалеко́ отсю́да. Иди́те пря́мо, пото́м нале́во.

II

– Скажи́те, как мне дое́хать до па́рка «Соко́льники»?
– Извини́те, я не москви́ч. Спроси́те милиционе́ра, он вам объясни́т.
– Това́рищ милиционе́р, как мне попа́сть в парк «Соко́льники»? (1)
– Лу́чше всего́ на метро́. Отсю́да до па́рка то́лько три остано́вки. Мо́жно е́хать и на тролле́йбусе. Дое́дете до остано́вки метро́ «Соко́льники», а там спроси́те, как пройти́ к па́рку.
– Спаси́бо.

III

– Скажи́те, как отсю́да дое́хать до университе́та на
Ле́нинских гора́х?
– До университе́та мо́жно дое́хать на авто́бусе и на
тролле́йбусе.
– А на метро́?
– На метро́ вам придётся е́хать с переса́дкой (2).

IV

– Такси́ свобо́дно?
– Свобо́дно. Сади́тесь. Вам куда́?
– Мне к Большо́му теа́тру.
– Че́рез пятна́дцать мину́т бу́дем там.
– Ско́лько с ме́ня?
– Два рубля́.
– Пожа́луйста. До свида́ния.

NOTES

(1) Как мне попа́сть в   How can I get to Sokolniki
    парк «Соко́льники»?   Park?

Попа́сть is often used colloquially with the meaning 'to
get (somewhere)'.

Как вы сюда́ *попа́ли?*
Мы *попа́ли* в теа́тр во́время.

(2) Вам придётся е́хать с   You will have to change.
    переса́дкой.

переса́дка	change
де́лать переса́дку ⎫	to change
е́хать с переса́дкой ⎬	
е́хать без переса́дки ⎭	to go straight through (without changing)

Memorize:

А. Скажи́те, пожа́луйста, как пройти́ к Большо́му теа́тру?	Please tell me how to get to the Bolshoi Theatre.
Скажи́те, пожа́луйста, как попа́сть на Ле́нинские го́ры?	Please tell me how to get to Lenin Hills.

49

Не скáжете ли вы, как доéхать до гостúницы «Украúна»?	Can you tell me how to get to the hotel *Ukraina?*
Не скáжете ли вы, кудá идёт этот автóбус?	Can you tell me where this bus goes?
Этот автóбус идёт в центр?	Does this bus go to the city centre?
Скажúте, пожáлуйста, где останáвливается 3-й (трéтий) автóбус?	Please tell me where the No. 3 bus stops.
Скажúте, пожáлуйста, где ближáйшая стáнция метрó (останóвка автóбуса, стоя́нка таксú)?	Please tell me where the nearest Metro station (bus stop, taxi rank) is.
В. Скажúте, пожáлуйста, где мне выходúть? Мне нýжен музéй Чéхова.	Please tell me where I should get off. I want to get to the Chekhov Museum.
Скажúте пожáлуйста, где мне сдéлать пересáдку?	Please tell me where I change.
Какáя это останóвка?	What stop is this?
Какáя слéдующая останóвка?	What is the next stop?
– Вы схóдите на слéдующей (останóвке)?	– Are you getting off at the next stop?
– Да, схожý.	– Yes, I am.
– Нет, не схожý.	– No, I'm not.
Разрешúте пройтú.	Will you let me pass, please?

EXERCISES

1. Answer the following questions.

1. Далекó ли от вáшего дóма до рабóты (до университéта)?
2. Вы éздите на рабóту úли хóдите пешкóм?
3. Когдá вы выхóдите из дóма?
4. Как вы éздите на рабóту?
5. Есть ли прямóе сообщéние от вáшего дóма до рабóты?
6. Вам прихóдится дéлать пересáдку?
7. Где вы дéлаете пересáдку?
8. Скóлько врéмени занимáет у вас дорóга от дóма до рабóты?
9. Какóй трáнспорт хóдит по вáшей ýлице?
10. Какóй вид трáнспорта вы предпочитáете?
11. Вам чáсто прихóдится éздить на автóбусе (на трамвáе)?
12. Скóлько стóит билéт на автóбусе?
13. В вáшем гóроде есть метрó?
14. Вы чáсто éздите на метрó?
15. Где ближáйшая стоя́нка таксú?

II. Put the verbs in the past.

1. Маши́на идёт бы́стро. 2. Куда́ он идёт? 3. Он е́здит на рабо́ту на авто́бусе. 4. Ма́льчики иду́т в шко́лу. 5. Ле́том я хожу́ на рабо́ту пешко́м. 6. Ка́ждый год мы е́здим на юг. 7. Же́нщина идёт ме́дленно. 8. Мои́ друзья́ хорошо́ хо́дят на лы́жах.

III. Fill in the blanks with the appropriate forms of the verb пойти́ or поéхать.

1. Сего́дня ве́чером мы ... в теа́тр. Мы ... туда́ на такси́. 2. Ско́ро я ... в Ленингра́д. 3. Че́рез два часа́ он ко́нчит рабо́ту и .. домо́й. 4. Что́бы купи́ть слова́рь, на́до ... в кни́жный магази́н. Магази́н ря́дом. 5. Вы не хоти́те ... сего́дня ве́чером в кино́? 6. Куда́ вы собира́етесь ... ле́том?

IV. Fill in the blanks with the appropriate forms of the verbs of motion.

A. идти́ – ходи́ть

1. Сейча́с я ... на уро́к ру́сского языка́. 2. – Куда́ вы сейча́с ...? – Мы ... в го́сти к свои́м друзья́м. 3. – Вы ча́сто ... в го́сти? – Нет, о́чень ре́дко. 4. – Куда́ вы так спеши́те? – Мы ... в теа́тр и, ка́жется, опа́здываем. 5. – Вы ча́сто ... в теа́тр? – Мы ... в теа́тр два-три ра́за в ме́сяц. 6. Я смотрю́ в окно́: вот ... же́нщина. Ря́дом с ней ... ма́льчик. Наве́рное, они́ ... в парк. 7. Она́ рабо́тает недалеко́ от до́ма и всегда́ ... на рабо́ту пешко́м.

B. е́хать – е́здить

1. Обы́чно он ... на рабо́ту на трамва́е, иногда́ ... на авто́бусе. 2. Я ви́жу, как по у́лице ... велосипеди́сты. 3. У него́ така́я рабо́та, что он ча́сто ... в други́е города́. 4. – Куда́ ... э́ти тури́сты? – Они́ ... на заво́д. 5. – Куда́ вы ... по воскресе́ньям? – Обы́чно в воскресе́нье мы ... на да́чу.

V. Use the verb быть in the past instead of the verbs of motion.

Model: Вчера́ мы *ходи́ли в теа́тр.* – Вчера́ мы *бы́ли в теа́тре.*
Неда́вно я *е́здил в Пари́ж.* – Неда́вно я *был в Пари́же.*

1. В воскресе́нье мы ходи́ли на конце́рт. 2. Вчера́ Мари́на не ходи́ла на рабо́ту. 3. Днём Па́вел ходи́л в столо́вую. 4. Он никогда́ не е́здил в Ленингра́д. 5. В суббо́ту мы ходи́ли в Большо́й теа́тр. 6. В про́шлом году́ мой оте́ц е́здил в Ита́лию. 7. Сего́дня она́ е́здила в университе́т.

VI. Answer the following questions replacing быть by ходи́ть or е́здить.

1. Где вы бы́ли ле́том? 2. Где вы бы́ли вчера́? 3. Вы бы́ли у́тром в библиоте́ке? 4. Вы бы́ли вчера́ на ве́чере? 5. Вы бы́ли в Москве́? 6. Когда́ вы бы́ли в Сове́тском Сою́зе? 7. Вы бы́ли ле́том на ю́ге?

VII. Fill in the blanks with the preposition в or на.

1. Мы пое́дем ... авто́бусе? В э́то вре́мя ... авто́бусе ма́ло наро́ду. 2. Я сиде́л ... такси́ и ждал шофёра. Когда́ я опа́здываю, я е́зжу ... такси́. 3. Вчера́ ... трамва́е я встре́тил ста́рого знако́мого. Туда́ придётся е́хать ... трамва́е. 4. Вы пое́дете ... по́езде и́ли полети́те ... самолёте? ... самолёте се́мьдесят мест. 5. Вам на́до е́хать ... метро́. Я ча́сто встреча́ю э́того челове́ка ... метро́.

VIII. Make up questions to which the following sentences would be the answers.

1. – ......?
– Этот авто́бус идёт в центр.

2. – ......?
   – Трéтий автóбус останáвливается у метрó.
3. – ......?
   – Мы éдем на Кúевский вокзáл.
4. – ......?
   – Слéдующая останóвка – Пýшкинская плóщадь.
5. – ......?
   – Марúна éздит на рабóту на метрó.
6. – ......?
   – Вам нáдо сдéлать пересáдку в цéнтре.
7. – ......?
   – Да, таксú свобóдно.

IX. Put the following verbs into the imperative according to the model.

Model: передáть билéт – Передáйте, пожáлуйста, билéт.

1. остановúть таксú; 2. садúться в таксú; 3. спросúть у милиционéра; 4. показáть, где стáнция метрó; 5. сказáть, где останóвка автóбуса.

X. Fill in the blanks with the appropriate words from those given below.

Скажúте, пожáлуйста,
- ... идёт э́тот автóбус?
- ... останóвка трамвáя?
- ... доéхать до Большóго теáтра?
- ... мне дéлать пересáдку?
- ... автóбус идёт в центр?
- ... нам сходúть?
- ... э́то останóвка?

(где, кудá, как, какóй, какáя)

XI. Join the following pairs of simple sentences using the conjunctions так как, потомý что, éсли, когдá.

1. Обы́чно я хожý в институ́т пешкóм. От дóма до институ́та дéсять минýт ходьбы́. 2. Мне прихóдится дéлать пересáдку. От дóма до рабóты нет прямóго сообщéния. 3. Я опáздываю на рабóту. Иногдá я берý таксú. 4. Я хожý на рабóту пешкóм. Я выхожý из дóма вóвремя. 5. Я сажýсь на автóбус. Я выхожý из дóма пóздно.

XII. Give the opposites of the following sentences.

Model: Онá вошлá в кóмнату. – Онá вы́шла из кóмнаты.
Áнна приéхала в Москвý. – Áнна уéхала из Москвы́.

1. Он вошёл в зал. 2. Мы вошлú в дом. 3. Я вошёл в магазúн. 4. Мы вы́шли из теáтра. 5. Онá вы́шла из метрó. 6. Пáвел пришёл на рабóту. 7. Он приéхал в Москвý. 8. Семья́ уéхала в дерéвню. 9. Он ушёл на рабóту рáно.

XIII. Translate into Russian.

1. – Do you go to work by some means of transport or on foot?
   – I usually go by bus. I go home on foot because at that time the buses are crowded.
2. – Can you tell me whether the *Moskva* hotel is far from here?
   – No, it's not far. It's three bus stops from here.
   – How do I get to the hotel?
   – You take the No. 3 bus.

– Where does it stop?

– Can you see those people on the other side of the street? That's the No. 3 bus stop.

– Thank you.

3. – Can you tell me when to get off? I want to get to the Bolshoi Theatre.

– The Bolshoi is the fourth stop from here. I'll tell you when to get off.

4. – Which is the next stop?

– The Chekhov Museum.

5. – Do you know where the No. 2 trolleybus stops?

– Sorry, I don't live here. (*lit.* I'm not a Muscovite.) You'd better ask a policeman (*lit.* militiaman).

6. – Where do I get off for Red Square?

– You've got to get off at Revolution Square.

7. – I've got to catch the No. 6 bus.

– The No. 6 does not come this way. It stops by the Metro.

8. How much does a ticket cost?

9. Would you give me two tickets, please?

10. – Is this taxi free?

– Yes, it is. Get in. Where do you want to go?

– I'm going to the city centre.

11. Where is the nearest bus or trolleybus stop?

XIV. a) Describe your journey to work using the words and expressions from the lesson.

b) Make up some dialogues between a local resident and a visitor on «Как проéхать от ... до ...?», «Как попáсть в ...?», «Какóй трáнспорт идёт в ...?»

XV. Read and retell the following:

Однá пожилáя дáма собирáлась взять таксú.

– Мне на вокзáл,—сказáла онá шофёру.

– Пожáлуйста,—отвéтил шофёр.

– Тóлько прошý вас éхать мéдленно и осторóжно.

– Хорошó,—отвéтил шофёр.

– Прошý не éхать на крáсный свет.

– Хорошó.

– Прошý не дéлать крутúх поворóтов. Сегóдня был дождь, и дорóга мóкрая.

– Прекрáсно,—сказáл шофёр.—Вы не сказáли одногó: в какýю больнúцу отвезтú вас, éсли бýдет несчáстный слýчай.

не éхать на крáсный свет	to stop when the lights are at red
крутóй поворóт	a sharp turn
несчáстный слýчай	an accident

6

ПРОГУЛКА ЗА ГОРОД

Ле́том в хоро́шую пого́ду мы с друзья́ми прово́дим воскресе́нье за́ городом (1). Обы́чно нас быва́ет челове́к шесть-во́семь. (2) Это на́ши знако́мые и мой това́рищи по

рабо́те (3). Мы встреча́емся на вокза́ле в де́вять часо́в утра́, берём биле́ты и сади́мся в по́езд. В ваго́не мно́го молодёжи, и поэ́тому там шу́мно и ве́село. Ско́ро по́езд отхо́дит.

Мину́т че́рез три́дцать мы выхо́дим на небольшо́й ста́нции и идём пешко́м три-четы́ре киломе́тра.

Доро́га идёт снача́ла че́рез дере́вню, пото́м лу́гом и ле́сом. (4) Мы идём не спеша́, но в хоро́шем и бо́дром те́мпе. По доро́ге шу́тим, поём, фотографи́руем, собира́ем я́годы. Наконе́ц мы у це́ли. Мы остана́вливаемся на берегу́ реки́, киломе́трах в трёх-четырёх от ста́нции.

Одни́ начина́ют гото́вить площа́дку для волейбо́ла, други́е ста́вят пала́тку, де́вушки гото́вят за́втрак. Здесь мы прово́дим весь день – купа́емся, ло́вим ры́бу, игра́ем в волейбо́л, бро́дим по́ лесу. Ка́ждый нахо́дит себе́ заня́тие по душе́ (5). На во́здухе, осо́бенно по́сле волейбо́ла и купа́ния, аппети́т у всех прекра́сный. Всё, что пригото́вили де́вушки, ка́жется о́чень вку́сным.

Часо́в в пять мы отправля́емся в обра́тный путь. Че́рез час-полтора́ мы уже́ на ста́нции, а ещё че́рез полчаса́ – в Москве́. На вокза́ле мы проща́емся и догова́риваемся о сле́дующей прогу́лке. У нас есть не́сколько излю́бленных маршру́тов, и мы выбира́ем оди́н из них. Иногда́ мы хо́дим пешко́м, иногда́ е́здим на маши́не и́ли на велосипе́дах, иногда́ соверша́ем прогу́лку на парохо́де.

NOTES

(1) Мы с друзья́ми прово́дим воскресе́нье за́ го́родом.

Our friends and we spend Sunday in the country.

a) мы с друзья́ми
мы с жено́й

my (our) friends and I
(we) my wife and I

(«Я с жено́й» or «я и жена́» are also possible.)

b) **За́ городом, за́ город** is the equivalent of 'in the country, to the country'.

Мы с жено́й.

55

За́ го́родом answers the question *где?*; **за́ го́род,** *куда́?*

– *Где* вы бы́ли в воскресе́нье?
– *За́ го́родом.*
– *Куда́* вы е́здили в воскресе́нье?
– *За́ го́род.*

(2) Обы́чно нас быва́ет челове́к шесть-во́семь.	There are usually about six or eight of us.

Note that the pronoun in the genitive corresponding to the English 'of us', 'of them', etc., is placed before the predicate.

Их дво́е – брат и сестра́.	There are two of them, a brother and a sister.
В семье́ *нас* бы́ло че́тверо.	There were four of us in our family.
Ско́лько *вас* бы́ло вчера́ на уро́ке?	How many of you were at the lesson yesterday?

(3) това́рищи по рабо́те (*dat.*)	colleagues, workmates

Also:

знако́мый по институ́ту	an institute acquaintance
подру́га по шко́ле	a school friend
(4) Доро́га идёт ... лу́гом и ле́сом.	The road goes... through the meadow and the forest.

(5) заня́тие по душе́ (*dat.*) an occupation to one's liking

Note that almost all the verbs in this passage («Прогу́лка за́ го́род») are imperfective. They indicate recurring actions:

Мы *прово́дим* воскресе́нье за́ го́родом.
Мы *остана́вливаемся* на берегу́ реки́.
... *отправля́емся* в обра́тный путь.

DIALOGUES

I

– Как вы обы́чно прово́дите воскресе́нье?
– Е́сли стои́т хоро́шая пого́да, мы е́здим за́ го́род.
– На маши́не и́ли на по́езде?
– Иногда́ на маши́не, в том слу́чае, когда́ нас тро́е-че́тверо (1). Е́сли нас собира́ется челове́к во́семь, мы

снача́ла е́дем на по́езде, а пото́м идём не́сколько киломе́тров.
– А где вы де́лаете прива́л?
– В лесу́ и́ли на берегу́ реки́.
– Вы е́здите в одно́ ме́сто и́ли в ра́зные места́?
– В ра́зные. Под Москво́й мно́го краси́вых мест, и вы́брать интере́сный маршру́т нетру́дно.

II

– Ни́на, ты не хо́чешь пое́хать в воскресе́нье за́ город?
– С удово́льствием. А кто ещё пое́дет?
– Мои́ това́рищи по рабо́те. Нас бу́дет челове́к пять-семь.
– А куда́ вы е́дете?
– В Усо́во, на Москву́-реку́. Там прекра́сные места́, мо́жно купа́ться, ката́ться на ло́дке.
– Где и когда́ мы встре́тимся?
– Мы собира́емся у касс Белору́сского вокза́ла в во́семь три́дцать. Бу́дем ждать тебя́. Ты обяза́тельно пое́дешь?
– Ду́маю, что пое́ду. Если я не пое́ду, я позвоню́ тебе́ накану́не. Хорошо́?
– Хорошо́. Договори́лись.

NOTES

(1) Когда́ нас тро́е-четве-ро...
When there are (only) three or four of us....

Дво́е мужчи́н

Две же́нщины

Collectives – **дво́е, тро́е, че́тверо, пя́теро, ше́стеро, се́меро** – are used with nouns indicating male persons.

тро́е мужчи́н, *but* три же́нщины
пя́теро ма́льчиков, *but* пять де́вочек

Collectives can be used with nouns indicating groups of males and females.

Дете́й в семье́ бы́ло *тро́е* – оди́н ма́льчик и две де́вочки.

Memorize:

Как вы прово́дите свобо́дное вре́мя?	How do you spend your spare time?
Где вы провели́ после́днее воскресе́нье?	Where did you spend last Sunday?

мы с дру́гом = я и друг
мы с сы́ном = я и сын

EXERCISES

I. Answer the following questions.

1. Где вы обы́чно прово́дите воскресе́нье?
2. Вы е́здите за́ город?
3. Куда́ вы обы́чно е́здите в воскресе́нье?
4. Как вы е́здите – на маши́не и́ли на по́езде?
5. Вы лю́бите ходи́ть пешко́м?
6. Како́е ме́сто вы выбира́ете для о́тдыха?
7. Где вы де́лаете прива́л?
8. Что вы де́лаете во вре́мя прогу́лки?
9. Когда́ вы возвраща́етесь домо́й?
10. Вы ча́сто соверша́ете прогу́лки за́ город?

II. Answer the following questions using the words given in brackets.

Model: С кем вы е́здите за́ город? (мои́ друзья́) – Я е́зжу за́ город *со свои́ми друзья́ми.*

1. С кем вы встре́тились вчера́? (мой ста́рый знако́мый) 2. С кем вы договори́лись о встре́че? (на́ши друзья́ и знако́мые) 3. С кем вы отдыха́ли ле́том на ю́ге? (жена́ и де́ти) 4. С кем вы разгова́ривали сейча́с? (рабо́чие и инжене́р на́шей лаборато́рии) 5. С кем вы занима́етесь ру́сским языко́м? (ста́рый о́пытный преподава́тель) 6. С кем вы сове́туетесь? (мои́ роди́тели, моя́ жена́, мои́ друзья́) 7. С кем вы говори́те по-ру́сски? (сове́тские тури́сты)

III. Answer the following questions using the words given in brackets.

1. Чем вы занима́етесь в свобо́дное вре́мя? (ру́сский язы́к и ру́сская литерату́ра) 2. Чем она́ интересу́ется? (литерату́ра, му́зыка и теа́тр) 3. Чем вы по́льзуетесь, когда́ перево́дите те́ксты? (ру́сско-англи́йский слова́рь, уче́бник и други́е кни́ги) 4. Чем увлека́ется э́тот молодо́й челове́к? (спорт и та́нцы)

IV. Fill in the blanks with verbs chosen from those in brackets.

1. Ка́ждое воскресе́нье мы ... (встреча́ем – встреча́емся) с друзья́ми на вокза́ле. Я ча́сто ... (встреча́ю – встреча́юсь) э́того челове́ка на авто́бусной остано́вке. 2. Мы ре́дко ... (ви́дим – ви́димся) со свои́ми друзья́ми. Он не ... (ви́дел – ви́делся) свои́х роди́телей три го́да. 3. Я ... (собра́л – собра́лся) свои́ ве́щи и сложи́л их в чемода́н. Около касс вокза́ла ... (собра́ли – собрали́сь) тури́сты. 4. По́езд ... (останови́л – останови́лся), и мы вы́шли из ваго́на. Милиционе́р ... (останови́л – останови́лся) маши́ну. 5. Мы отдыха́ем, игра́ем в волейбо́л, ... (купа́ем – купа́емся). Ка́ждый ве́чер мать ... (купа́ет – купа́ется) дете́й.

V. Replace the imperfective by perfective verbs and explain how their use depends upon the meaning expressed.

Model: Ле́том мы *проводи́ли* ка́ждое воскресе́нье за́ городом.	Мы *провели́ после́днее воскресе́нье* за́ городом.
Мы *встреча́лись* на вокза́ле.	Мы *встре́тились* на вокза́ле.

1. Мы бра́ли биле́ты. 2. Мы сади́лись в по́езд. 3. Мы выходи́ли на э́той ста́нции. 4. Тури́сты остана́вливались на берегу́ реки́. 5. Здесь они́ купа́лись. 6. Де́вушки гото́вили за́втрак. 7. В пять часо́в на́ша гру́ппа отправля́лась обра́тно. 8. На вокза́ле мы проща́лись. 9. Мы догова́ривались о сле́дующей прогу́лке.

VI. Insert the appropriate preposition в or на.

1. Я е́зжу в университе́т ... авто́бусе. Сего́дня ... авто́бусе бы́ло мно́го наро́ду. 2. Студе́нты е́здили в колхо́з ... по́езде. ... по́езде бы́ло мно́го молодёжи. 3. Из Москвы́ в Ки́ев тури́сты е́хали ... по́езде, обра́тно они́ лете́ли ... самолёте. 4. Сего́дня у́тром я встре́тил ... метро́ на́шего профе́ссора. 5. Вы всегда́ е́здите на рабо́ту ... метро́? 6. В воскресе́нье мы е́здили за́ город. Туда́ мы е́хали ... по́езде, обра́тно –... парохо́де. 7. Неда́вно мой оте́ц е́здил в Ленингра́д. Туда́ он лете́л ... самолёте, обра́тно он е́хал ... по́езде. ... самолёте он встре́тил знако́мого.

VII. Read out the sentences. Compare the meaning of the verbs п р и е з ж а́ т ь, у е з ж а́ т ь (imperfective) and п р и е́ х а т ь, у е́ х а т ь (perfective) in the past tense.

1. В про́шлом году́ ко мне *при-езжа́ла* сестра́. (Она́ жила́ у нас две неде́ли.)	В про́шлом году́ ко мне *прие́хала* сестра́. (Тепе́рь мы живём вме́сте.)
2. В а́вгусте нас не́ было в Москве́ – мы *уезжа́ли* в дере́вню.	Ви́ктора сейча́с нет в Москве́ – он *уе́хал* в дере́вню.

VIII. Insert the appropriate form of the verbs.

A. приходи́ть – прийти́, приезжа́ть – прие́хать

1. Ле́том к нам в университе́т ... студе́нты из Ке́мбриджа. Неда́вно к нам в университе́т ... студе́нты из Оксфорда. Они́ пробу́дут здесь две неде́ли. 2. Бы́ло уже́ часо́в де́вять, когда́ ко мне ... мой това́рищ. Вчера́ ко мне ... мой това́рищ, к сожале́нию, не́ было до́ма. 3. У́тром к вам ... э́тот челове́к, но вас не́ было до́ма. Вчера́ я ... домо́й по́здно. 4. Ка́ждый ве́чер ко мне́ ... мой сосе́д и мы игра́ем с ним в ша́хматы. Он сказа́л, что сего́дня он ... поздне́е, чем обы́чно. 5. За́втра я ... часо́в в де́вять. Обы́чно я ... с рабо́ты в семь часо́в. 6. Мы ... на заво́д к восьми́ часа́м утра́. За́втра мы должны́ ... немно́го ра́ньше.

B. уходи́ть – уйти́, уезжа́ть – уе́хать

1. Вчера́ у нас бы́ли друзья́. Они́ ... от нас по́здно. Когда́ они́ ..., они́ пригласи́ли нас к себе́. 2. Когда́ Мари́на ... на рабо́ту, я сказа́л ей, что ве́чером у нас бу́дут друзья́. Когда́ она́ ..., я уви́дел, что она́ забы́ла взять свой плащ. 3. Ле́том мы ... из до́ма ра́но у́тром и проводи́ли весь день на берегу́ реки́. Сего́дня я ... из до́ма в во́семь часо́в. 4. Мой това́рищ занима́ется в библиоте́ке. Обы́чно он ... отту́да по́здно. Вчера́ мы ... из библиоте́ки о́чень по́здно.

IX. Use collective numerals wherever possible instead of the numerals given below.

Model: три студе́нта – тро́е студе́нтов;
три студе́нтки

четы́ре мужчи́ны, две же́нщины, три дру́га, три това́рища, четы́ре солда́та, два ма́льчика, три сестры́, три бра́та, пять ученико́в, пять учени́ц, четы́ре ребёнка, шесть рабо́чих.

X. Answer the following questions using the numerals given in brackets.

1. Ско́лько челове́к собрало́сь на вокза́ле? (11) 2. Ско́лько челове́к рабо́тает вме́сте с ва́ми? (21) 3. Ско́лько челове́к в ва́шей семье́? (4) 4. Ско́лько дете́й в э́той семье́? (3) 5. Ско́лько челове́к стои́т на остано́вке? (8)

XI. Answer the following questions giving both the exact and approximate times by altering the word order.

Model: Когда́ вы у́жинаете? (7) – Мы у́жинаем *в семь часо́в.*
Мы у́жинаем *часо́в в семь.*

1. Когда́ вы встаёте? (6) 2. Когда́ де́ти ухо́дят в шко́лу? (8) 3. Когда́ вы прихо́дите домо́й? (5) 4. Когда́ вы пойдёте обе́дать? (2) 5. Ско́лько лет вы живёте в э́том го́роде? (15) 6. Ско́лько лет живу́т здесь ва́ши роди́тели? (22) 7. Ско́лько дней вы бы́ли в Москве́? (18) 8. Ско́лько раз вы бы́ли в Сове́тском Сою́зе? (4) 9. Ско́лько мину́т стои́т по́езд на э́той ста́нции? (5) 10. Ско́лько сто́ит э́та кни́га? (40 копе́ек)

XII. Supply the appropriate verbs from the list below.

В про́шлое воскресе́нье мы ... за́ город. Мы ... из до́ма в во́семь часо́в утра́. Около до́ма нас ждал това́рищ со свое́й маши́ной. Мы се́ли в маши́ну и ... . Снача́ла мы ... по го́роду, пото́м ... в по́ле. Мы ...

киломе́тров три́дцать. О́коло реки́ това́рищ останови́л маши́ну. Бы́ло жа́рко. Мы ... из маши́ны и ... к реке́. Здесь мы провели́ весь день. В пять часо́в ве́чера мы ... обра́тно. Домо́й мы ... в шесть часо́в.

(е́хали, е́здили, пое́хали, вы́ехали, прие́хали, прое́хали, вы́шли, побежа́ли)

XIII. Replace the clauses in italics by synonymous phrases according to the model.

Model: Э́то мой това́рищ, *с кото́рым я учи́лся в шко́ле.* – Э́то мой това́рищ *по шко́ле.*

1. Вчера́ я получи́ла письмо́ от подру́ги, *с кото́рой учи́лась в университе́те.* 2. В теа́тре мы встре́тили знако́мых, *кото́рые рабо́тают в на́шем институ́те.* 3. Э́ту кни́гу мне подари́ли това́рищи, *с кото́рыми я рабо́таю*.* 4. К сы́ну ча́сто прихо́дят его́ това́рищи, *с кото́рыми он у́чится в шко́ле.*

XIV. Make up questions to which the following sentences would be the answers.

1. – ......?
   – В воскресе́нье мы отдыха́ем за́ городом.
2. – ......?
   – В суббо́ту мы е́здили за́ город.
3. – ......?
   – На вокза́ле мы встре́тились со свои́ми друзья́ми.
4. – ......?
   – Нас бы́ло пя́теро.
5. – ......?
   – До ста́нции «О́тдых» по́езд идёт со́рок мину́т.
6. – ......?
   – По́езд стои́т на э́той ста́нции три мину́ты.
7. – ......?
   – Мы останови́лись на берегу́ реки́.
8. – ......?
   – Де́ти побежа́ли к реке́.
9. – ......?
   – В лесу́ мы гуля́ли, собира́ли цветы́ и я́годы.

XV. Translate into Russian.

1. – What do you do on Sundays?
   – My friends and I often spend Sunday in the country, in a wood or by a river. We usually go to the country by train or by car.
2. – Misha, do you want to go to the country on Sunday?
   – By car?
   – No, we want to go on our bikes.
   – Who else is coming with us? How many will be going?
   – There will be five of us.
   – Where shall we meet?
   – We usually meet near the Kievskaya Metro station.
3. The train takes 30 or 35 minutes from Moscow to "Lesnaya" station. It's about three or four kilometres from the station to the wood.
4. From the station we walked to the wood. Do you like walking?
5. We usually get back to Moscow at about six.

XVI. a) Describe how you spend your Sundays in the country.
b) Describe your last Sunday in the country.

7
В ПРОДОВОЛЬСТВЕННОМ МАГАЗИНЕ

На пе́рвом этаже́ на́шего до́ма нахо́дится большо́й продово́льственный магази́н «Гастроно́м». В нём мно́го ра́зных отде́лов: хле́бный, конди́терский, моло́чный, мясно́й, ры́бный, фрукто́вый. Здесь мо́жно купи́ть все проду́кты, кро́ме овоще́й. О́вощи продаю́тся в специа́льных магази́нах и на ры́нках.

В на́шем магази́не есть отде́л полуфабрика́тов. В э́том отде́ле продаю́тся котле́ты, бифште́ксы, варёные ку́ры и у́тки, сала́ты, гото́вые пу́динги, пироги́.

Я вхожу́ в магази́н, обхожу́ все отде́лы (1) и выбира́ю то, что мне ну́жно купи́ть, а зате́м иду́ в ка́ссу плати́ть де́ньги.

Наш магази́н рабо́тает с восьми́ часо́в утра́ до восьми́ ве́чера. Днём, с ча́су до двух, магази́н закры́т на обе́денный переры́в.

Обы́чно я хожу́ в магази́н по́сле рабо́ты, часо́в в семь-во́семь ве́чера, когда́ там ма́ло покупа́телей. Иногда́

мы зака́зываем ну́жные нам проду́кты по телефо́ну (2) и ве́чером получа́ем их в отде́ле зака́зов (2).

Сего́дня ве́чером у нас бу́дут го́сти, поэ́тому у́тром я пошла́ в магази́н, что́бы зара́нее купи́ть всё, что ну́жно для у́жина.

Снача́ла я пошла́ в отде́л «Мя́со, пти́ца». Здесь я вы́брала большу́ю у́тку. В отде́ле «Молоко́, ма́сло» я взяла́ полкило́ ма́сла, три́ста грамм сы́ру (3) и деся́ток яи́ц. Пото́м я купи́ла четы́реста грамм ры́бы, две ба́нки ры́бных консе́рвов (4) и полкило́ колбасы́. По́сле э́того я пошла́ в конди́терский отде́л, где купи́ла коро́бку конфе́т, торт и па́чку ча́я. Тепе́рь мне оста́лось купи́ть то́лько хлеб и о́вощи.

Фру́кты и сигаре́ты до́лжен купи́ть Па́вел.

NOTES

(1) Я обхожу́ все отде́лы.	I go round every department.

The prefix **о-** (**об-, обо-**) indicates that the whole of the object is covered by the action. Therefore the pronoun **весь (все)** is commonly used with these verbs.

Я *обошёл* все кни́жные магази́ны.	I went round all the bookshops.
Мы *осмотре́ли* витри́ны магази́на.	We looked at (all) the display-counters in the shop.

(2) зака́зывать ⎱ по телефо́ну заказа́ть ⎰	to order by telephone
отде́л зака́зов	the order counter
(3) три́ста грамм сы́ру	three hundred grammes of cheese

In conversational speech the form **грамм** is possible in place of the literary **гра́ммов.**

(4) две ба́нки консе́рвов	two tins

Note the words describing containers:

ба́нка джема, майоне́за	a jar of jam, mayonnaise
буты́лка со́ка, молока́, ма́сла	a bottle of juice, milk, oil
коро́бка конфе́т, спи́чек	a box of sweets, matches
па́чка са́хара, со́ли, ко́фе, пече́нья, сигаре́т	a packet of sugar, salt, coffee, biscuits, cigarettes

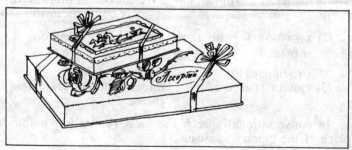

 DIALOGUES

I

– Скажи́те, пожа́луйста, бу́лочки све́жие?
– То́лько что привезли́. (1)
– Да́йте, пожа́луйста, три бу́лочки и полови́ну чёрного (2).

II

– Ско́лько сто́ит э́та коро́бка?
– Оди́н рубль.
– Бу́дьте добры́, да́йте мне коро́бку конфе́т, па́чку ко́фе и торт. Ско́лько всё э́то сто́ит?
– Семь рубле́й девяно́сто копе́ек.

III

– У вас есть моско́вская колбаса́?
– Да, есть.
– Да́йте, пожа́луйста, три́ста грамм колбасы́, деся́ток яи́ц и две́сти грамм ма́сла.
– Пожа́луйста. Плати́те в ка́ссу два рубля́ во́семьдесят две копе́йки.

IV

– Скажи́те, пожа́луйста, в како́м отде́ле продаю́т сыр?
– В моло́чном.
– Спаси́бо.

V

– Скажи́те, э́то молда́вские я́блоки?
– Да, я́блоки молда́вские, виногра́д грузи́нский, а лимо́ны и апельси́ны – из Маро́кко.
– Бу́дьте добры́, да́йте кило́ я́блок и два лимо́на.

VI

У КА́ССЫ

– Два рубля́ во́семьдесят копе́ек.
– В како́й отде́л?
– В моло́чный.
– Возьми́те чек и сда́чу – два́дцать копе́ек.

NOTES

(1) То́лько что привезли́.	They've just been delivered.
(2) полови́ну чёрного	a pound of brown bread
бе́лый хлеб	white bread
чёрный хлеб	brown bread
(3) Ско́лько с меня́?	How much do I pay?

65

Memorize:

Ско́лько сто́ит буты́лка вина́ (ры́ба, ма́сло)?	How much is a bottle of wine (the fish, the butter)?
Ско́лько сто́ят сигаре́ты (конфе́ты, я́блоки)?	How much are the cigarettes (the sweets, the apples)?
Скажи́те, пожа́луйста, есть конфе́ты «Весна́»?	Have you any "Vesna" sweets?
Кака́я ры́ба есть сего́дня?	What fish have you got today?
Да́йте, пожа́луйста, пол-кило́ са́хару и па́чку ко́фе.	Will you please give me half a kilo of sugar and a packet of coffee?
Бу́дьте добры́, да́йте кило́ я́блок и два лимо́на.	Will you give me a kilogramme of apples and two lemons?
Поре́жьте, пожа́луйста, сыр.	Slice the cheese, please.
Ско́лько плати́ть за всё?	How much is it altogether?

EXERCISES

I. Answer the following questions.

1. Что вы покупа́ете в магази́не?
2. Что вы покупа́ете на ры́нке?
3. В како́м магази́не вы покупа́ете проду́кты?
4. Где нахо́дится э́тот магази́н?
5. Далеко́ ли магази́н от ва́шего до́ма?
6. Далеко́ ли от ва́шего до́ма ры́нок?
7. Где вы покупа́ете хлеб?
8. Где вы покупа́ете мя́со, ры́бу, о́вощи?
9. Вы ча́сто хо́дите в магази́н?
10. Вы ча́сто хо́дите на ры́нок?
11. Когда́ вы хо́дите в магази́н – у́тром, днём и́ли ве́чером?
12. Ско́лько сто́ит са́хар?
13. Ско́лько сто́ит литр молока́?
14. Ско́лько сто́ит килогра́мм мя́са?
15. Что продаю́т в моло́чном отде́ле?
16. Что продаю́т в конди́терском магази́не?
17. В како́м отде́ле продаётся ры́ба?
18. В како́м отде́ле продаётся мя́со?
19. Где мо́жно купи́ть сигаре́ты и спи́чки?

II. Complete the sentences using the nouns given on the right.

1. Вчера́ я купи́л килогра́мм ... .

сыр, са́хар, ма́сло, мя́со, ры́ба, конфе́ты, я́блоки, виногра́д

2. Да́йте, пожа́луйста, буты́лку ... .

молоко́, ма́сло, пи́во

3. На витри́не лежа́т па́чки ... .

соль, чай, ко́фе, са́хар, сигаре́ты

III. Answer the following questions using the words given on the right in the required form.

1. Где вы покупа́ете молоко́?

магази́н «Молоко́» и́ли моло́чный отде́л «Гастроно́ма»

2. Где я могу́ купи́ть о́вощи?

овощно́й магази́н и ры́нок

3. Где продаю́т мя́со?

мясно́й отде́л магази́на

4. Где мо́жно купи́ть ры́бу?

ры́бный отде́л и́ли магази́н «Ры́ба»

5. Где продаю́т конфе́ты, пече́нье, то́рты?

конди́терские магази́ны

6. Где вы покупа́ете хлеб?

бу́лочная

IV. Give the Russian equivalents of:

1. Магази́н, в кото́ром продаю́т молоко́. 2. Магази́н, в кото́ром продаю́т хлеб. 3. Магази́н, в кото́ром продаю́т о́вощи. 4. Магази́н, в кото́ром продаю́т мя́со. 5. Магази́н, в кото́ром продаю́т ры́бу.

V. Fill in the blanks with the appropriate form of the verbs given below.

Вчера́ по доро́ге домо́й я ... в магази́н. Я ... все отде́лы и ... то, что мне на́до купи́ть. Снача́ла я ... в отде́л, где ... сыр, ма́сло, молоко́. Како́й сыр мне взять? Я ... голла́ндский. Пото́м я ... в отде́л, где ... фру́кты. Там я ... килогра́мм виногра́да и два лимо́на. За всё я ... два рубля́ девяно́сто копе́ек.

(пойти́, зайти́, вы́брать, купи́ть, заплати́ть, продава́ть, обойти́)

VI. Insert the appropriate form of the verbs given in brackets.

1. Обы́чно мы ... все проду́кты в сосе́днем магази́не. Когда́ я ... сигаре́ты, к кио́ску подошёл челове́к и спроси́л, есть ли спи́чки. Я ... две па́чки сигаре́т и пошёл домо́й. (покупа́ть – купи́ть) 2. За ко́фе и са́хар я ... пять рубле́й. Де́ньги на́до ... в ка́ссу. Ско́лько вы ... за все проду́кты? Когда́ я ... де́ньги, касси́рша переспроси́ла: «2 рубля́ за конфе́ты?» (плати́ть – заплати́ть) 3. Я до́лго ... сок и наконе́ц ... апельси́новый. (выбира́ть – вы́брать) 4. Ка́ждое у́тро нам ... газе́ты. За́втра нам ... газе́ты ра́ньше, чем обы́чно. (приноси́ть – принести́)

VII. Insert the appropriate form of the verbs.

A. идти́ (пойти́) – ходи́ть

1. Обы́чно я ... в магази́н у́тром. Сейча́с я ... в магази́н. Из магази́на я ... на ры́нок. 2. Куда́ вы сейча́с ...? Я ... на ры́нок. Обы́чно я ... на ры́нок ра́но у́тром, но сего́дня у меня́ бы́ли дела́.

B. приноси́ть – принести́

3. У́тром она́ хо́дит на ры́нок и ... отту́да молоко́, ма́сло, я́йца. Вы пришли́ из магази́на? Что вы ...? 4. У́тром ма́ма ... молоко́ и оставля́ет

его на окне. Сего́дня она́ ... молоко́ поздне́е, чем обы́чно. 5. – Здра́в-
ствуйте! Я ... вам письмо́. – Спаси́бо. Обы́чно нам ... пи́сьма друго́й
почтальо́н.

VIII. Fill in the blanks with the words from the list below.

1. Да́йте, пожа́луйста, ... са́хара, ... конфе́т, ... варе́нья. 2. Сходи́ в
магази́н и купи́ ... майоне́за, ... со́ли и пять ... спи́чек. 3. Сего́дня я купи́ла
... ко́фе, ... со́ка и ... сарди́н. 4. Получи́те де́ньги за две ... молока́.
(ба́нка, буты́лка, па́чка, коро́бка)

IX. Answer the following questions using the figures given in brackets.

1. Ско́лько сто́ит чай? (48 коп.)[1] 2. Ско́лько сто́ят э́ти конфе́ты?
(33 коп.) 3. Ско́лько сто́ит коро́бка спи́чек? (1 коп.) 4. Ско́лько сто́ит
торт? (1 руб. 22 коп.) 5. Ско́лько сто́ит са́хар? (94 коп.) 6. Ско́лько
плати́ть за всё? (3 руб. 56 коп.) 7. Ско́лько вы заплати́ли за ко́фе? (6 руб.
20 коп.) 8. Ско́лько вы заплати́ли за фру́кты? (2 руб. 15 коп.)

X. Use the conjunctions где, куда́, кому́, ско́лько, что in the following sentences.

1. Скажи́те, пожа́луйста, ... вы купи́ли э́тот торт? 2. Скажи́те,
пожа́луйста, ... плати́ть де́ньги, вам и́ли в ка́ссу? 3. Скажи́те, пожа́-
луйста, ... продаю́т в э́том магази́не? 4. Скажи́те, пожа́луйста, ... сто́ит
кило́ я́блок? 5. Скажи́те, пожа́луйста, ... мо́жно купи́ть све́жую ры́бу?

XI. Make up questions to which the following sentences would be the answers.

A. 1. – ...... ?
   – Я хожу́ в магази́н у́тром.
   2. – ...... ?
   – Магази́н нахо́дится недалеко́ от на́шего до́ма.
   3. – ...... ?
   – Обы́чно мы покупа́ем проду́кты в э́том магази́не.
   4. – ...... ?
   – В э́том магази́не мо́жно купи́ть мя́со, молоко́, ры́бу, пти́цу.
   5. – ...... ?
   – Я́блоки продаю́т в магази́не «О́вощи – фру́кты».
   6. – ...... ?
   – Этот магази́н рабо́тает с восьми́ часо́в утра́ до десяти́ часо́в
   ве́чера.

B. 7. – ...... ?
   – Килогра́мм бе́лого хле́ба сто́ит два́дцать во́семь копе́ек.
   8. – ...... ?
   – Килогра́мм мя́са сто́ит два рубля́.
   9. – ...... ?
   – За всё вы должны́ заплати́ть два рубля́ со́рок четы́ре копе́йки.

XII. Translate into Russian.

A. There is a large food store near our house. You can get anything
there – meat, fish, butter, milk, tea, coffee, sugar and other groceries. The shop
is open from eight o'clock in the morning till nine o'clock at night. Next door

---

[1] *abbr.* коп. = копейка
      руб. = рубль

to it there is a fruit and vegetable shop where we (can) buy potatoes, cabbage, onions, carrots, apples, oranges and plums.

B. 1. – Do you want to come to the shop with me? Maybe you need something?
– Yes. I've got to buy some cigarettes and matches.
2. – Will you give me (can I have) some "Cosmos" cigarettes and some matches, please?
– Here you are. Seventy-one copecks.
3. – Where can I get some Georgian mineral water?
– In any "Gastronom" shop.
4. – Now much are these sweets?
– Three roubles sixty copecks a kilogramme.
5. – Can you tell me how much Ceylon tea costs?
– Thirty-eight copecks a packet.
6. – Can you tell me whether the bread is fresh?
– Yes, they've only just brought it.
– Will you give me three buns and half a loaf of brown bread, please?
– Here you are. That's twenty-eight copecks.
7. – Will you please give me three hundred grammes of butter and a bottle of milk?
8. – What kind of sausage have you got today?
– We've got several kinds of sausage.
9. – How much is the meat?
– Two roubles a kilogramme.
– Will you please show me that piece?

XIII. Change the following sentences according to the model.

Model: Надо купи́ть хлеб.
Купи́ хлеб.

1. На́до сходи́ть в магази́н. 2. На́до купи́ть молоко́ и сыр. 3. На́до взять су́мку и де́ньги. 4. На́до заплати́ть за проду́кты. 5. На́до взять сда́чу. 6. На́до положи́ть проду́кты в паке́т.

XIV. What questions do the following sentences answer?

Model: a) В магази́не «Молоко́» продаю́т *ма́сло, сыр и други́е моло́чные проду́кты.– Что продаю́т* в магази́не «Молоко́»?
b) Ма́сло, сыр и други́е моло́чные проду́кты продаю́т *в магази́не «Молоко́».– Где продаю́т* ма́сло, сыр и други́е моло́чные проду́кты?

1. a) На пе́рвом этаже́ на́шего до́ма нахо́дится «Гастроно́м».
b) «Гастроно́м» нахо́дится на пе́рвом этаже́ на́шего до́ма.
2. a) В суббо́ту я хожу́ на ры́нок.
b) Я хожу́ на ры́нок в суббо́ту.
3. a) На ры́нке мы покупа́ем о́вощи и зе́лень.
b) О́вощи и зе́лень мы покупа́ем на ры́нке.
4. a) Конфе́ты, пече́нье, то́рты продаю́т в конди́терском отде́ле.
b) В конди́терском отде́ле продаю́т конфе́ты, пече́нье, то́рты.

XV. Change the following sentences using the words мно́го, не́сколько.

Model: На э́той у́лице есть ра́зные магази́ны.
На э́той у́лице мно́го ра́зных магази́нов.

1. На нашей улице есть продовольственные магазины.
2. В магазине есть разные отделы.
3. В нашем городе есть колхозные рынки.
4. Сегодня мы купили на рынке разные продукты.

XVI. Read and retell the following.

Несколько лет назад, когда я жил в маленьком южном городке, каждый день по пути на работу я покупал пару апельсинов у женщины, которая сидела с корзиной апельсинов на углу улицы.

Однажды я пригласил к себе на вечер друзей. В этот день я решил купить у женщины всю корзину, в которой было около двух десятков апельсинов.

Услышав это, она сердито посмотрела на меня.

– Вот ваши два апельсина!
– Но я хочу купить всё, – сказал я.
– Я не могу продать вам всё.
– Почему?
– А что я буду делать целый день без апельсинов?

8

В УНИВЕРМАГЕ

Вчера́ за у́жином (1) Мари́на напо́мнила мне:

– Ско́ро Но́вый год. До пра́здника оста́лось всего́ две неде́ли. (2) Пора́ поду́мать о пода́рках. Если мы хоти́м купи́ть ве́щи по вку́су, сле́дует сде́лать э́то сейча́с, за две неде́ли до пра́здника, потому́ что пе́ред са́мым Но́вым го́дом (3) у нас бу́дет мно́го дел.

«Она́, как всегда́, права́», – поду́мал я и отве́тил:

– Успе́ем, у нас ещё мно́го вре́мени, до Но́вого го́да це́лых две неде́ли (4).

Но всё же сего́дня по́сле рабо́ты я отпра́вился в универма́г. Пре́жде всего́ мне на́до купи́ть пода́рок жене́. Но что? Су́мку уже́ дари́л, ко́фточку – то́же, духи́ – не оди́н раз... Что́ же мне купи́ть ей? Хоте́лось бы подари́ть (5) что́-нибудь осо́бенное.

В универма́ге в галантере́йном отде́ле я уви́дел больши́е мя́гкие шерстяны́е ша́рфы. Это я куплю́ ма́ме. Я вы́брал бе́жевый шарф. Одна́ покупка есть! Отцу́ на днях

(6) Мари́на купи́ла тёплые ко́жаные перча́тки. Никола́ю, мла́дшему бра́ту, я реши́л подари́ть лы́жи: я зна́ю, что он собира́лся купи́ть себе́ хоро́шие фи́нские лы́жи. За лы́жами на́до идти́ в спорти́вный магази́н. Это я сде́лаю за́втра.

Да, так что же купи́ть жене́? Я обошёл все отде́лы пе́рвого этажа́: «Парфюме́рия», «Галантере́я», «Ювели́рные изде́лия», «Фототова́ры», «Электроприбо́ры», «Посу́да» – и ничего́ не смог вы́брать. Пото́м я подня́лся на второ́й эта́ж, где продаю́т пла́тья, о́бувь, меха́, тка́ни.

Таки́е ве́щи покупа́ть без жены́ я не рискую́. Я сно́ва спусти́лся вниз и ещё раз бо́лее внима́тельно осмотре́л витри́ны. Мо́жет быть, купи́ть ска́терть?.. А вдруг она́ Мари́не не понра́вится? (7) Или краси́вые бу́сы, наприме́р, из янтаря́? Мари́на о́чень лю́бит янта́рь. (8) Нет, таки́е у неё, ка́жется, есть... Кака́я краси́вая ку́хонная посу́да! Мо́жет быть, купи́ть набо́р кастрю́ль, вот таки́х, бе́лых?.. Оби́дится ещё... В про́шлом году́ я подари́л ей в день рожде́ния стира́льную маши́ну, а пото́м она́ неде́лю почти́ не разгова́ривала со мной. «Не мог приду́мать ничего́ бу́дничней!» (9) Пожа́луй, лу́чше посове́товаться с ма́мой о том, что подари́ть жене́. Всё-таки (10) на́до призна́ться, что покупа́ть что́-нибудь одному́, без жены́, – нелёгкое де́ло.

КОММЕНТАРИИ. NOTES

(1) Вчера́ за у́жином...   During supper yesterday....

за за́втраком = во вре́мя за́втрака
за обе́дом = во вре́мя обе́да
за у́жином = во вре́мя у́жина

(2, 4) До пра́здника оста́лось всего́ две неде́ли.   There are only two weeks left till the holiday.

The adverb **всего́** means 'only'. Only this form is used.

До пра́здника оста́лось це́лых две неде́ли.   There are two weeks left till the holiday.

Це́лый, on the other hand, means 'whole', 'as many as'.

Сравни́те. Compare:

У меня́ *всего́ час* свобо́дного вре́мени.   У меня́ *це́лый час* свобо́дного вре́мени.

I have *only an hour* to spare.   I have *a whole hour* to spare.

72

| (3) Пе́ред са́мым Но́вым го́дом. | Just before the New Year. |

Са́мый is used:

a) to form the superlative.

| Покажи́те, пожа́луйста, *са́мые ма́ленькие* часы́. | Will you please show me the smallest watch (you've got). |
| Э́то был *са́мый интере́сный* фильм в э́том году́. | This was the most interesting film this year. |

b) to specify the exact place or time.

| Магази́н нахо́дится в *са́мом* це́нтре Москвы́. | The shop is in the very centre of Moscow. |
| Он прие́хал *в са́мом нача́ле* апре́ля. | He arrived at the very beginning of April. |

c) to express identity, with the words **тот же, та же, те же.**

| Я купи́л *те же са́мые* ве́щи. | I've bought the same things. |

(4) See 2.

| (5) Хоте́лось бы подари́ть ей (что́-нибудь). | I should like to give her (something) for a present. |

The combination of a reflexive impersonal verb + a noun (or pronoun) in the dative is widely used in Russian. The difference between the personal **Я хочу́...** and impersonal **Мне хо́чется...** is that the latter is less categorical than the former. Compare the English 'I want....' and 'I feel like....'

Я хочу́ сде́лать ей пода́рок.	I want to give her a present.
Мне хо́чется сде́лать ей пода́рок.	I feel like giving her a present.
Она́ не хоте́ла рабо́тать.	She did not want to work.
Ей не хоте́лось рабо́тать.	She did not feel like working.

In the subjunctive (past tense + **бы**) the statement is less categorical.

| *Я хоте́л бы* сде́лать ей пода́рок. ⎫
Мне хоте́лось бы сде́лать ей пода́рок. ⎬ | I would like to make her a present. |

For a more detailed explanation see p. 84.

| (6) на днях
на э́тих днях
на друго́й день | in a few days
one of these days
the next day, the following day |

в на́ши дни	in our time, nowadays
(7, 8) А вдруг она́ Мари́не не понра́вится?	What if Marina doesn't like it?
Мари́на о́чень лю́бит янта́рь.	Marina is very fond of amber.

Люби́ть and **нра́виться** correspond to the English 'to like', 'to be fond of'.

Сравните. Compare:

Мари́на лю́бит э́ту му́зыку.	Marina likes (is fond of) this music.
Мари́не нра́вится э́та му́зыка.	

In the sentence with the verb **«люби́ть» Мари́на** is the grammatical subject. In the second sentence with the verb «нра́виться», **му́зыка** is the grammatical subject and the logical subject–**Мари́на**–is in the dative.

Сравните. Compare:

Я *люблю́* краси́вые ве́щи.	*Мне нра́вятся* краси́вые ве́щи.
Вы *лю́бите* Москву́?	*Вам нра́вится* Москва́?

Люби́ть 'to love, to be fond of, to like' expresses feelings which are often, though not necessarily, profound and lasting. **Нра́виться** expresses a less profound feeling. These verbs are sometimes interchangeable.

But when describing the initial impression made by a person or objects, only **нра́виться/понра́виться** can be used.

Сравните. Compare:

Вы лю́бите пье́сы Че́хова?	(in general, usually)
Вам нра́вятся пье́сы Че́хова?	
and	
Вам понра́вилась пье́са Че́хова «Вишнёвый сад»?	(You have only just read it or you have seen it at the theatre.)
(9) Не мог приду́мать ничего́ бу́дничней!	You could not think of anything more prosaic.
(10) всё-таки	nevertheless

74

ДИАЛОГИ. DIALOGUES

I

– Скажи́те, пожа́луйста, где я могу́ купи́ть чемода́н?
– Чемода́н? В отде́ле кожгалантере́и. Э́тот отде́л нахо́дится здесь же, на пе́рвом этаже́.
– Спаси́бо.
– Бу́дьте добры́, покажи́те мне чемода́н.
– Како́й? Большо́й и́ли ма́ленький?
– Мне ну́жен не о́чень большо́й лёгкий чемода́н.
– Посмотри́те вот э́ти. Мо́жет быть, что́-нибудь вам подойдёт. (1)
– Да, э́тот чемода́н мне нра́вится. Я возьму́ его́.

II

– Де́вушка! Бу́дьте добры́, помоги́те мне вы́брать пода́рок.
– Для кого́? Для мужчи́ны и́ли же́нщины?
– Для мужчи́ны.
– Молодо́го и́ли пожило́го?
– Сре́дних лет. (2) Э́то о́чень тру́дное де́ло – купи́ть пода́рок для мужчи́ны.
– Сейча́с посмо́трим. Мо́жете купи́ть ему́ хоро́ший портсига́р и́ли тру́бку.
– Э́то не подхо́дит. Он не ку́рит. (3)
– Есть ша́хматы из ко́сти, о́чень то́нкой рабо́ты.
– По-мо́ему, у него́ есть хоро́шие ша́хматы.
– Посмотри́те изде́лия из ко́жи. У нас есть хоро́шие па́пки и бума́жники.
– О, вот что я куплю́. Я подарю́ ему́ па́пку. Покажи́те, пожа́луйста, вот э́ту, тёмную.

III

– Това́рищ продаве́ц, покажи́те, пожа́луйста, шерстяно́й костю́м для де́вочки.
– Како́й разме́р вас интересу́ет?
– Я не зна́ю то́чно, ду́маю, три́дцать второ́й.
– На ско́лько лет?
– На пять-шесть лет. (4)
– Пожа́луйста. В костю́ме четы́ре ве́щи: ко́фточка, брю́ки, ша́пка и шарф.
– У вас таки́е костю́мы то́лько си́него цве́та?

– Нет, есть и други́е – кра́сные, зелёные, се́рые, бе́жевые, голубы́е.
– Мо́жно посмотре́ть зелёный?

IV

– Покажи́те, пожа́луйста, чёрные ту́фли.
– Вам како́й разме́р?
– Три́дцать шесто́й.
– Пожа́луйста.
– Спаси́бо. Мо́жно приме́рить?
– Коне́чно. Проходи́те сюда́.
– Они́ мне немно́го свобо́дны (велики́). (5) Да́йте мне, пожа́луйста, три́дцать пя́тый разме́р.
– Вот, пожа́луйста.
– Спаси́бо. Э́ти, ка́жется, мне хороши́. Я их возьму́.

V

– Ско́лько сто́ит э́та шерсть?
– Де́сять рубле́й метр.
– Скажи́те, ско́лько ме́тров мне ну́жно на костю́м?
– Я ду́маю, вам на́до взять ме́тра два.
– Спаси́бо. Я возьму́ два ме́тра.
– Плати́те в ка́ссу два́дцать рубле́й.

КОММЕНТА́РИИ. NOTES

(1, 3) Что́-нибудь вам подойдёт.	(We'll find) something to suit you.
Э́то не подхо́дит. Он не ку́рит.	That doesn't suit, he doesn't smoke.
(2) (мужчи́на) сре́дних лет	a middle-aged man

Such constructions containing the genitive (and answering the question *како́й*) are quite commonly used.

Челове́к *сре́днего ро́ста*. (Како́й челове́к?)
Костю́м *си́него цве́та*. (Како́й костю́м?)

(4) на пять-шесть лет	for a boy/girl of five or six
(5) Они́ (ту́фли) мне немно́го свобо́дны (велики́).	These shoes are a little large for me.

Short form adjectives like **мал, мала́, мало́, малы́; вели́к, велика́, велико́, велики́; у́зок, узка́, узко́, узки́; широ́к,**

76

4. Брю́ки ...   трина́дцать
           два́дцать два   рубль
           девятна́дцать

5. Ру́чка ...   три рубля́ пятьдеся́т
           рубль пятьдеся́т пять   копе́йка
           три́дцать три

6. Носки́ ...   рубль два́дцать две
           девяно́сто три   копе́йка
           рубль пятна́дцать

7. Мы́ло ...   три́дцать
           два́дцать одна́   копе́йка
           со́рок четы́ре

IV. Поста́вьте слова́ из ско́бок в ну́жном падеже́. Put the words in brackets in the appropriate case.

1. В магази́н вошёл мужчи́на (сре́дний рост). 2. Здесь продаю́т оде́жду для дете́й (шко́льный во́зраст). 3. Я люблю́ ве́щи (я́ркие цвета́). 4. Наш учи́тель — челове́к (глубо́кие зна́ния). 5. Мне ну́жно купи́ть су́мку (си́ний и́ли голубо́й цвет).

V. Отве́тьте на вопро́сы, поста́вив слова́ из ско́бок в ну́жном падеже́. Answer the following questions using the words in brackets in the appropriate case.

1. Чья э́то ко́мната? (мои́ роди́тели)
2. Чьи э́то ве́щи? (мой ста́рший брат)
3. Чьё письмо́ лежи́т в кни́ге? (моя́ мла́дшая сестра́)
4. Чьи де́ти гуля́ют в саду́? (на́ши сосе́ди)
5. Чей слова́рь лежи́т на столе́? (наш преподава́тель)
6. Чьи э́то слова́? (оди́н изве́стный англи́йский писа́тел…

**IV. Отве́тьте на вопро́сы, поста́вив в ну́жной ф…
спра́ва. По́мните об употребле́нии местоим…
following questions using the words given o…
form. Remember to use свой where nec…**

1. Кому́ вы да́ли свой уче́бник?
2. Кому́ вы купи́ли цветы́?
3. Кому́ вы подари́ли велосипе́д?
4. Кому́ он обеща́л э́ту кни́гу?
5. Кому́ они́ пока́зывали фотогра́фии?
6. Кому́ она́ рассказа́ла э́ту исто́рию?

на…
одна…
мой м…
его́ дру…
их го́сти…
её това́рищи…

**VII. Прочита́йте предложе́ния. Обрати́те внима́ние на ра́зниц…
ле́нии глаго́лов люби́ть и нра́виться. Read the follo…
tences. Note the difference between the use of the verbs люби…
нра́виться.**

Вы лю́бите таку́ю му́зыку?   Вам нра́вится така́я му́зыка?
Я не люблю́ кни́ги э́того писа́теля.   Мне не нра́вятся кни́ги э́того писа́теля.

79

На ней широ́кая
ю́бка.

Ю́бка широка́ ей
в поя́се.

широка́, широко́, широки́: свобо́ден, свобо́дна, свобо́дно,
свобо́дны used with nouns describing clothing clothes and shoes
indicate that they are too small, too large, etc.

Туфли мне малы́.
Костю́м вам вели́к.
Эти брю́ки ему́ широки́.
Это пальто́ вам немно́го свобо́дно.

Сравни́те. Compare:

Я купи́л краси́вые у́зкие
брю́ки.
I have bought nice tight-fit-
ting trousers.

Кака́я широ́кая ю́бка!
What a wide skirt!

Эти брю́ки мне у́зки.
These trousers are too tight
for me.

Бою́сь, э́та ю́бка бу́дет мне
широка́ в поя́се.
I'm afraid this skirt will be
too wide in the waist for
me.

Запо́мните. Memorize:

— Вам нра́вится э́тот ко-
стю́м?
— Do you like this suit?

— Да, он мне нра́вится.
— Yes, I do.

Left page

- Вам понравилась эта книга? — Did you like this book?
- Нет, мне она не понравилась. — No, I did not.
- Вам идёт голубой цвет. Blue suits you.
- Ей не идёт эта шляпа. This hat does not suit her.
- Это платье мне мало (узко). This dress is too small (too tight) for me.
- Этот костюм вам велик (широк, свободен). This suit is too large (too wide) for you.

УПРАЖНЕНИЯ. EXERCISES

I. Ответьте на вопросы. Answer the following questions.

1. Где можно купить платье, бельё, туфли?
2. Как называется магазин, где можно купить разные вещи?
3. В каком отделе продаются духи? пальто, портфель, галстук, авторучку?
4. В каком отделе продаются часы?
5. Где вы покупаете рубашки и галстуки?
6. Что вы говорите продавцу, если хотите посмотреть какую-нибудь вещь?
7. Как (в какие часы) работают магазины в вашем городе?
8. Работают ли магазины по воскресеньям?
9. Сколько стоит портфель?
10. Сколько стоят эти часы?
11. Сколько вы заплатили за ваше пальто?
12. В каком магазине вы покупаете вещи для своих детей?

II. Закончите предложения, употребляя слова, стоящие справа. Complete the sentences using the words given on the right.

книга, тетрадь, ручка, каран...

1. В магазине я купил несколько ...
2. В этом магазине всегда боль-шой выбор ...

пальто, платья, костюм...
блузки
сумка и чемодан
рубашка и галстук

3. Мне надо купить ...
4. Я должен купить ...

III. Вместо точек вставьте глагол стоить в единственном числе. Слова рубль, копей...
форме. Fill in the blanks with the singular...
стоить. Put the words рубль, копей...

1. Пальто ...

сорок пять
пятьдесят четыре
девяносто один
два
пять
один

2. Перчатки ...

Right page

VIII. Ответьте на вопросы, употребив вместо глагола люби́ть глаго́л нра́виться. Answer the following questions replacing the verb лю-би́ть by нра́виться.

Образец. Model:
— Вы лю́бите стихи́ э́того поэ́та?
— Да, *мне нра́вятся* стихи́ э́того поэ́та.
— Нет, *мне не нра́вятся* стихи́ э́того поэ́та.

1. Вы лю́бите таки́е фи́льмы?
2. Вы лю́бите ру́сскую му́зыку?
3. Вы лю́бите рома́ны э́того писа́теля?
4. Вы лю́бите таку́ю пого́ду?
5. Вы лю́бите гуля́ть по у́лицам го́рода?
6. Вы лю́бите отдыха́ть в гора́х?

IX. Зако́нчите предложе́ния, употреби́в глаго́лы (по)нра́виться и люби́ть. Complete the sentences using the verbs люби́ть and (по)нра́виться.

А. 1. Ле́том мы бы́ли в Москве́. Москва́ .... 2. Я прочита́л рома́н Льва Толсто́го. Кни́га .... 3. Вчера́ мы бы́ли на конце́рте. Конце́рт .... 4. После́дняя ле́кция на́шего профе́ссора была́ о́чень интере́сной. Всем студе́нтам .... 5. Жена́ купи́ла мне га́лстук, но он ....

В. 1. Я о́чень ... мо́ре. 2. Студе́нты ... своего́ профе́ссора. 3. Я ча́сто хожу́ в Большо́й теа́тр, потому́ что я о́чень ... э́тот теа́тр. 4. Ива́н — еди́нственный сын у свои́х роди́телей. Они́ о́чень ... его́. 5. Мы ... свой го́род. 6. Вы ... кни́ги э́того писа́теля?

X. Прочита́йте предложе́ния. Сравни́те употребле́ние ли́чных и безли́чных глаго́лов. Read the sentences. Compare the use of the personal and impersonal verbs.

Она́ хо́чет купи́ть э́ту ла́мпу. | *Ей хо́чется* купи́ть э́ту ла́мпу.
Я ду́маю, что э́то пра́вильно. | *Мне ду́мается*, что э́то пра́вильно.

XI. Замени́те безли́чные предложе́ния ли́чными. Replace the impersonal constructions by personal ones.

1. Мне по́мнится, что я брал э́ту кни́гу у своего́ бра́та. 2. Бра́ту давно́ хо́чется купи́ть фи́нские лы́жи. 3. Мне не ве́рится, что он придёт. 4. Мне не хоте́лось говори́ть об э́том. 5. Сего́дня мне пло́хо рабо́талось. 6. Вам не хо́чется пойти́ пообе́дать? 7. Ему́ всегда́ жило́сь легко́ и про́сто.

XII. Вме́сто то́чек вста́вьте оди́н из глаго́лов, да́нных в ско́бках, в ну́жной фо́рме. Insert the appropriate form of the verbs given in brackets.

1. — Что вы де́лали вчера́? — Вчера́ я ... кни́гу. — Вы ... кни́гу? — Нет, я ещё не ... её. (чита́ть — прочита́ть) 2. Это моё но́вое пальто́. Я ... его́ в Ло́ндоне. Моя́ сестра́ помога́ла мне, когда́ я ... пальто́. Она́ сказа́ла, что пальто́ идёт мне, поэ́тому я ... его́. (покупа́ть — купи́ть) 3. Сего́дня у́тром я ... пи́сьма. Я ... три письма́. (писа́ть — написа́ть) 4. Мы смотре́ли сове́тский фильм «Серёжа». Фильм нам о́чень .... Вам ... фи́льмы о де́тях? (нра́виться — понра́виться) 5. Обы́чно накану́не Но́вого го́да мы что́-нибудь ... друг дру́гу. В про́шлом году́ жена́ ... мне портсига́р.

(дари́ть – подари́ть). 6. В магази́не я до́лго ..., что купи́ть жене́. Я уви́дел на витри́не бу́сы и ...: «На́до купи́ть ей таки́е бу́сы». (ду́мать – поду́мать) 7. Я ... подари́ть бра́ту лы́жи. Мы до́лго ..., что подари́ть отцу́. (реша́ть – реши́ть)

XIII. Переведи́те на англи́йский язы́к. Translate into English.

1. Ша́пка мне мала́. 2. Эти ту́фли мне велики́. 3. Костю́м тебе́ вели́к. 4. Пла́тье ей широко́. 5. Пальто́ тебе́ мало́. 6. Руба́шка вам широка́. 7. Брю́ки узки́.

XIV. Переведи́те на англи́йский язы́к. Translate into English.

1. У неё зелёные глаза́. Ей идёт зелёный цвет. 2. Ему́ идёт э́тот костю́м. 3. Вам идёт э́та шля́па. 4. Мне не идёт голубо́й цвет. 5. Вам не идёт э́то пла́тье. 6. Ей не идёт э́тот цвет.

XV. Соста́вьте вопро́сы, на кото́рые отвеча́ли бы сле́дующие предложе́ния. Make up questions to which the following sentences would be the answers.

1. – ......?
   – Су́мки и чемода́ны продаю́т на пе́рвом этаже́.
2. – ......?
   – Вы мо́жете купи́ть часы́ в э́том магази́не.
3. – ......?
   – Этот костю́м сто́ит два́дцать семь рубле́й.
4. – ......?
   – Перча́тки сто́ят три рубля́.
5. – ......?
   – Я хочу́ купи́ть све́тлые ту́фли.
6. – ......?
   – Я купи́ла э́ту су́мку сестре́.
7. – ......?
   – Па́вел подари́л Никола́ю портсига́р.
8. – ......?
   – Да, мне нра́вится э́то пла́тье.

XVI. Напиши́те анто́нимы к да́нным сочета́ниям. Give the opposites of the following:

Образец. Model: у́зкие брю́ки – широ́кие брю́ки

тёмный костю́м, бе́лые ту́фли, лёгкий чемода́н, краси́вая вещь, дорого́е пла́тье, то́нкая рабо́та, пожило́й челове́к, зи́мнее пальто́, мя́гкая ткань

XVII. Переведи́те на ру́сский язы́к. Translate into Russian.

1. When do the shops open? I want to call at a department store–I need to buy a few things. 2. Can you tell me on what floor they sell boys' suits? 3. Can you tell me where I can buy a winter cap?
4. – How much is this tie?
   – Two roubles twenty copecks.
5. I like this dress. How much is it?
6. – Do you like this bag?
   – I like it very much.

81

7. I like this coat but it is too big for me. 8. Will you show me some ladies' gloves, please? What size are these?

9. – Can I try on some white shoes?
   – What's your size?
   – Thirty-five.
   – Here you are.

10. These shoes are too small. Will you give me another pair, please?
11. Will you give me three metres of wool, please?

XVIII. Составьте рассказ, озаглавленный «Посещение универмага», используя следующие выражения. Make up a story entitled «Посещение универмага» using the following expressions:

мне надо купить; что выбрать; я хотел бы подарить; покажите, пожалуйста; мне нравится ...; сколько стоит ...; у меня всего ... рублей; вам идёт ...; пальто мне мало (велико, широко)

9

В РЕСТОРАНЕ

Мы вошли́ в зал и осмотре́лись. Все места́ бы́ли за́няты, и то́лько из-за одного́ сто́лика в углу́ поднима́лись (1) дво́е.

– Нам, ка́жется, повезло́, (2) – сказа́ла Мари́на. И мы напра́вились туда́.

– Эти места́ свобо́дны? – спроси́ли мы официа́нта.

– Да, свобо́дны, – отве́тил он.

Мы се́ли за стол. (3) Официа́нт принёс меню́.

Мари́на приняла́сь изуча́ть дли́нный спи́сок (4) холо́дных заку́сок, а я тем вре́менем осмотре́л зал. Недалеко́ от нас я заме́тил знако́мых. Мы поздоро́вались. В друго́м конце́ за́ла игра́л орке́стр, не́сколько пар танцева́ли.

К нам подошёл официа́нт.

– Что вы хоти́те заказа́ть?

– Что мы зака́жем? – спроси́л я Мари́ну.

– Я бы вы́пила немно́го минера́льной воды́ (5) вро́де «Боржо́ми».

– «Боржо́ми» у нас есть, – сказа́л официа́нт.

– А что ещё мы возьмём?

– Сала́т «весе́нний» и сыр.

– И что́-нибудь горя́чее? – подсказа́л официа́нт.

– Я бы с удово́льствием съел котле́ту по-ки́евски. А ты? – спроси́л я Мари́ну.

– Нет, я не хочу́ есть.

– Ита́к, – обрати́лся я к официа́нту, – принеси́те, пожа́луйста, воды́, сала́т «весе́нний», котле́ту по-ки́евски, ма́сло и сыр.

Че́рез не́сколько мину́т официа́нт принёс и поста́вил на стол во́ду и холо́дные заку́ски.

За у́жином мы поговори́ли, пото́м потанцева́ли. (6) По́зже мы попроси́ли принести́ нам ещё моро́женое и ко́фе.

Постепе́нно зал пусте́ет. Собира́емся уходи́ть и мы.

– Получи́те с нас, – говорю́ я официа́нту.

– Вот счёт.
– Пожа́луйста, возьми́те де́ньги. До свида́ния.
– Всего́ до́брого.

КОММЕНТА́РИИ. NOTES

(1, 3) Из-за сто́лика поднима́лись дво́е.	Two people left a table.
Мы се́ли за стол.	We sat down at the table.
сиде́ть (где?) за столо́м	to sit at table
сесть садиться } (куда?) за стол	to sit down to table
встать/встава́ть подня́ться/подниматься } (отку́да?) из-за стола́	to leave the table
(2) Нам, ка́жется, повезло́.	It seems we are in luck.

Везти́/повезти́ in impersonal statements (with the dative) corresponds to the English 'to be lucky'.

Ему́ обы́чно везёт на экза́менах.	He's usually lucky in examinations.
Вчера́ мне не повезло́ – я зашёл к това́рищу, а его́ не́ было до́ма.	Yesterday I was unlucky. I called on a friend, but he wasn't at home.
(4) Мари́на приняла́сь изуча́ть... спи́сок...	Marina started (set about) studying the... list....
(5) Я бы вы́пила немно́го минера́льной воды́.	I should like to drink some mineral water.
Я бы с удово́льствием съел...	I'd like to eat....
Я бы ещё раз посмотре́ла э́тот фильм.	I would like to see this film once more.

The subjunctive preceded by **не** expresses a request made with great courtesy.

Сравни́те. Compare:

Позвони́те мне, пожа́луйста, за́втра.	Вы не могли́ бы позвони́ть мне за́втра?
Please phone me tomorrow.	I wonder whether you could (possibly) phone me tomorrow.

| (6) За у́жином мы погово-ри́ли, пото́м потанцева́ли. | At supper we talked a little, then we had a dance. |

По- prefixed to certain verbs indicates that the action was of short duration (and makes them perfective).

| Мы (немно́го) погуля́ли. | We went for a (little) walk. |
| Они́ покури́ли, побесе́довали и сно́ва приняли́сь за рабо́ту. | They had a smoke, had a talk and again began to work. |

ДИАЛОГИ. DIALOGUES

I

– Где здесь мо́жно пообе́дать?
– Недалеко́ отсю́да есть хоро́ший рестора́н. Там прекра́сно гото́вят и всегда́ большо́й вы́бор блюд.
– Мо́жет быть, пообе́даем сейча́с? Я что́-то проголода́лся.
– С удово́льствием.

II

– Здесь не за́нято?
– Нет, свобо́дно, сади́тесь, пожа́луйста. Вот меню́. Что вы хоти́те заказа́ть?
– Что есть из заку́сок?
– Сала́т мясно́й, сала́т с кра́бами, икра́, осетри́на...
– Пожа́луй, я возьму́ сала́т с кра́бами.
– А я осетри́ну.
– Каки́е супы́ есть в меню́?
– Овощно́й суп, ри́совый, борщ украи́нский, щи, суп фрукто́вый.
– Я бу́ду есть борщ. А вы?
– А я – овощно́й суп.
– Что возьмём на второ́е? (1)
– Здесь прекра́сно гото́вят ры́бные блю́да. Я посове́товал бы вам заказа́ть судака́ по-по́льски.
– Спаси́бо. Так я и сде́лаю.

III

– О, вы уже́ здесь. Прия́тного аппети́та.
– Спаси́бо. Сади́тесь. Вот свобо́дное ме́сто.

– Что вы посове́туете мне заказа́ть? Сего́дня так жа́рко. Хоте́лось бы съесть чего́-нибудь холо́дного.

– Мо́жете взять холо́дный овощно́й суп. Это о́чень вку́сно.

– Пожа́луйста, принеси́те буты́лку воды́, овощно́й суп, ку́рицу с ри́сом и моро́женое.

IV

– Вы уже́ обе́дали?

– Нет ещё. Я как ра́з собира́юсь пойти́ (2) в столо́вую. Вы то́же идёте?

– Да. Вы всегда́ обе́даете в столо́вой?

– Да, за́втракаю и у́жинаю я до́ма, а обе́даю здесь.

КОММЕНТАРИИ. NOTES

(1) Что возьмём на вто-ро́е?	What shall we take for our second course?
брать ⎫ на пе́рвое, на вто- взять ⎭ ро́е, на тре́тье	to take something for one's first course, second course, third course
(2) Я как ра́з собира́юсь пойти́...	I'm just about to go....

Запомните. Memorize:

Это ме́сто свобо́дно (не за́нято)?	Is this place free?
Этот сто́лик свобо́ден.	This table is free.
Да́йте, пожа́луйста, ме-ню́.	Give me the menu, please.
Бу́дьте добры́, принеси́-те ещё оди́н прибо́р.	Would you bring one more cover, please?
Каки́е заку́ски у вас есть?	What hors-d'oeuvres are there?
Что у вас есть из на-пи́тков?	What soft drinks are there?
Что мы зака́жем?	What shall we order?
Како́й сок вы бу́дете пить?	What juice will you drink?
Переда́йте, пожа́луйста, хлеб (соль, ма́сло).	Pass the bread (salt, but-ter), please.

Прия́тного аппети́та!	Good appetite!
Тост за встре́чу, за дру́жбу.	A toast to our meeting, to our friendship.
Да́йте, пожа́луйста, счёт.	Give me the bill, please.
Ско́лько я до́лжен (мы должны́)?	How (much) do I (we) owe you?
Получи́те с нас, пожа́луйста.	Will you take the money, please? May I pay, please?
Пожа́луйста.	Here you are.
(when actually paying)	

УПРАЖНЕНИЯ. EXERCISES

I. Отве́тьте на сле́дующие вопро́сы. Answer the following questions.

1. Где вы обы́чно за́втракаете, обе́даете, у́жинаете?
2. В кото́ром часу́ вы за́втракаете?
3. Что вы еди́те у́тром за за́втраком?
4. Что вы пьёте во вре́мя за́втрака?
5. Где вы предпочита́ете обе́дать – до́ма, в столо́вой, в рестора́не?
6. Когда́ вы обе́даете?
7. Что вы пьёте во вре́мя обе́да – минера́льную во́ду, сок и́ли компо́т?
8. Что вы еди́те за обе́дом?
9. Что вы обы́чно берёте на пе́рвое, на второ́е, на тре́тье?
10. Како́е ва́ше люби́мое блю́до?
11. Вы лю́бите мясны́е (ры́бные) блю́да?
12. Каки́е блю́да ва́шей национа́льной ку́хни вы лю́бите бо́льше всего́?
13. Каки́е ру́сские национа́льные блю́да вы зна́ете?
14. Каки́е блю́да ру́сской ку́хни вам нра́вятся?
15. Где мо́жно пообе́дать и́ли закуси́ть в ва́шем го́роде?

II. Слова́ из ско́бок поста́вьте в ну́жной фо́рме. Put the words in brackets in the appropriate form.

Образец. Model: Возьми́те суп ... (мя́со). – Возьми́те суп с мя́сом.

1. Я люблю́ ко́фе ... (молоко́). 2. Утром я ем хлеб ... (ма́сло и сыр). 3. Вы лю́бите сала́т ... (мя́со)? 4. На второ́е мы возьмём ку́рицу ... (рис и́ли карто́шка). 5. Обы́чно у́тром мы пьём чай ... (молоко́). 6. Да́йте, пожа́луйста, соси́ски ... (капу́ста).

III. Вме́сто то́чек вста́вьте оди́н из глаго́лов, да́нных ни́же, в ну́жной фо́рме. Fill in the blanks with verbs from the list below in the appropriate form.

1. На столе́ ... ва́за с фру́ктами. 2. На таре́лке ... я́блоки. 3. Официа́нт ... на стол буты́лку со́ка, ... ножи́ и ви́лки. 4. Пожа́луйста, ... стака́н на стол. 5. Пожа́луйста, ... свою́ су́мку на тот сто́лик.

(стоя́ть, лежа́ть, поста́вить, положи́ть)

IV. Отве́тьте на вопро́сы, поста́вив слова́, стоя́щие спра́ва, в ну́жной фо́рме. Answer the following questions using the words given on the right in the appropriate form.

1. Где лежа́т ви́лки? Куда́ официа́нт положи́л ви́лки?	стол
2. Куда́ вы положи́ли свой портфе́ль? Где лежи́т ваш портфе́ль?	стул
3. Где стоя́т ча́шки для ко́фе? Куда́ вы поста́вили ча́шки для ко́фе?	буфе́т
4. Куда́ вы поста́вили ва́зу с цвета́ми? Где стои́т ва́за с цвета́ми?	окно́
5. Где виси́т моё пальто́? Куда́ вы пове́сили моё пальто́?	шкаф

V. Из да́нных словосочета́ний сде́лайте предложе́ния по образцу́. Rearrange the following according to the model.

Образец. Model: дать меню́ – Да́йте, пожа́луйста, меню́.

1. принести́ воды́, ви́лку, ещё оди́н прибо́р; 2. переда́ть хлеб, соль, нож; 3. дать меню́, счёт

VI. Зако́нчите предложе́ния, употребля́я слова́, стоя́щие спра́ва. Complete the sentences using the words given on the right.

1. Официа́нт принёс	одна́ котле́та, холо́дная ры́ба, о́стрый сыр, ча́шка ко́фе
2. На второ́е мо́жно взять	мя́со с гарни́ром, котле́та с капу́стой
3. Я хочу́ взять	буты́лка воды́, таре́лка су́па, у́тка с ри́сом, ча́шка ко́фе
4. Принеси́те, пожа́луйста, стака́н	вода́, молоко́, пи́во, лимона́д, сок

VII. Зако́нчите предложе́ния, употребля́я слова́, да́нные спра́ва. Complete the sentences using the words given on the right.

1. Мо́жно пойти́ ... Мо́жно пообе́дать	э́тот рестора́н
2. Вы ещё не́ были ...? Я хочу́ пойти́ обе́дать	но́вая столо́вая
3. Мы мо́жем поу́жинать ... . Дава́йте зайдём	э́то ма́ленькое кафе́

VIII. Проспряга́йте глаго́лы. Conjugate the following verbs:

есть, пить, брать, взять, заказа́ть

IX. Отве́тьте на вопро́сы, замени́в глаго́л лю́би́ть глаго́лом нра́виться. Answer the following questions replacing the verb люби́ть by нра́виться.

Образец. Model: – Вы лю́бите ко́фе с лимо́ном?
– Да, мне нра́вится ко́фе с лимо́ном.
(– Нет, мне не нра́вится ко́фе с лимо́ном.)

1. Вы лю́бите чай с молоко́м? 2. Вы лю́бите апельси́новый сок? 3. Вы лю́бите апельси́ны, я́блоки, бана́ны? 4. Вы лю́бите ры́бные блю́да? 5. Вы лю́бите о́стрый сыр? 6. Вы лю́бите ру́сскую ку́хню?

X. Замени́те вы́деленные выраже́ния синоними́чными по образцу́. Replace the words in italics by synonyms according to the model.

Образец. Model:

Во вре́мя обе́да мы говори́ли о по-   *За обе́дом* мы говори́ли о после́д-
сле́дних новостя́х.   них новостя́х.

1. *Во вре́мя за́втрака* мы сиде́ли мо́лча. 2. *Во вре́мя у́жина* он ни с кем не разгова́ривал. 3. *Во вре́мя обе́да* он расска́зывал о свои́х дела́х.

XI. Соста́вьте вопро́сы, на кото́рые отвеча́ли бы сле́дующие предложе́ния. Make up questions to which the following sentences would be the answers.

1. – ......?
   – Мы за́втракаем в во́семь часо́в утра́.
2. – ......?
   – Обы́чно я обе́даю до́ма.
3. – ......?
   – Сего́дня мы обе́дали в рестора́не.
4. – ......?
   – Да, э́тот сто́лик свобо́ден.
5. – ......?
   – На второ́е я хочу́ взять ры́бу.
6. – ......?
   – Я люблю́ минера́льную во́ду.
7. – ......?
   – Нет, я не люблю́ чай с молоко́м.

XII. Переведи́те на ру́сский язы́к. Translate into Russian.

1. – Would you like to go and have dinner?
   – I would. I was just going to go.
   – Where shall we go?
   – We can go to the "Cosmos" café. The food is quite good there. (*lit.* They cook quite well there.) And it isn't crowded now.
2. – What shall we take for our first course? Are you going to order soup? What are you going to drink – juice or mineral water?
   – I would like to have some coffee.
3. – I liked that mineral water very much. What's it called?
   – "Borzhomi". It's a Georgian mineral water.
4. – I don't know what to take for my second course.
   – I'd advise you to order a cutlet à la Kiev. They are (*lit.* this is) very nice.
5. Will you please bring some salad and cold meat?
6. Give me the bill, please.
7. Pass the butter, please. Thank you.
8. – Is this place free?
   – Yes, do sit down (please).
9. I usually have my breakfast and supper at home, and have lunch at work. There is a good canteen at our institute. The food is very good there and there is always a large choice of meat and fish courses.

XIII. Расскажи́те: 1) что вы еди́те у́тром и ве́чером; 2) из чего́ состои́т ваш обе́д. Describe: 1) what you have for breakfast and for supper; 2) what you have for lunch.

XIV. Составьте диалоги. Make up dialogues:

1) между друзьями, идущими в кафе; сидящими в кафе; between friends going to a café; sitting in a café;
2) между посетителями кафе (ресторана) и официантом; between customers at a café (restaurant) and the waiter.

XV. Прочитайте и перескажите. Read and retell the following.

Как-то раз известный французский писатель Александр Дюма путешествовал по Германии. Дюма совсем не говорил по-немецки. Однажды он остановился в маленьком городке. Дюма очень хотел есть и зашёл в ресторан. Он хотел заказать грибы, но не знал, как это сказать по-немецки. Он долго показывал жестами, чего он хочет, но хозяин ресторана так и не понял его. Тогда Дюма взял бумагу и карандаш, нарисовал большой гриб и показал рисунок хозяину. Хозяин посмотрел на рисунок и понимающе улыбнулся.

Дюма был очень доволен собой. Теперь он мог спокойно сидеть и ждать, когда ему принесут его любимое блюдо. Каково же было его удивление, когда он увидел в руках вошедшего хозяина... зонтик!

* * *

Однажды один человек обедал у одной очень экономной дамы. Он встал из-за стола совершенно голодный. Хозяйка любезно сказала ему:
– Прошу вас как-нибудь ещё прийти ко мне пообедать.
– С удовольствием, – ответил гость, – хоть сейчас.

хоть сейчас at once if you like

10
НА ПОЧТЕ

Я получа́ю и сам пишу́ о́чень мно́го пи́сем. Друзья́, с кото́рыми я учи́лся, разъе́хались по всему́ све́ту. (1) Одни́ живу́т в ра́зных города́х Сове́тского Сою́за, други́е рабо́тают за грани́цей (2). Я перепи́сываюсь со мно́гими из них. (3) Почти́ ка́ждый день почтальо́н прино́сит мне вме́сте с газе́тами не́сколько пи́сем от друзе́й. В свою́ о́чередь и я ча́сто посыла́ю им пи́сьма (4), откры́тки, телегра́ммы, посы́лки.

Пи́сьма я обы́чно пишу́ ве́чером, а на друго́й день у́тром опуска́ю их в почто́вый я́щик недалеко́ от на́шего до́ма. Телегра́ммы, бандеро́ли и посы́лки мы отправля́ем в ближа́йшем почто́вом отделе́нии.

Неде́лю наза́д, пе́ред нового́дним пра́здником, я написа́л не́сколько пи́сем, пригото́вил ну́жные кни́ги и ве́щи для посы́лок и пошёл на по́чту. Снача́ла я подошёл к око́шку, где принима́ют бандеро́ли, по́дал в око́шко кни́ги и попроси́л упакова́ть их. Пото́м я написа́л а́дрес и заплати́л де́ньги за ма́рки, кото́рые де́вушка, рабо́тница по́чты, накле́ила на бандеро́ль.

В отде́ле «Приём и вы́дача посы́лок» я запо́лнил бланк для посы́лки. На бла́нке я написа́л а́дрес, фами́лию, по́лное и́мя и о́тчество адреса́та и обра́тный а́дрес. Рабо́тник по́чты прове́рил, всё ли в поря́дке (5), взве́сил посы́лку и вы́писал мне квита́нцию. Я заплати́л де́ньги и напра́вился к друго́му отделе́нию.

Ме́лкие ве́щи – га́лстук, перча́тки, авторучку и электробри́тву – я посла́л це́нной бандеро́лью.

Ита́к, оста́лось то́лько отпра́вить нового́дние позд-
равле́ния. В окне́ «Приём телегра́мм» я взял не́сколько
бла́нков и тут же на по́чте написа́л о́коло пятна́дцати
поздрави́тельных телегра́мм и откры́ток свои́м роди́те-
лям, ро́дственникам и друзья́м.

КОММЕНТАРИИ. NOTES

(1) Друзья́... разъе́ха-
лись по всему́ све́ту.

My friends... have gone to
various parts of the world.

Раз- gives verbs of motion the meaning of movement from
the centre in various directions. Note that the particle **-ся**
is added.

Го́сти разошли́сь по́здно.
Де́ти разбежа́лись по па́рку.

The visitors went home late.
The children ran all over the
park.

The opposite notion–movement from different places
towards the centre–is rendered by the prefix **c-** and the
particle **-ся**:

сошли́сь, съе́хались, сбежа́-
лись

came together (assembled) on
foot, by transport, running

With other verbs the prefix **раз-** has the meaning of
division, distribution, separation:

разложи́ть ве́щи	to lay out	
	to display	} things
	to unpack	
разда́ть кни́ги	to give out books	
разре́зать я́блоко	to cut up an apple (into some parts)	
разби́ть стака́н	to break a glass	

(2) рабо́тают за грани́-
цей

(they) work abroad

быть, рабо́тать
(*где?*) за грани́цей

to be, to work abroad

пое́хать (*куда́?*) за
грани́цу

to go abroad

прие́хать, верну́ться
(*отку́да?*) из-за гра-
ни́цы

to return from abroad

(3) Я перепи́сываюсь со
мно́гими из них.

I correspond with many of
them.

92

Перепи́сываться *с ке́м-либо* (imperfective only) means **писа́ть друг дру́гу.**

Вы перепи́сываетесь с бра́-том?	Do you write to (*lit.* correspond with) your brother?

Memorize the following verbs with the particle **-ся** having the meaning of reciprocal action:

боро́ться	to fight (with someone)
ви́деться	to see (each other)
встреча́ться	to meet (each other)
дели́ться	to share
догова́риваться	to agree, come to an arrangement
здоро́ваться	to greet (each other)
знако́миться	to get acquainted
обме́ниваться	to exchange
обнима́ться	to embrace
проща́ться	to take one's leave
расстава́ться	to part
ссо́риться	to quarrel
сове́товаться	to consult, to discuss
целова́ться	to kiss (each other)

Normally after these verbs the noun is in the instrumental preceded by **с** answering the question *с кем?*:

– *С кем* вы здоро́вались на у́лице?	– Whom did you greet in the street?
– Я поздоро́вался *со свои́м ста́рым учи́телем.*	– I greeted my old teacher.
Мне на́до посове́товаться *с роди́телями.*	I have to discuss this with my parents.
Мы договори́лись *с Андре́-ем* пойти́ в воскресе́нье на лы́жах.	Andrei and I arranged to go skiing on Sunday.
(4) В свою́ о́чередь и я ча́сто посыла́ю им пи́сьма.	In my turn I also often send them letters.

The possessive pronoun **свой** shows that the object belongs to the subject of the sentence.

Сравните. Compare:

Это *мой* брат.	Я давно́ не ви́дел *своего́* бра́та.
	Вы давно́ не ви́дели *моего́* бра́та?
Это *ва́ша* ру́чка.	Мо́жно взять *ва́шу* ру́чку?
	Вы нашли́ *свою́* ру́чку?

Это газе́та *отца́*.   Оте́ц взял *свою́* газе́ту.
                        Я взял *его́* газе́ту.

Note that in Russian possessive pronouns are used less frequently than in English.

Сравните. Compare:

Он пое́хал на вокза́л встре- ча́ть сы́на.	He has gone to the station to meet *his* son.
Вчера́ мы с жено́й бы́ли в теа́тре.	Last night *my* wife and I were at the theatre.
Ни́на всегда́ сове́туется с ма́терью.	Nina always discusses mat- ters (things) with *her* moth- er.
(5) ... прове́рил, всё ли в поря́дке.	(He) checked (to see) whether everything was in order.

It is imperative not to confuse the use of the conjunction **éсли** with the particle **ли**. **Ли** is translated into English by 'whether'. In Russian **éсли** and **ли** can never be used to replace one another. **Ли** is used to join clauses when using the following verbs (in the main clause): **знать, слы́шать, ви́деть, спроси́ть, посмотре́ть, прове́рить, узна́ть, интересова́ться, по́мнить.**

Я не зна́ю, *говори́т ли* он по-ру́сски.
Он прове́рил, *пра́вильно ли* я написа́л а́дрес.
Мать посмотре́ла, *спя́т ли* де́ти.
Вы не по́мните, *есть ли* э́та кни́га в магази́не?
Я спроси́л его́, *был ли* он ра́ньше в Москве́.
Прове́рьте, *всё ли* вы написа́ли пра́вильно.

Ли expresses some element of doubt and may be replaced by **и́ли нет.**

Мы не зна́ем, *получи́ли* вы на́ше письмо́ *и́ли нет.*
Я не по́мню, *чита́л* я э́ту кни́гу *и́ли нет.*
Меня́ интересу́ет, *по́няли* вы моё объясне́ние *и́ли нет.*

ДИАЛОГИ. DIALOGUES

I

– Мне на́до посла́ть телегра́мму.
– Телегра́ммы принима́ют в тре́тьем окне́.
– Да́йте, пожа́луйста, бланк для телегра́ммы.

— Для какой телеграммы – простой или срочной?

— Для срочной.

— Пожалуйста, вот бланк.

— Сколько времени идёт срочная телеграмма в Ереван?

— Два часа.

— Спасибо.

II

— Скажите, пожалуйста, могу я отправить эти книги в Ленинград?

— Конечно. Вы можете послать их бандеролью. Давайте я их упакую. А теперь напишите на бандероли адрес.

— Сколько стоит бандероль?

— Как вы будете посылать – простой или заказной бандеролью?

— Простой.

— Это будет стоить тридцать пять копеек.

III

— Скажите, пожалуйста, как можно послать по почте дамскую сумочку, перчатки и духи?

— Мелкие вещи, такие, как духи, очки, перчатки, галстуки, можно послать ценной бандеролью. Вес такой бандероли не должен быть больше килограмма.

— Как всё это должно быть упаковано?

— Мы всё упакуем сами, вы напишите только адрес и заполните бланк – составьте список вещей, которые вы посылаете.

— Благодарю вас.

IV

— Посмотрите, пожалуйста, есть ли письма на моё имя. Моя фамилия Сомов.

— Ваш документ, пожалуйста.

— Вот паспорт.

— Сомов? Одну минуту. Ваши инициалы А. Н.? Вам открытка и денежный перевод. Вот ваша открытка. Деньги получите в соседнем окне.

— Спасибо.

– Да́йте, пожа́луйста, де́сять конве́ртов.
– С ма́рками и́ли без ма́рок?
– Без ма́рок. И два конве́рта с ма́рками.
– Пожа́луйста. 22 копе́йки.

Запомните. Memorize:

посыла́ть/посла́ть письмо́, посы́лку, телегра́мму, откры́тку	to send a letter, a parcel, a telegram, a postcard
посыла́ть/посла́ть что́-либо це́нным письмо́м	to send something by registered letter (with declared value)
опуска́ть/опусти́ть бро́са́ть/бро́сить } письмо́, откры́тку в я́щик	to drop a letter, a postcard in a letter-box
отвеча́ть/отве́тить на письмо́	to reply to a letter
приноси́ть/принести́ доставля́ть/доста́вить } письмо́, посы́лку, откры́тку to bring to deliver } a letter, a parcel, a postcard	
вруча́ть/вручи́ть телегра́мму	to hand in a telegram
– Ско́лько вре́мени идёт письмо́ (телегра́мма) в Москву́?	– How long does a letter (a telegram) take to get to Moscow?
– Письмо́ идёт два дня.	– A letter takes two days.
– Телегра́мма идёт четы́ре часа́.	– A telegram takes four hours.

Адрес по-ру́сски пи́шется так.
Here is the way we write an address in Russian:

103759
Москва,
Пушкинская пл., д.3 кв 21
Орлову Павлу Сергеевичу

Образцы писем. Model Letters

15 мая 1988 г.
Ленинград

Дорогой Павел!

Недавно получил твоё письмо. Большое спасибо. Просьбу твою выполнил – позвонил в институт и узнал о твоей работе. Секретарь обещал обо всём подробно написать тебе.

У нас дома всё по-старому. Летом всей семьёй поедем в Крым, я на месяц, а Лена с детьми на всё лето.

Привет Марине.

До свидания. Николай.

Дорогая Нина Ивановна!

Поздравляем Вас с юбилеем. Желаем Вам долгих лет жизни, здоровья, успехов в работе и счастья.

Мы часто вспоминаем Вас, Ваши интересные уроки, Вашу заботу о нас. Большое спасибо за всё.

7 января 1984 г.
Москва

Ваши ученики.

Образцы обращения в начале письма
Forms of Address Used in Letters

Многоуважаемая Анна Ивановна!
Уважаемый товарищ Петров!
Дорогой Василий Николаевич!
Милая Нина!
Многоуважаемый господин Смит!
Уважаемый господин директор!

УПРАЖНЕНИЯ. EXERCISES

I. Ответьте на вопросы. Answer the following questions.

1. У вас большая переписка?
2. С кем вы переписываетесь?
3. Кому вы пишете письма?
4. Вы часто пишете своим друзьям?
5. Вы любите писать письма?
6. Вы любите получать письма?
7. Что вы предпочитаете писать – письма или открытки?
8. Что вы получаете, кроме писем?
9. Где вы отправляете посылки и бандероли?
10. Что можно посылать бандеролью?
11. Как можно послать книги?
12. Как можно послать в другой город документы?

13. Где нахо́дится ближа́йшее от вас почто́вое отделе́ние?
14. Где мо́жно купи́ть ма́рки и конве́рты?
15. Что ну́жно име́ть при себе́, что́бы получи́ть посы́лку и́ли де́нежный перево́д?

II. Замени́те ли́чные предложе́ния безли́чными. Replace the personal sentences by corresponding impersonal ones.

Образец. Model: Где *я могу́* купи́ть
конве́рт с ма́ркой?

Я до́лжен написа́ть
письмо́ друзья́м.

– Где *мо́жно* купи́ть
конве́рт с ма́ркой?

– *Мне на́до (ну́жно)* написа́ть письмо́ друзья́м.

1. Конве́рты и откры́тки вы мо́жете купи́ть на по́чте. 2. Я до́лжен посла́ть сро́чную телегра́мму. 3. Здесь вы мо́жете отпра́вить заказно́е письмо́. 4. Я до́лжен пойти́ в магази́н. 5. Они́ должны́ быть на вокза́ле в семь часо́в. 6. Где я могу́ позвони́ть? 7. Как мы мо́жем посла́ть докуме́нты в друго́й го́род?

III. Вме́сто то́чек вста́вьте оди́н из глаго́лов, да́нных ни́же, в ну́жной фо́рме. Fill in the blanks with the appropriate form of the verbs from the list below.

1. Сего́дня я ... письмо́ в Ки́ев. Как вы ду́маете, когда́ его́ там ...? 2. Мне на́до ... телегра́мму в Ленингра́д. 3. Вы уже́ ... поздрави́тельные откры́тки? 4. Где здесь по́чта и́ли почто́вый я́щик? Мне на́до ... пи́сьма. 5. У́тром мы ... письмо́ и бандеро́ль от отца́. 6. Вчера́ почтальо́н ... нам два письма́. 7. Бу́дьте добры́, ... мои́ пи́сьма в почто́вый я́щик. 8. Большинство́ люде́й не лю́бит ... пи́сьма, но лю́бит ... их. 9. Ка́ждое у́тро почтальо́н ... нам газе́ты, журна́лы, пи́сьма.

(отправля́ть – отпра́вить, посыла́ть – посла́ть, опуска́ть – опусти́ть, броса́ть – бро́сить, получа́ть – получи́ть, писа́ть – написа́ть, приноси́ть – принести́)

IV. Зако́нчите предложе́ния, употреби́в слова́, да́нные спра́ва. Complete the sentences using the words given on the right.

Образец. Model: Андре́й показа́л мне письмо́ *из Ло́ндона от Хэ́мфри.*

1. Это письмо́	Ленингра́д, мой друг
2. Я ча́сто получа́ю откры́тки	Москва́, мои́ сове́тские друзья́
3. Неда́вно я получи́л кни́гу	Ки́ев, оди́н знако́мый студе́нт
4. Вчера́ пришла́ посы́лка	родна́я дере́вня, мои́ роди́тели
5. В письме́ оте́ц пе́редал мне приве́т	родны́е места́, друзья́, ро́дственники и знако́мые

V. Вста́вьте ну́жные предло́ги. Слова́ из ско́бок поста́вьте в ну́жном падеже́. Insert the appropriate prepositions. Put the words in brackets in the correct case.

1. Вчера́ мой друг получи́л письмо́ ... (брат) ... (Ки́ев). 2. У́тром я посла́л (сро́чная телегра́мма) (сестра́) ... (Оде́сса). 3. Накле́йте (ма́рка) ... (конве́рт) и положи́те (письмо́) ... (конве́рт). 4. У́тром я был ... (по́чта). 5. Я ча́сто получа́ю пи́сьма ... (дом) ... (роди́тели). 6. Почтальо́н принёс мне (телегра́мма) ... (Ленингра́д) ... (мой мла́дший брат).

VI. Отве́тьте на вопро́сы, испо́льзуя слова́, стоя́щие спра́ва. Answer the following questions using the words given on the right.

1. С кем вы перепи́сываетесь?

мой мла́дший брат, друзья́ по институ́ту, мои́ роди́тели

2. С кем вы ча́сто ви́дитесь?
3. С кем она́ поздоро́валась?
4. С кем она́ познако́милась на ве́чере?
5. С кем вы сове́туетесь на рабо́те?

Ни́на и Ми́ша, мои́ това́рищи
одна́ знако́мая же́нщина
оди́н интере́сный молодо́й челове́к
инжене́р и рабо́чие

VII. Вы́берите ну́жный глаго́л из да́нных спра́ва. Choose the appropriate verb from those given on the right.

1. Мы договори́лись ... у теа́тра в шесть часо́в.
У теа́тра я ... своего́ това́рища.

встре́тить – встре́титься

2. Когда́ мне тру́дно, я иду́ ... к своему́ ста́ршему бра́ту.
Мы не зна́ли, как дое́хать до теа́тра. Милиционе́р ... нам е́хать на метро́.

посове́товать – посове́товаться

3. Я не ... мать три го́да.
Мы не ... три го́да. Вы ча́сто ... с друзья́ми?

ви́деть – ви́деться

4. На вокза́ле пе́ред отхо́дом по́езда мы ... и попроща́лись. Мать ... сы́на и запла́кала от ра́дости.

обня́ть – обня́ться

VIII. Прочита́йте предложе́ния. Объясни́те употребле́ние притяжа́тельных местоиме́ний. Read the following sentences. Explain the use of the possessive pronouns.

1. *Мои́* роди́тели ча́сто пи́шут *мне*. Я то́же ча́сто пишу́ *свои́м* роди́телям.
2. Это *моя́* ко́мната. В *мое́й* ко́мнате ма́ло ме́бели. *Я* люблю́ сиде́ть оди́н в *свое́й* ко́мнате. Мари́на вошла́ в *мою́* ко́мнату.

Её роди́тели ча́сто пи́шут *ей*. *Она́* то́же ча́сто пи́шет *свои́м* роди́телям.
Это ко́мната Мари́ны. В *её* ко́мнате мно́го цвето́в. Сейча́с Мари́на в *свое́й* ко́мнате.

IX. Прочита́йте предложе́ния. Объясни́те употребле́ние местоиме́ния **с в о й**. Read the following sentences. Explain the use of the pronoun **с в о й**.

1. Где *мой* портфе́ль? Вы не ви́дели *мой* портфе́ль? Ка́жется, я забы́л *свой* портфе́ль в гардеро́бе. 2. Это *ва́ша* кни́га? Я нашёл *ва́шу* кни́гу в аудито́рии. Вы забы́ли там *свою́* кни́гу. 3. Это письмо́ я получи́л от *своего́* дру́га. Вы ведь зна́ете *моего́* дру́га Андре́я Гро́мова? 4. Я ничего́ не зна́ю о *ва́шей* рабо́те. Расскажи́те, пожа́луйста, о *свое́й* рабо́те. Пото́м я расскажу́ вам о *свое́й*. 5. Ско́ро *мои́* роди́тели прие́дут в Москву́. Вы знако́мы с *мои́ми* роди́телями? Я хочу́ познако́мить вас со *свои́ми* роди́телями.

X. Вме́сто то́чек вста́вьте слова́, да́нные спра́ва. Там, где необходи́мо, замени́те местоиме́ния **м о й**, **е ё**, **и х** местоиме́нием **с в о й**. Fill in the blanks with the words given on the right in the appropriate form. Replace the pronouns **м о й**, **её** and **их** by **с в о й** where necessary.

1. Я разгова́ривал ... .
В саду́ игра́ют де́ти ... .

мой сосе́д

2. Я хорошо́ знако́м ... .
... живёт в Ленингра́де.
Она́ ча́сто пи́шет ... .

её мла́дшая дочь

3. Мои́ друзья́ о́чень дово́льны ... . | их преподава́тель
Мы показа́ли свои́ сочине́ния на
ру́сском языке́ ... .
4. Э́ту кни́гу мне дал ... . | оди́н мой знако́мый
Э́ту кни́гу я взял ... .
5. Мари́на получи́ла посы́лку ... . | её ста́ршая сестра́
Э́ту посы́лку Мари́не присла́-
ла ... .

XI. Переде́лайте предложе́ния, употребля́я части́цу **ли**. Change the sentences using the particle **ли**.

Образец. Model: Я не по́мню, *есть* у меня́ э́та кни́га *и́ли нет.*—
Я не по́мню, *есть ли* у меня́ э́та кни́га.

1. Я не по́мню, писа́л я вам об э́том и́ли нет. 2. Мы ещё не зна́ем, пое́дем мы ле́том на юг и́ли нет. 3. Нам ещё не сказа́ли, бу́дут у нас экза́мены и́ли нет. 4. Посмотри́те, пра́вильно я написа́л э́то предложе́ние и́ли нет. 5. Скажи́те, пожа́луйста, мо́жно так сказа́ть по-ру́сски и́ли нет. 6. Мне бы хоте́лось знать, поня́тно вам то, что я говорю́, и́ли нет. 7. Я не зна́ю, интере́сно вам то, что я расска́зываю, и́ли нет. 8. Он не зна́ет, есть э́та кни́га в на́шей библиоте́ке и́ли нет. 9. Меня́ интересу́ет, есть жизнь на Ма́рсе и́ли нет.

XII. Вме́сто то́чек вста́вьте оди́н из глаго́лов, да́нных в ско́бках, в ну́жной фо́рме. Fill in the blanks with the appropriate form of the verbs given in brackets.

1. Роди́тели ча́сто ... мне. Вчера́ я ... им письмо́. (писа́ть – написа́ть) 2. Обы́чно я ... посы́лки в на́шем почто́вом отделе́нии. Неда́вно я ... ещё одну́ посы́лку. (получа́ть – получи́ть) 3. Не́сколько раз она́ ... писа́ть своё письмо́, но ей всё вре́мя кто́-нибудь меша́л. Она́ ... писа́ть письмо́ ве́чером, по́сле у́жина. (начина́ть – нача́ть) 4. В воскресе́нье я ... бра́ту посы́лку. Когда́ я ... посы́лку, на по́чте бы́ло ма́ло наро́ду. (отправля́ть – отпра́вить) 5. Не́сколько лет мы ... друг дру́гу пи́сьма, ... кни́ги. На про́шлой неде́ле я ... дру́гу письмо́ и ... кни́ги. (писа́ть – написа́ть, посыла́ть – посла́ть) 6. Мно́го раз он ... мой а́дрес, но, очеви́дно, ка́ждый раз теря́л его́. В после́днюю на́шу встре́чу он опя́ть ... мой а́дрес. (запи́сывать – записа́ть) 7. Прости́те, я ... ваш а́дрес. У него́ была́ плоха́я па́мять: он всегда́ ... адреса́ и номера́ телефо́нов. (забыва́ть – забы́ть)

XIII. Соста́вьте вопро́сы, на кото́рые отвеча́ли бы сле́дующие предложе́ния. Make up questions to which the following sentences would be the answers.

1. – ......?
– Я спешу́ на по́чту.
2. – ......?
– Я до́лжен отпра́вить телегра́мму сестре́.
3. – ......?
– Вчера́ мы получи́ли письмо́ от бра́та.
4. – ......?
– Мари́на получи́ла посы́лку из Оде́ссы.
5. – ......?
– Нет, по́чта недалеко́ отсю́да.
6. – ......?
– Конве́рт с ма́ркой сто́ит шесть копе́ек.

7. – .....?
– Нам прино́сят газе́ты в во́семь часо́в утра́.

XIV. Переведи́те на ру́сский язы́к. Translate into Russian.

1. – Can you tell me where the nearest post office is, please?
– The post office is not far away, in Kirov Street.
– Do you know when the post office is open (*lit.* works)?
– I think it's open from 8 o'clock in the morning till 8 at night.
2. – Where can I buy envelopes and stamps?
– At the next window.
– Will you please give me an envelope and stamp (a stamped envelope), two postcards and two telegram forms?
3. – How much is an envelope?
– Six copecks.
– How long does a letter take from Moscow to Kiev?
– One day.
4. – I've got to send a few greeting telegrams. Where can one send telegrams?
– In the next room.
– How long does a telegram take from Moscow to Leningrad?
– Two hours.
5. Every morning the postman brings us our papers and letters. He brought me a few letters this morning. One letter was from an old friend of mine in Kiev. I've got to reply to this letter. I don't like writing letters. I usually send postcards.

XV. Расскажи́те о ва́шей перепи́ске, испо́льзуя сле́дующие слова́ и выраже́ния. Tell about your correspondence using the following words and expressions:

перепи́сываться, получа́ть пи́сьма от ..., отвеча́ть на пи́сьма, письмо́ идёт ..., поздрави́тельная телегра́мма, посы́лка, бандеро́ль, откры́тка.

XVI. Прочита́йте и перескажи́те расска́з. Read and retell the following.

Оди́н молодо́й челове́к получа́л пи́сьма до востре́бования. Одна́жды он зашёл на по́чту, что́бы получи́ть заказно́е письмо́. Письмо́ лежа́ло на по́чте, но рабо́тник по́чты не хоте́л отдава́ть его́ молодо́му челове́ку, та́к как у того́ не́ было с собо́й докуме́нта.
– Я не уве́рен, что э́то письмо́ для ва́с. Отку́да я зна́ю, что вы – э́то вы?
Молодо́й челове́к доста́л из карма́на свою́ фотогра́фию.
– Наде́юсь, тепе́рь, вы зна́ете, что я – э́то я.
Рабо́тник по́чты до́лго смотре́л на фотогра́фию.
– Да, э́то вы, – сказа́л он наконе́ц. – Вот ва́ше письмо́.

до востре́бования to be called for

11

В ГОСТИНИЦЕ

5 июля 1988 г.
Москва́

Дорого́й Джим!

В после́днем письме́ я подро́бно описа́л тебе́ путь от Ло́ндона до Бре́ста. Ита́к, три дня наза́д на́ша гру́ппа прибыла́ в Москву́. Нас помести́ли в гости́нице «Буха-ре́ст».

Гости́ница занима́ет дово́льно большо́е ста́рое шести-эта́жное зда́ние на на́бережной Москвы́-реки́ в са́мом це́нтре го́рода.

За реко́й, почти́ напро́тив на́шей гости́ницы, нахо́дит-ся Кремль, храм Васи́лия Блаже́нного и за ним Кра́сная пло́щадь. Мой но́мер на пя́том этаже́. Окна ко́мнаты выхо́дят как ра́з в э́ту сто́рону – на Кремль и Москву́-ре-ку́. Ка́ждое у́тро я любу́юсь чуде́сной карти́ной (1) – разноцве́тными купола́ми хра́ма Васи́лия Блаже́нного, бело-

ка́менным Кремлёвским дворцо́м, дре́вними стена́ми и ба́шнями Кремля́.

В гости́нице нас при́няли о́чень хорошо́. Ко́мнаты, в кото́рых нас размести́ли, небольши́е, но удо́бные (2), чи́стые и све́тлые. В ка́ждом но́мере есть телефо́н.

Ежедне́вно в гости́нице остана́вливается пятьсо́т челове́к, но в коридо́рах, хо́ллах, ли́фтах гости́ницы всегда́ ти́хо (2), толпу́ мо́жно уви́деть то́лько во вре́мя прие́зда и́ли отъе́зда како́й-нибудь гру́ппы тури́стов.

На пе́рвом этаже́ гости́ницы нахо́дится рестора́н, где мы за́втракаем, обе́даем и у́жинаем. Обы́чно мы зака́зываем за́втрак, обе́д и у́жин накану́не. Вы́бор блюд в рестора́не бога́тый и разнообра́зный. В пе́рвое вре́мя ру́сский обе́д каза́лся нам о́чень оби́льным, а ру́сская пи́ща — жи́рной и о́строй, но мы постепе́нно привыка́ем к ней и с удово́льствием еди́м всё, что нам предлага́ют.

На пе́рвом этаже́ располо́жены та́кже гардеро́б, ка́мера хране́ния, по́чта, парикма́херская, газе́тный кио́ск и кио́ск, где продаю́т сувени́ры.

Здесь же нахо́дится администра́тор, кото́рый принима́ет и размеща́ет приезжа́ющих. Когда́ мы прие́хали, администра́тор сказа́л нам: «Е́сли вы хоти́те пойти́ и́ли пое́хать на экску́рсию, пойти́ в кино́ и́ли в теа́тр, встре́титься с ке́м-либо из сове́тских учёных, писа́телей и́ли обще́ственных де́ятелей, вам сле́дует обрати́ться в бюро́ обслу́живания. Рабо́тники бюро́ зака́жут вам биле́ты, организу́ют экску́рсию и́ли встре́чу. Е́сли вам ну́жно погла́дить пла́тье (3), почи́стить костю́м, почини́ть о́бувь, обрати́тесь к го́рничной и́ли подними́тесь на шесто́й эта́ж в комбина́т обслу́живания».

Я ду́маю, «Бухаре́ст» не са́мая первокла́ссная из моско́вских гости́ниц, но мне нра́вится здесь, потому́ что гости́ница уда́чно располо́жена, в ней всегда́ ти́хо и споко́йно, потому́ что здесь хорошо́ обслу́живают приезжа́ющих.

На дня́х напишу́ ещё.

Приве́т твои́м роди́телям и Джо́ну.

Твой Фили́пп.

КОММЕНТА́РИИ. NOTES

(1) Я любу́юсь чуде́сной   I admire the wonderful view.
карти́ной.

любова́ться/полюбова́ться + *instr.* (*чем-либо*)

The following verbs expressing feelings are followed by the instrumental:

интересова́ться нау́кой	to be interested in science
увлека́ться спо́ртом	to be keen on sport (games)
любова́ться карти́ной	to admire a picture, a view
восхища́ться красото́й	to be delighted by the beauty
горди́ться успе́хами, детьми́	to be proud of success, of one's children

(2) Ко́мнаты... небольши́е, но удо́бные.	The rooms... are small, but comfortable.
Ежедне́вно в гости́нице остана́вливается пятьсо́т челове́к, но в коридо́рах... всегда́ ти́хо.	Every day five hundred guests stop at the hotel, but it is always quiet... in the corridors.

The conjunction **но** is used to bring out a particularly strong contrast of two facts. It links up two sentences, the second of which runs counter to expectation. **Но** corresponds to the English 'but'.

Я хоте́л позвони́ть вам, *но* не нашёл ва́шего телефо́на.
Весь ве́чер я ждал това́рища, *но* он не пришёл.

А is used when there is a slight contrast between two closely related alternatives.

Я уже́ *был* в Сове́тском Сою́зе, **а** *мой колле́га не́ был.*
Вчера́ ве́чером *я писа́л* письмо́, **а** *жена́ смотре́ла* телеви́зор.
Все уе́хали на экску́рсию, **а** *я оста́лся* в гости́нице.

Сравни́те. Compare:

Он говори́т по-ру́сски бы́стро, **но** с оши́бками.
Он говори́т по-ру́сски бы́стро **и** без оши́бок.
Он говори́т по-ру́сски бы́стро, **а** я ме́дленно.
Сестра́ звони́ла мне, **но** ничего́ не сказа́ла об э́том.
Сестра́ звони́ла мне **и** сказа́ла об э́том.
Сестра́ звони́ла мне, **а** брат не звони́л.

(3) Е́сли вам ну́жно погла́дить пла́тье...	If you must have your dress ironed/pressed....

On page 85 it was mentioned that some verbs with the prefix **по- (покури́ть, поговори́ть, погуля́ть)** indicate restricted action.

When used with other verbs the prefix **по-** does not add

this shade of meaning but merely changes the verbal aspect, indicating the completion of action.

почи́стить костю́м	to have a suit (dry-)cleaned
погла́дить пла́тье	to have a dress ironed/pressed
починить о́бувь, часы́	to have shoes, a watch repaired
позвони́ть по телефо́ну	to ring up
посмотре́ть фильм	to see a film
подари́ть вещь	to give a thing as a present
поблагодари́ть за по́мощь, etc.	to thank for help

 # ДИАЛОГИ. DIALOGUES

I. Разгово́р с администра́тором

– Скажи́те, пожа́луйста, у вас есть свобо́дные номера́?

– Да, есть. Како́й но́мер вам ну́жен – на одного́ и́ли на двои́х?

– Мне нужна́ ко́мната на одного́ челове́ка, жела́тельно с ва́нной и телефо́ном.

– У нас все номера́ с удо́бствами. Как до́лго вы пробу́дете здесь? (1)

– Две неде́ли.

– Запо́лните, пожа́луйста, листо́к для приезжа́ющих. Ва́ша ко́мната на тре́тьем этаже́. Мо́жете подня́ться на ли́фте. Вот ключ от но́мера.

– Спаси́бо.

II. Разгово́р с го́рничной

– Скажи́те, пожа́луйста, где но́мер три́ста девя́тый?

– Я провожу́ вас. Э́то тре́тья дверь нале́во. Вот ваш но́мер. Э́то ва́нная. Здесь туале́т. Телефо́н на столе́. Здесь звоно́к. Е́сли вам бу́дет что́-нибудь ну́жно, позвони́те.

– Хорошо́, спаси́бо. Мне ну́жно погла́дить костю́м и руба́шки.

– Я возьму́ их. Всё бу́дет гото́во че́рез час.

– Сейча́с я ухожу́ в го́род. Е́сли кто́-нибудь бу́дет спра́шивать меня́, скажи́те, что я бу́ду ве́чером по́сле девяти́ часо́в.

– Хорошо́, я переда́м. Бу́дут ещё каки́е-нибудь поруче́ния?

– Нет, ка́жется, всё. Спаси́бо. За́втра разбуди́те меня́ в полови́не восьмо́го.

– Хорошо́. Всё бу́дет сде́лано. (2) Когда́ бу́дете уходи́ть, оставля́йте ключ у дежу́рного, что́бы я могла́ убира́ть ваш но́мер.

КОММЕНТАРИИ. NOTES

(1) Как до́лго вы пробу́дете здесь?	How long will you be here?

Notice the special use of the prefix **про-** to emphasize the duration of the action.

Verbs with the prefix **про-** are generally modified by words denoting a period of time (**весь день** 'the whole day', **це́лый час** 'the whole hour', etc.).

Он прозанима́лся всю ночь.	He worked all through the night.
Мы прожда́ли вас весь ве́чер.	We waited for you all the evening.
Эта семья́ прожила́ в Москве́ два́дцать лет.	This family lived in Moscow twenty years.
Он прорабо́тал в институ́те де́сять лет.	He has been working at the institute for ten years.

Similarly also:

просиде́ть це́лый час	to sit for a whole hour
проговори́ть весь ве́чер	to talk the whole evening
проспо́рить три часа́	to argue for three hours
пробе́гать весь день	to be up and about the whole day

(2) Всё бу́дет сде́лано.	It'll all be done.

Сде́лано is the short form of the past participle passive of **сде́лать**.

Эта гости́ница постро́ена два го́да наза́д.
Но́мер был зака́зан по телефо́ну.
Это пальто́ ку́плено в Москве́.

Short passive participles can be formed only from transitive perfective verbs.

прочита́ть кни́гу – кни́га прочи́тана
пригласи́ть госте́й – го́сти приглашены́
организова́ть экску́рсию – экску́рсия организо́вана
написа́ть письмо́ – письмо́ напи́сано

ЗАПОМНИТЕ. MEMORIZE:

привыка́ть/привы́к-нуть + dative (к кому́, к чему́)	to get used to
Я привы́к к ру́сской ку́хне.	I've got used to Russian food.
Мы привы́кли к моско́вскому кли́мату.	We've got used to the Moscow climate (weather).
обраща́ться/обрати́ться	to apply
к кому́-либо	to somebody
куда́-либо	somewhere
за че́м-либо	for something

Обрати́тесь к { дежу́рному. / врачу́. }   Apply { to the desk-clerk. / to the doctor. }

– Как вас при́няли?

– How were you received? (How did they receive you?)

– Нас при́няли о́чень хорошо́.

– We were received very well.

УПРАЖНЕНИЯ. EXERCISES

I. Отве́тьте на вопро́сы. Answer the following questions.

1. Где вы остана́вливаетесь, когда́ быва́ете в чужо́м го́роде?
2. Вам ча́сто прихо́дится е́здить и остана́вливаться в гости́ницах?
3. Мо́жно заказа́ть но́мер в гости́нице по телефо́ну?
4. В како́й гости́нице вы остана́вливались после́дний раз?
5. Где нахо́дится э́та гости́ница?
6. Далеко́ ли она́ от це́нтра го́рода?
7. Каки́е удо́бства есть в э́той гости́нице?
8. На како́м этаже́ был ваш но́мер?
9. Куда́ выходи́ли о́кна ва́шей ко́мнаты (ва́шего но́мера)?
10. Кто убира́ет ко́мнаты в гости́нице?
11. Кому́ вы отдава́ли ключ от ва́шего но́мера, когда́ уходи́ли из гости́ницы?
12. Где вы обе́дали, когда́ жи́ли в гости́нице?
13. Ско́лько сто́ил ваш но́мер?
14. Ско́лько вре́мени вы про́жили в гости́нице?

II. Замени́те ли́чные предложе́ния безли́чными, употреби́в на́до (ну́жно) вме́сто до́лжен. Replace the personal sentences by corresponding impersonal ones using на́до (ну́жно) in place of до́лжен.

Образе́ц. Model: Вы должны́ пойти́ к врачу́.–
                     Вам на́до пойти́ к врачу́.

1. Я до́лжен заказа́ть но́мер в гости́нице. 2. Мы должны́ верну́ться в

гости́ницу к у́жину. 3. Вы должны́ запо́лнить листо́к для приезжа́ющих. 4. Я до́лжен взять ключ у дежу́рного. 5. За́втра я должна́ встать о́чень ра́но.

III. Вме́сто то́чек вста́вьте местоиме́ния его́, её, мой, твой, их или свой. Fill in the blanks with the pronouns его́, её, мой, твой, их or свой.

1. Это ... но́мер. Где ключ от ... но́мера? Я оста́вил ключ от ... но́мера у дежу́рной. 2. Джон присла́л из Москвы́ письмо́. В ... письме́ он пи́шет о Москве́. Он о́чень дово́лен ... путеше́ствием в Сове́тский Сою́з. Я получи́л ... письмо́ два дня наза́д. 3. Москвичи́ лю́бят ... го́род. Они́ с го́рдостью говоря́т о ... исто́рии, о ... но́вых райо́нах. 4. В теа́тре мы встре́тили ... знако́мого. Вме́сте с ним была́ ... жена́. Он познако́мил нас со ... жено́й. 5. Этот челове́к – ... друг. Он писа́тель. Неда́вно он дал мне ... расска́зы. Я прочита́л ... расска́зы и вы́сказал ему́ ... мне́ние о них.

VI. Вме́сто то́чек вста́вьте глаго́лы соверше́нного и́ли несоверше́нного ви́да, да́нные ни́же. Сравни́те те́ксты и объясни́те ра́зницу в их значе́нии. Fill in the blanks with the perfective or imperfective verbs from the list below. Compare the texts and explain the difference in their meaning.

Обы́чно, когда́ я ... в э́тот го́род, я ... в гости́нице «Во́лга». Я ... к администра́тору, и он ... мне но́мер на второ́м этаже́.	Не́сколько дней наза́д я ... в э́тот го́род и ... в гости́нице «Во́лга». Я ... к администра́тору, и он ... мне но́мер на второ́м этаже́.
Как пра́вило, я ... но́мер зара́нее по телефо́ну.	Я ... но́мер зара́нее по телефо́ну.
Я ... на второ́й эта́ж, где дежу́рная ... мне мой но́мер.	Я ... на второ́й эта́ж, где дежу́рная ... мне мой но́мер.

(приезжа́л – прие́хал, остана́вливался – останови́лся, обраща́лся – обрати́лся, дава́л – дал, зака́зывал – заказа́л, поднима́лся – подня́лся, пока́зывала – показа́ла)

V. Поста́вьте глаго́лы в настоя́щем вре́мени. Put the verbs in the present.

1. Наш сын хорошо́ рисова́л. 2. Игра́ла му́зыка, но никто́ не танцева́л. 3. О́бщество «А́нглия – СССР» организова́ло пое́здки в Сове́тский Сою́з. 4. Тури́сты ночева́ли в гора́х. 5. Молодо́го худо́жника справедли́во критикова́ли в газе́те. 6. Профе́ссор бесе́довал со свои́ми студе́нтами. 7. Я всегда́ волнова́лся пе́ред экза́менами. 8. Мой друг интересова́лся ру́сской литерату́рой.

VI. Употреби́те глаго́л с приста́вкой по- и́ли про-. Use the verbs with the prefix по- or про-.

1. Мы -говори́ли весь ве́чер. 2. В переры́ве мы -говори́ли, -кури́ли. 3. По́сле тру́дной рабо́ты он -спал де́сять часо́в. 4. Он немно́го -спал и сно́ва приня́лся за рабо́ту. 5. Вчера́ дочь -гуля́ла весь ве́чер и не сде́лала уро́ки. 6. Иди́ -гуля́й в саду́. 7. Больно́й -лежа́л в больни́це не́сколько ме́сяцев. 8. Мы -сиде́ли в кафе́ весь ве́чер. 9. Мы -сиде́ли в кафе́, пото́м пошли́ в кино́.

VII. Вста́вьте глаго́лы, да́нные ни́же, в ну́жной фо́рме. Fill in the blanks with the appropriate form of the verbs given below.

Не́сколько дней наза́д в Москву́ ... гру́ппа англи́йских тури́стов. Они́ ... из Ло́ндона 3 а́вгуста. 5 а́вгуста они́ ... в Брест, а 6 в Москву́. Вчера́ э́та гру́ппа ... на экску́рсию в колхо́з. Там они́ про́были не́сколько часо́в. Гру́ппа ... из Москвы́ в 9 часо́в утра́ и ... обра́тно в 3 часа́ дня. Ве́чером они́ ... в теа́тр. Сего́дня у́тром тури́сты ... в Кремль. Там они́ пробу́дут недо́лго, они́ ... к обе́ду.

(прие́хать, прийти́, вы́ехать, е́здить, ходи́ть, пойти́)

VIII. Замени́те акти́вные констру́кции пасси́вными. Replace the active constructions by passive ones.

Образе́ц. Model: После́днее письмо́ оте́ц *написа́л* в феврале́.—После́днее письмо́ *напи́сано* отцо́м в феврале́.

1. Наш дом постро́или пять лет наза́д. 2. В журна́ле напеча́тали мои́ стихи́. 3. Магази́н уже́ закры́ли. 4. Телегра́мму уже́ посла́ли? 5. Это письмо́ получи́ли на про́шлой неде́ле. 6. Госте́й пригласи́ли к семи́ часа́м. 7. На ве́чере нам показа́ли сове́тский фильм. 8. Эту кни́гу купи́ли в кио́ске. 9. Но́мер в гости́нице ещё не заказа́ли.

IX. Прочита́йте предложе́ния и переведи́те на англи́йский язы́к. Объясни́те ра́зницу в значе́нии сою́зов и, а, но. Read out the sentences and translate them into English. Explain the difference in meaning of the conjunctions и, а and но.

1. Рабо́та была́ тру́дная, *и* мы бы́стро уста́ли. Рабо́та была́ тру́дная, *но* мы не уста́ли. 2. Шёл дождь, *и* на у́лице никого́ не́ было. Шёл дождь, *но* на у́лице бы́ло мно́го наро́ду. 3. За три го́да сестра́ о́чень измени́лась, *и* я не сра́зу узна́л её. За три го́да сестра́ о́чень измени́лась, *но* я сра́зу узна́л её. За три го́да сестра́ о́чень измени́лась, *а* мать не измени́лась. 4. Вчера́ я получи́л письмо́ *и* написа́л отве́т. Вчера́ я получи́л письмо́, *но* ещё не написа́л отве́т. Вчера́ я получи́л письмо́, *а* сего́дня посы́лку.

X. Соедини́те предложе́ния сою́зами и, но, а. (Слова́ в ско́бках при э́том вы́падут.) Join the sentences by means of the conjunctions и, но and а. (The words in brackets must be omitted.)

1. Ле́кция ко́нчилась.	Все ушли́ из за́ла. Все оста́лись в за́ле.
2. Я внима́тельно прочита́л статью́.	(Я) всё по́нял. (Я) не всё по́нял в ней. Мой това́рищ то́лько просмотре́л её.
3. Ле́том я хочу́ пое́хать в Ита́лию.	У меня́ нет де́нег на пое́здку. Мой друг (хо́чет пое́хать) в Болга́рию.
4. Он изуча́ет ру́сский язы́к.	(Он) свобо́дно чита́ет литерату́ру на ру́сском языке́. (Он) пока́ не мо́жет говори́ть по-ру́сски. Его́ сестра́ (изуча́ет) по́льский (язы́к).
5. По́сле рабо́ты мы хоте́ли пойти́ в кино́.	Они́ реши́ли пое́хать на стадио́н. (Мы) пошли́ в ка́ссу за биле́тами. В ка́ссе не́ было биле́тов.

XI. Соедините предложения союзом е́сли. Join the sentences by means of the conjunction е́сли.

1. У вас бу́дет вре́мя. Позвони́те мне. 2. Я зайду́ к вам. Я ра́но ко́нчу рабо́ту. 3. Вы хоти́те посмотре́ть э́тот фильм. Поезжа́йте в кинотеа́тр «Москва́». 4. Ле́том я пое́ду в По́льшу. У меня́ бу́дут де́ньги. 5. В воскресе́нье бу́дет тепло́. Мы пое́дем за́ город. 6. Вы уви́дите где́-нибудь э́тот уче́бник. Купи́те его́, пожа́луйста, мне. 7. Ва́ши часы́ спеша́т. Покажи́те их ма́стеру.

XII. Прочита́йте предложе́ния. Сравни́те значе́ние части́цы л и и сою́за е́сли. Read out the sentences. Compare the meaning of the particle ли and the conjunction е́сли.

1. Я не зна́ю, есть ли в гости́нице свобо́дные номера́. Если в гости́нице есть свобо́дные номера́, мы остано́вимся в ней. 2. Я не зна́ю, понра́вятся ли вам э́ти стихи́. Если они́ вам понра́вятся, я могу́ подари́ть вам э́ту кни́гу. 3. Вы не зна́ете, откры́т ли газе́тный кио́ск? Если кио́ск откры́т, на́до спусти́ться вниз и купи́ть газе́ты. 4. Меня́ интересу́ет, по́няли ли вы мой расска́з. Если вы не по́няли мой расска́з, я повторю́ его́ ещё раз. 5. Я не по́мню, есть ли у меня́ её а́дрес. Если у меня́ есть её а́дрес, я сего́дня же напишу́ ей письмо́. Если у меня́ нет её а́дреса, я узна́ю его́ за́втра в спра́вочном бюро́.

XIII. Соста́вьте вопро́сы, на кото́рые отвеча́ли бы сле́дующие предложе́ния. Make up questions to which the following sentences would be the answers.

1. – ......?
   – Тури́сты останови́лись в гости́нице «Москва́».
2. – ......?
   – Эта гости́ница нахо́дится в це́нтре го́рода.
3. – ......?
   – Ваш но́мер на тре́тьем этаже́.
4. – ......?
   – Но́мер сто́ит два рубля́ в су́тки.
5. – ......?
   – Ключ от ко́мнаты вы мо́жете взять у дежу́рной.
6. – ......?
   – Мы пробу́дем здесь неде́лю.

XIV. Переведи́те на ру́сский язы́к. Translate into Russian.

1. Our group were given accommodation in the *Ukraina* hotel. We were met in the hall by the manager. We handed our passports to him and filled in the forms for visitors. He told us the numbers of our rooms.

2. My room is on the eighth floor. I took the lift up to the eighth floor. The desk-clerk gave me the key of my room and said, "Will you please leave your key with me when you go out." She went with me and showed me my room.

3. The windows of my room overlook the river Moskva. From my window I can see streets, houses and the bridge over the Moskva. My room is large and warm.

4. We were told that we would have breakfast, dinner and supper in the restaurant which is on the ground floor of the hotel.

5. – Can you tell me whether you have any vacant rooms?
   – Yes, we have. You need a room for two?
   – Yes, I am with my wife.

110

– Will you please fill in this form? Your room is on the second floor. You can take the lift. The desk-clerk will give you the key of your room.

– Thank you.

XV. Соста́вьте диало́г ме́жду челове́ком, прие́хавшим в гости́ницу, и администра́тором. Make up a dialogue between a hotel guest and the hotel manager.

XVI. Опиши́те каку́ю-нибудь гости́ницу. Describe a hotel you know. Опиши́те но́мер, в кото́ром вы остана́вливались. Describe a room (in a hotel) where you have stayed.

XVII. Прочита́йте и перескажи́те. Read and retell the following.

🜲 Оди́н челове́к впервы́е прие́хал в Пари́ж. На вокза́ле он взял такси́ и пое́хал в одну́ из гости́ниц. Он немно́го отдохну́л в своём но́мере, переоде́лся и пошёл осма́тривать Пари́ж. По пути́ он зашёл на телегра́ф и дал жене́ телегра́мму, в кото́рой сообщи́л ей свой пари́жский а́дрес.

В э́тот день он мно́го ходи́л по го́роду, был в музе́ях, заходи́л в магази́ны, а ве́чером пошёл в теа́тр. Когда́ спекта́кль ко́нчился и все вы́шли из теа́тра, наш знако́мый реши́л, что пора́ возвраща́ться в гости́ницу. Но тут он обнару́жил, что он не по́мнит ни а́дреса, ни назва́ния гости́ницы. Це́лый час он ходи́л по у́лицам, не зна́я, что ему́ де́лать. Наконе́ц он пошёл на телегра́ф и посла́л жене́ ещё одну́ телегра́мму: «Неме́дленно сообщи́ мне до востре́бования мой пари́жский а́дрес».

* * *

Испа́нский аристокра́т, гости́вший в Пари́же, одна́жды возврати́лся в гости́ницу, где он останови́лся, по́здно но́чью. Он позвони́л. Со́нный портье́ вы́глянул в окно́ и спроси́л:

– Кто там?

– Хуа́н Родри́гес Кара́мба-де-Пепе́то-и-Гонза́лес.

– Хорошо́, хорошо́, – сказа́л портье́, – входи́те. То́лько пусть после́дний из вас не забу́дет закры́ть дверь.

12

РАЗГОВОР ПО ТЕЛЕФОНУ

Неде́лю наза́д мой друг – по профе́ссии он журна-
ли́ст – верну́лся из туристи́ческой пое́здки в А́нглию.
В э́ту суббо́ту он обеща́л прийти́ к нам рассказа́ть о свои́х
впечатле́ниях, показа́ть фотогра́фии. Мы с жено́й при-
гласи́ли на э́тот ве́чер свои́х друзе́й. В пя́тницу у́тром я
позвони́л Петро́вым (1). Я снял тру́бку, набра́л но́мер и
услы́шал дли́нные гудки́. Никто́ не подходи́л к телефо́ну.
Неуже́ли ещё спят? А мо́жет быть, уже́ ушли́ на рабо́ту?
Наконе́ц я услы́шал:

– Я слу́шаю...

– Ли́за?

– Вы оши́блись, – отве́тил мне
серди́то незнако́мый же́нский го́лос.

– Прости́те, – я положи́л тру́бку.
Неуже́ли я непра́вильно набра́л но́-
мер? Я позвони́л ещё раз и на э́тот
раз уда́чно.

– Ли́за? До́брое у́тро! Э́то го-
вори́т Па́вел. Как у вас дела́? Всё
хорошо́? У нас то́же ничего́, спаси́-
бо. (2) Мари́на чу́вствует себя́ пре-
кра́сно. Ли́за, в э́ту суббо́ту у нас
бу́дет Никола́й. Он бу́дет расска́-
зывать о свое́й пое́здке в А́нглию.
Приходи́те с Ю́рой часо́в в семь.

– Хорошо́. Спаси́бо. Па́вел, а мо́жно пригласи́ть одно-
го́ на́шего това́рища? Он интересу́ется совреме́нным
англи́йским теа́тром, и ему́ бы́ло бы о́чень интере́сно
послу́шать об А́нглии. (3)

– Коне́чно. Пригласи́ его́.

– Хорошо́, спаси́бо. Тогда́ я позвоню́ ему́ сего́дня.

– Ну, до за́втра.

Днём я позвони́л Ви́ктору на рабо́ту.

– Ви́ктор, здра́вствуй!

И услы́шал в тру́бке:

– Прости́те, вам кого́?

– Позови́те, пожа́луйста, Ви́ктора Ива́новича.

– Его́ нет. Он бу́дет че́рез час-полтора́. Что ему́ переда́ть?

– Ничего́, спаси́бо. Я позвоню́ ему́ ещё раз, попо́зже. Извини́те за беспоко́йство.

– Ничего́, пожа́луйста.

К ве́черу я пригласи́л всех. Оста́лось позвони́ть то́лько Алекса́ндру, моему́ ста́рому дру́гу ещё по институ́ту. К телефо́ну подошла́ Ва́ля, его́ сестра́.

– Алло́...

– Ва́ля? Здра́вствуй. Э́то говори́т Па́вел Андре́евич. Са́шу мо́жно?

– Его́ нет до́ма. Обеща́л прийти́ часо́в в де́сять. Ведь сего́дня футбо́л, на́ши игра́ют со сбо́рной А́нглии. Он с рабо́ты пое́хал пря́мо туда́. А что ему́ переда́ть?

– Ва́ля, скажи́ ему́, что́бы он позвони́л мне сего́дня. (4) Как то́лько придёт домо́й, пусть сра́зу позвони́т мне. (5) Хорошо́? Не забу́дешь?

– Нет, обяза́тельно скажу́.

– Спаси́бо. Ну, а как твои́ дела́ в шко́ле? Всё отли́чно? Молоде́ц. Жела́ю успе́хов.

– Спаси́бо. До свида́ния.

КОММЕНТА́РИИ. NOTES.

(1) Я позвони́л Петро́-   I called up the Petrovs.
вым.

Surnames in the plural (**Соколо́вы, Мали́нины, Нико́ль-ские**, etc.) indicate husband and wife, or the whole family.

Вы знако́мы с Бори́совыми?

Вчера́ в теа́тре мы встре́тили Мака́ровых.

(2) Как у вас дела́? Всё   How are things with you?
хорошо́?   Everything is all right?

У нас то́же ничего́, спаси́бо.   We're all right, too, thank you.

Ничего́, спаси́бо.   All right, thank you.

Ничего́ (genitive of **ничто́**) is used as a negative pronoun, an adverb and a particle.

a) as a negative pronoun it has the meaning of 'nothing'.

– Что ему́ переда́ть?   – What shall I tell him?
– *Ничего́* (не передава́йте).   – Nothing.

| – Вы слы́шали об э́том? | – Have you heard about this? |
| – Нет, я *ничего́* не слы́шал об э́том. | – No, I haven't heard anything about it. |

b) as an adverb it is equivalent to **дово́льно хорошо́** 'fairly good/well', 'so-so', 'not too bad/badly', 'all right'.

– Как у вас дела́?	– How are things with you?
– *Ничего́*, спаси́бо.	– All right, thank you.
– Как вы пожива́ете?	– How are you?
– *Ничего́*, спаси́бо.	– All right, thank you.

c) as a particle it is used with the meaning 'it doesn't matter', 'never mind', 'not at all'.

– Извини́те за беспоко́й-ство.	– Excuse my troubling you.
– *Ничего́*, пожа́луйста.	– Not at all. (That's all right.)
– Вам не тру́дно сде́лать э́то сего́дня?	– Won't it be difficult for you to do it today?
– *Ничего́*, я успе́ю.	– Not at all, I'll manage it.

| (3) Ему́ бы́ло бы инте-ре́сно послу́шать об А́нглии. | It would be interesting for him to hear about England. |

Note the use of the dative in this case.

Вам не ску́чно сиде́ть здесь?
Мне бы́ло прия́тно познако́миться с ва́ми.

The most common adverbs used in constructions with the infinitive:

интере́сно послу́шать
тру́дно рабо́тать
бо́льно вспомина́ть

по́здно ⎫
ра́но ⎬ говори́ть об э́том

легко́ ⎫
тяжело́ ⎬ расстава́ться

Смешно́ ссо́риться из-за э́того.
Остава́ться здесь опа́сно.
Жа́лко броса́ть э́ту рабо́ту.
Оби́дно слы́шать э́то.

| (4) Скажи́ ему́, что́бы он позвони́л мне сего́дня. | Tell him to ring me today. |

114

Сравните. Compare:

Я сказа́л, *что* Ви́ктор зво- ни́л мне сего́дня.	Я сказа́л, *что́бы* Ви́ктор позвони́л мне сего́дня.
I said that Victor rang (had rung) me today.	I told them to tell Victor to ring me today.

In the first sentence (with the conjunction **что**) we are told about an accomplished fact. The second (with **что́бы**) expresses an indirect request.

Сравните. Compare:

Я сказа́л Ви́ктору: «Позвони́ мне».
Я сказа́л Ви́ктору, что́бы он позвони́л мне.

Clauses with **что́бы** are possible after verbs like **передава́ть, сообща́ть, жела́ть, хоте́ть**, that is after verbs denoting requests, commands, wishes.

The verb in the **что́бы**-clause is always in the past tense. The main and subordinate clauses always contain different subjects.

Мари́на сказа́ла, что́бы *я* купи́л биле́ты в кино́.	Marina told me to buy tickets for the picture.

Сравните. Compare:

Мари́на сказа́ла, что ку́пит биле́ты в кино́.	*Мари́на* сказа́ла, что би- ле́ты в кино́ ку́пит *Со́- ня*.
Marina said that she would buy tickets for the picture.	Marina said that Sonya would buy tickets for the picture.

Что́бы-clauses are also possible after such verbs as **проси́ть, сове́товать, разреша́ть, предлага́ть, тре́бовать, прика́зывать**.

Преподава́тель *попроси́л* нас, *что́бы* мы принесли́ но́вые кни́ги.	The teacher asked us to bring our new books.

The infinitive construction is, however, more common after these verbs: **попроси́л принести́, разреши́л взять**, etc.:

Преподава́тель *попроси́л* нас *принести́* но́вые кни́ги.
Мать *посове́товала* сы́ну *пое́хать* ле́том на юг.
Врач *запрети́л* мне *кури́ть*.
Я *жела́ю* вам ве́село *провести́* кани́кулы.

(5) Пусть он позвони́т мне.   Let him phone me.

Apart from the imperative **позвони́ – позвони́те** addressed to the 2nd person, someone you are talking or writing to, commands may also be addressed:

1) to the 3rd person; this is done by means of **пусть**:

Пусть они́ приду́т.
(Скажи́те им, что́бы они́ пришли́.)
Пусть Мари́я ку́пит биле́ты.
(Скажи́те, что́бы Мари́я купи́ла биле́ты.)

2) to the 1st and 2nd persons; this is done by means of **дава́йте** giving the statement a familiar inflection:

Дава́йте пойдём ве́чером в кино́.
Дава́йте позвони́м Смирно́вым.

ДИАЛОГИ. DIALOGUES

I

– Вы не зна́ете, где здесь побли́зости телефо́н-автома́т?
– В магази́не, в сосе́днем до́ме.
– Помоги́те мне, пожа́луйста. Я иностра́нец и не зна́ю, как звони́ть по ва́шему телефо́ну.
– На́до опусти́ть двухкопе́ечную моне́ту и́ли две моне́ты по копе́йке, снять тру́бку и ждать гудка́, пото́м набра́ть ну́жный но́мер. Если по́сле э́того вы услы́шите коро́ткие ча́стые гудки́, э́то зна́чит, что но́мер за́нят. Если услы́шите дли́нные гудки́, жди́те отве́та.
– Спаси́бо.

II

– Алло́!
– Позови́те, пожа́луйста, Ни́ну.
– Подожди́те мину́ту, сейча́с она́ подойдёт. Ни́на, вас (про́сят) к телефо́ну.

III

– Ива́н Никола́евич? Это говори́т ваш студе́нт Игорь Гро́мов. Здра́вствуйте!
– Здра́вствуйте, Игорь.

Извини́те за беспоко́йство. Я позвони́л вам, что́бы узна́ть, когда́ я могу́ прийти́ к вам на консульта́цию.

– За́втра я бу́ду в университе́те с оди́ннадцати до трёх. Мо́жете прийти́ в любо́е вре́мя.

– Хорошо́, я приду́ к 11.

– Договори́лись.

IV

– Бу́дьте добры́, позови́те к телефо́ну И́горя.

– Его́ нет до́ма.

– А когда́ он бу́дет.

– Ве́чером, по́сле шести́ часо́в. Что ему́ переда́ть?

– Переда́йте, пожа́луйста, что звони́л Влади́мир. Пусть он позвони́т мне ве́чером.

– Хорошо́. Я скажу́ ему́.

– Спаси́бо. До свида́ния.

Запо́мните. Memorize:

звони́ть/позвони́ть кому́-либо, куда́-либо	to ring, to telephone someone, somewhere
Я позвони́л дру́гу.	I called up a friend
Я позвони́л в институ́т.	I called up the institute.
Позови́те, пожа́луйста, к телефо́ну Ни́ну Ива́новну.	Fetch (ring for) Nina Ivanovna to the telephone.
Ва́лю, пожа́луйста.	May I speak to Valya, please?
Договори́лись.	Agreed.
Вы оши́блись. Вы не туда́ попа́ли. Вы непра́вильно набра́ли но́мер.	You have dialled the wrong number.
Что ему́ (ей) переда́ть?	What message can I give him (her)?
Скажи́те И́горю, что ему́ звони́л Влади́мир.	Tell Igor that Vladimir has rung him.
Скажи́те И́горю, что́бы он позвони́л Влади́миру.	Tell Igor to ring Vladimir.

УПРАЖНЕ́НИЯ. EXERCISES

I. Отве́тьте на вопро́сы. Answer the following questions.

1. У вас до́ма есть телефо́н?
2. Како́й у вас но́мер телефо́на?
3. Вы ча́сто звони́те по телефо́ну?

4. Вам ча́сто прихо́дится звони́ть по телефо́ну?
5. Кому́ вы звони́ли сего́дня?
6. Куда́ вы звони́ли дру́гу — домо́й и́ли на рабо́ту?
7. Кто подошёл к телефо́ну, когда́ вы звони́ли дру́гу?
8. Э́тот телефо́н рабо́тает?
9. Почему́ вы положи́ли тру́бку?
10. Каки́е гудки́ слы́шали вы, когда́ набра́ли но́мер?
11. Где здесь побли́зости телефо́н-автома́т?

II. Отве́тьте на вопро́сы, поста́вив в ну́жной фо́рме слова́, стоя́щие спра́ва. Answer the following questions using the words given on the right in the required form.

1. С кем вы ре́дко ви́дитесь?	a) мой ста́рый друг Никола́й и его́ жена́
2. Кого́ вы давно́ не ви́дели?	
3. У кого́ вы бы́ли в суббо́ту в гостя́х?	b) мои́ роди́тели и моя́ мла́дшая сестра́
4. О ком вы говори́ли вчера́ ве́чером?	c) Петро́вы
5. Кому́ вам на́до бы́ло позвони́ть сего́дня?	
6. Кому́ вы звони́ли сего́дня у́тром?	
7. С кем вы говори́ли сего́дня по телефо́ну?	
8. Кого́ вы пригласи́ли к себе́ в го́сти?	
9. Кто до́лжен прийти́ к вам в воскресе́нье?	

III. Из сле́дующих сочета́ний сде́лайте предложе́ния, выража́ющие про́сьбу. Make sentences out of the following phrases according to the model.

Образец. Model: дать биле́т — Да́йте, пожа́луйста, биле́т.

1. позва́ть к телефо́ну; 2. позвони́ть че́рез час; 3. переда́ть приве́т; 4. подожда́ть мину́ту; 5. приходи́ть в суббо́ту ве́чером

IV. Вме́сто то́чек вста́вьте оди́н из да́нных ни́же глаго́лов в проше́дшем и́ли бу́дущем вре́мени. Fill in the blanks with the verbs from the list below in the past or the future.

Вчера́ ве́чером, когда́ я ... домо́й, я реши́л позвони́ть свое́й знако́мой. Я ... в телефо́нную бу́дку и набра́л но́мер. «Позови́те, пожа́луйста, Иру», — попроси́л я. «Её нет до́ма». Э́то ... к телефо́ну Ири́на ма́ма. Я поздоро́вался с ней. «Ира давно́ ...?» — спроси́л я. «Нет, совсе́м неда́вно, мину́т два́дцать наза́д. За ней ... её подру́га Ле́на, и они́ ... в кино́». «А вы не зна́ете, когда́ она́ ... домо́й?» «Она́ сказа́ла, что ... часо́в в де́вять».

(идти́, пойти́, войти́, подойти́, зайти́, прийти́, уйти́)

V. Слова́ из ско́бок поста́вьте в ну́жной фо́рме. Put the words in brackets in the appropriate form.

Образец. Model: (Я) гру́стно вспомина́ть об э́том. — *Мне гру́стно вспомина́ть об э́том.*

1. Я ду́маю, (вы) бу́дет ску́чно с э́тим челове́ком. 2. (Я) бы́ло неинтере́сно чита́ть э́ту статью́. 3. (Они́) тру́дно понима́ть друг дру́га. 4.

(Ма́ша) интере́сно быва́ть с друзья́ми. 5. (Я) смешно́ вспомина́ть э́ту исто́рию.

VI. Вста́вьте вме́сто то́чек глаго́лы, да́нные ни́же. Fill in the blanks with the appropriate verb from the list below.

1. Сего́дня ве́чером я бу́ду до́ма, ... мне, пожа́луйста. 2. Это оши́бка, вы непра́вильно ... но́мер. 3. Никола́я Петро́вича нет, ..., пожа́луйста, по́зже. 4. Никто́ не отве́тил, и я ... тру́бку. 5. Что́бы позвони́ть, на́до снять тру́бку, ... ну́жный но́мер и ждать гудка́. 6. Не ... тру́бку, я сейча́с узна́ю, здесь ли Ни́на.

(звони́ть – позвони́ть, класть – положи́ть, набира́ть – набра́ть)

VII. Вста́вьте вме́сто то́чек слова́ пусть и́ли дава́йте. Fill in the blanks with the word пусть or дава́йте.

1. ... пое́дем в воскресе́нье на да́чу. ... они́ е́дут на маши́не, а мы пое́дем по́ездом. 2. ... позвони́м Ире. ... Ли́да позвони́т Ире. 3. Вы зна́ете, у нас в клу́бе идёт но́вый фильм, ... посмо́трим его́. ... Ива́н ку́пит биле́ты для всех.

VIII. Поста́вьте глаго́лы, да́нные в ско́бках, в ну́жной фо́рме. Put the verbs in brackets in the appropriate form.

1. Дава́йте (пое́хать) на вы́ставку вме́сте. 2. Дава́йте (написа́ть) Ни́не письмо́. 3. Пусть э́то письмо́ (написа́ть) Ива́н. 4. Дава́йте (взять) такси́. 5. Пусть Серге́й (взять) такси́. 6. Дава́йте (попроси́ть) преподава́теля объясни́ть нам э́то. 7. Пусть Ни́на (попроси́ть) преподава́теля повтори́ть э́то.

IX. Замени́те пряму́ю речь ко́свенной, употребля́я сою́з что́бы. Replace the direct speech by indirect using the conjunction что́бы.

Образец. Model: Мать сказа́ла сы́ну: «Дай мне, пожа́луйста, газе́ту».– Мать сказа́ла сы́ну, *что́бы* он дал ей газе́ту.

1. Ни́на сказа́ла мне: «Купи́, пожа́луйста, биле́ты в кино́». 2. Я сказа́ла сестре́: «Приди́ сего́дня в 6 часо́в ве́чера». 3. Мать написа́ла вам в письме́: «Пришли́те мне свои́ фотогра́фии». 4. Па́вел сказа́л Мари́не: «Позвони́ мне ве́чером». 5. Я сказа́л бра́ту: «Подожди́ меня́ здесь». 6. Мой друг написа́л мне: «Пришли́ мне, пожа́луйста, журна́л «Ра́дио». 7. Преподава́тель сказа́л нам: «Повтори́те восьмо́й уро́к». 8. Това́рищ сказа́л мне: «Обяза́тельно прочита́йте э́ту кни́гу».

X. Вме́сто то́чек вста́вьте сою́зы что и́ли что́бы. Fill in the blanks with the conjunction что or что́бы.

1. Преподава́тель сказа́л нам, ... мы прочита́ли э́ту кни́гу. Он сказа́л, ... он мо́жет дать э́ту кни́гу одному́ из студе́нтов. 2. Мать сказа́ла сы́ну, ... он шёл гуля́ть. Она́ сказа́ла, ... её сы́на нет до́ма. Он пошёл гуля́ть. 3. Я написа́л свои́м роди́телям, ... ле́том мы прие́дем к ним. Оте́ц написа́л нам, ... ле́том мы прие́хали к ним. 4. Ли́да сказа́ла мне, ... она́ звони́ла Петро́вым. Ли́да сказа́ла мне, ... я позвони́л Петро́вым. 5. Мы сказа́ли друзья́м, ... они́ приходи́ли к нам в суббо́ту. 6. Я позвони́л домо́й и сказа́л жене́, ... ве́чером у нас бу́дут го́сти. Я попроси́л её, ... она́ пригото́вила у́жин челове́к на во́семь.

XI. Переведи́те на англи́йский язы́к. Translate into English.

1. Мне на́до позвони́ть домо́й. Где здесь побли́зости телефо́н-
автома́т?
2. – Позови́те, пожа́луйста, Ве́ру.
   – Её нет до́ма. Она́ бу́дет по́сле шести́. Что переда́ть ей?
   – Спаси́бо, ничего́. Я позвоню́ ещё раз.
3. Позвони́те мне за́втра у́тром. Мой телефо́н 225-20-40.
4. Вчера́ я звони́л тебе́, но снача́ла телефо́н был за́нят, а по́зже
   никто́ не подходи́л к телефо́ну.
5. – Попроси́те, пожа́луйста, Ива́на Никола́евича.
   – Вы оши́блись.
   – Извини́те.

**XII. Вме́сто то́чек вста́вьте е́с л и и́ли л и. Fill in the blanks with е с л и or
л и.**

1. – Позвони́те мне сего́дня ве́чером.
   – Я не уве́рен, есть ... у меня́ ваш телефо́н.
   – Запиши́те: 229-60-99.
2. – Вы не мо́жете принести́ мне журна́л, о кото́ром вы говори́ли?
   – Я не зна́ю, прочита́ла ... его́ жена́. ... она́ прочита́ла, я принесу́
     его́ за́втра.
3. – ... у вас бу́дет свобо́дное вре́мя, приходи́те к нам сего́дня
     ве́чером.
   – Спаси́бо, но я не зна́ю, бу́дет ... муж свобо́ден сего́дня ве́чером.
4. – Алло́, Ви́ктор? ... ты уви́дишь сего́дня Андре́я, скажи́ ему́,
     что́бы он позвони́л нам.
   – Хорошо́, скажу́. То́лько я не зна́ю, уви́жу ... я его́ сего́дня. ...
     уви́жу, обяза́тельно скажу́.

**XIII. Соста́вьте вопро́сы, на кото́рые отвеча́ли бы сле́дующие предложе́-
ния. Make up questions to which the following sentences would be the
answers.**

1. – ......?
   – Да, вам звони́л брат.
2. – ......?
   – Он звони́л полчаса́ наза́д.
3. – ......?
   – Нет, э́тот телефо́н не рабо́тает.
4. – ......?
   – Телефо́н гости́ницы мо́жно узна́ть в спра́вочном бюро́.
5. – ......?
   – Нет, у нас до́ма нет телефо́на.
6. – ......?
   – Позвони́те по но́меру 295-76-54.

**XIV. Соста́вьте расска́з и́ли диало́г, испо́льзуя сле́дующие выраже́ния.
Make up a story (or a dialogue) using the following expressions.**

поговори́ть по телефо́ну; попроси́те, пожа́луйста, к телефо́ну;
прости́те, кто говори́т?; никто́ не отвеча́ет; телефо́н за́нят; его́ (её) нет
до́ма; когда́ мо́жно ему́ (ей) позвони́ть?; что ему́ (ей) переда́ть?

XV. Переведи́те на ру́сский язы́к. Translate into Russian.

1. When I got home my wife told me that my old friend Sergei had
phoned me. He said he would call again.

120

2. – I wanted to phone you yesterday, but I didn't know your telephone number.
   – Write it down: 253-80-85. That is my home number.
3. – Can you give me a ring tomorrow morning, at about nine?
   – Yes, I can. What number should I ring?
   – 299-22-11.
4. – When can I give you a ring?
   – Any time after five (in the evening).
5. I rang you up yesterday, but nobody answered.
6. If anybody calls me, tell them that I'll be in after seven.
7. – Is that Valya?
   – No, Valya is not in.
   – Can you tell me when she will be in?
   – Wait a moment, please, I'll find out…. Are you there? Valya will be in after twelve.
8. – Can I speak to Olga Ivanovna, please?
   – Olga Ivanovna speaking.
   – Good morning. This is your student Petrov speaking. I'm sorry to trouble you, but I've finished my work and would like to show it to you.
   – I'll be in the University tomorrow morning. Come and see me and bring your work along.
   – Thank you very much. Good-bye.

XVI. Прочита́йте и перескажи́те текст. Read and retell the following.

ТОНКАЯ МЕСТЬ

Одна́жды среди́ но́чи в кварти́ре профе́ссора разда́лся телефо́нный звоно́к. Профе́ссор подошёл к телефо́ну, взял тру́бку и услы́шал серди́тый же́нский го́лос:

– Ва́ша соба́ка ла́ет и не даёт мне спать.

– А кто э́то говори́т?

Же́нщина назвала́ свою́ фами́лию. На сле́дующую ночь в тот же час в кварти́ре э́той же́нщины зазвони́л телефо́н.

– Я позвони́л, что́бы сказа́ть вам, что у меня́ нет соба́ки, – сказа́л в тру́бке го́лос профе́ссора.

ла́ять to bark

13

ВИЗИТ ВРАЧА

– Ты знаешь, где я была сегодня? – спросила меня Марина. – У Морозовых. Утром я принимала больных в поликлинике, а после двенадцати пошла по вызовам (1). Первый больной – Игорь Морозов, девять лет, Неглинная улица, 3. Звоню в квартиру. Открывает дверь женщина. Смотрю, а это Зоя, жена Сергея Морозова.

– Здравствуйте, – говорю. – Где ваш больной?

А она мне: «Здравствуйте! Как хорошо, что вы зашли. Раздевайтесь, проходите, садитесь. Как ваши дела? Как Павел?»

Вижу, она не поняла, что я тот самый врач, которого они вызывали из детской поликлиники.

– Спасибо, – говорю я, – у нас всё хорошо. Павел недавно ездил в Киев в командировку. Ну, а где же ваш больной? Игорь Морозов? – спрашиваю я и достаю из портфеля халат и стетоскоп. Видел бы ты её лицо, (2) Павел!

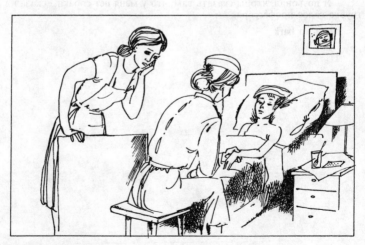

– Так вы к Игорю (3) из поликли́ники?! Как же я сра́зу не догада́лась!? Ведь муж говори́л мне, что вы де́тский врач. Вы рабо́таете у нас в райо́не? Пожа́луйста, проходи́те. Сын лежи́т в сосе́дней ко́мнате.

– Что с ним? (4) – спра́шиваю я.

– Я ду́маю, он простуди́лся. Вчера́ ве́чером он жа́ловался на головну́ю боль (5). А сего́дня у́тром сказа́л, что у него́ боли́т го́рло (6).

– А кака́я у него́ температу́ра?

– Вчера́ была́ 38,3 (три́дцать во́семь и три), сего́дня у́тром – 37,5 (три́дцать семь и пять).

– Ну что́ же, сейча́с посмо́трим.

Я се́ла о́коло ма́льчика.

– Что у тебя́ боли́т, Игорь? – спроси́ла я его́.

– Голова́. И го́рло боли́т.

– Откро́й рот. Скажи́ «а-а-а...». Хорошо́, спаси́бо. Закро́й. Глота́ть бо́льно? Нет? А дыша́ть тру́дно?

– Дыша́ть тру́дно.

– На́сморк есть?

– Нет, на́сморка нет.

Я осмотре́ла ма́льчика, изме́рила температу́ру, прове́рила пульс.

– Похо́же, что у Игоря воспале́ние лёгких (7), – сказа́ла я Зо́е. – Неде́ли две ему́ придётся полежа́ть в посте́ли. Я вы́пишу ему́ пеницилли́н. Вот реце́пт. Два ра́за в день к вам бу́дет приходи́ть сестра́ и де́лать ему́ уко́лы. А э́то реце́пт на лека́рство от головно́й бо́ли. Дава́йте два ра́за в день по одно́й табле́тке (8). Это лека́рство есть в ка́ждой апте́ке.

– Это о́чень опа́сно? – с трево́гой спроси́ла Зо́я.

– Нет, не о́чень. Мы его́ вы́лечим. За́втра у́тром я зайду́ к вам. До свида́ния. Приве́т Серге́ю Петро́вичу.

– Вы уже́ ухо́дите? – спра́шивает Зо́я. – Посиди́те немно́го. Сейча́с я чай пригото́влю.

– Спаси́бо, – говорю́ я, – но меня́ ждут больны́е.

– Извини́те, – смути́лась Зо́я, – об э́том я и не поду́мала...

Ве́чером на́до бу́дет позвони́ть им и спроси́ть, как чу́вствует себя́ Игорь. (9)

КОММЕНТА́РИИ

| (1) Я пошла́ по вы́зовам. | I visited patients at home. |
| вызыва́ть/вы́звать врача́ | to call the doctor |

(2) Ви́дел бы ты её лицо́!	If only you had seen her face!
(3) Так вы к И́горю?	Oh! So you've come to see Igor?
(4) Что с ним?	What is wrong with him?

The verbs **случи́ться, произойти́, быть**, etc. are usually omitted in such questions:

Что с ва́ми? (Вы больны́? Вам нехорошо́?)
Что с ма́льчиком? (Почему́ он не хо́дит в шко́лу?)

But in the past and future:

Что с ним *бы́ло?*
Что с ним тепе́рь *бу́дет?*

| (5) Он жа́ловался на головну́ю боль. | He complained of a headache. |

| **жа́ловаться/ пожа́ловаться** } | **на** + *асс.* (на кого́? на что́?) + *dat.* (кому́?) | to complain of somebody, something to somebody |

Де́вочка жа́луется на боль в ноге́.	The girl complains of a pain in the leg.
Мать жа́ловалась врачу́ на бессо́нницу.	The mother complained of insomnia to the doctor.
– На что вы жа́луетесь?	– What troubles you?
– У меня́ боли́т зуб.	– I have a toothache.

| (6) У него́ боли́т го́рло. | He has a sore throat. |

There are two verbs **боле́ть** in Russian:

1. **боле́ть/заболе́ть у** + *gen.* *(у кого́)* to hurt, to ache
It exists in the 3rd person only, singular and plural:
(за)боли́т, (за)боля́т; (за)боле́л, -а, -о, -и; бу́дет (бу́дут) боле́ть.

– Что у вас боли́т?	– What's hurting (you)?
– У меня́ боля́т у́ши.	– I have an ear-ache.
Не пей холо́дную во́ду – у тебя́ заболи́т го́рло.	Don't drink cold water, you'll get a sore throat.

It is used with names of parts of the body: **голова́, го́рло, у́ши, зу́бы, живо́т, желу́док, нога́, рука́, се́рдце, спина́,** etc.

2. боле́ть/заболе́ть + *instr. (чем?)* to be ill

Singular	*Plural*
1. боле́ю	боле́ем
2. боле́ешь	боле́ете
3. боле́ет	боле́ют

– Чем вы боле́ли в де́тстве? — What diseases did you have in your childhood?

– В де́тстве я боле́л дифте-ри́том, скарлати́ной, вос-пале́нием лёгких. — In my childhood I had diphtheria, scarlet fever, pneumonia.

Он боле́ет гри́ппом уже́ дней де́сять. — He has been ill with the 'flu for nearly ten days.

This verb is used when naming various illnesses. When talking of the symptoms of illnesses – **температу́ра, боль, на́сморк, ка́шель** – the construction **у меня́ (у тебя́,** etc.) + *nominative* is used.

У бра́та на́сморк, а у меня́ ка́шель. — My brother has a cold in the head and I have a cough.

– Кака́я у вас температу́ра? — What is your temperature?

– Сего́дня у меня́ норма́ль-ная температу́ра. — My temperature is normal today.

(7) У Игоря воспале́ние лёгких. — Igor has pneumonia.

The construction **у меня́ (тебя́, него́,** etc.) + *nominative* is also possible with the names of illnesses.

У бра́та грипп. — The brother has the 'flu.

У меня́ была́ маляри́я. — I had malaria.

Сравните:

Брат бо́лен гри́ппом. — The brother is ill with the 'flu.

Брат боле́л гри́ппом две неде́ли. — The brother was ill with the 'flu for a fortnight.

В де́тстве я боле́ла маля-ри́ей. — I had malaria in my childhood.

(8) Дава́йте... по одно́й табле́тке. — Give (him) one pill (at a time).

По + *numeral* + *noun* means 'so many...each'.

a) The numeral **оди́н** preceded by **по** takes the dative:

Де́тям купи́ли *по одному́* карандашу́, *по одно́й* ру́чке и *по одному́* перу́.

125

b) All other numerals are used in the accusative.

Де́тям купи́ли *по семь* карандаше́й, *по две́* ру́чки и *по де́сять* тетра́дей.

(The archaic по семи́, по десяти́ are used rarely.)

(9) Как чу́вствует себя́ Игорь? — How does Igor feel?

Note the use of this verb:

1. чу́вствовать/ почу́вствовать	+ *acc.* (*что?*)	to feel to (begin to) feel	something

Я почу́вствовал боль, сла́бость, хо́лод. — I felt pain, weakness, cold.

2. чу́вствовать/ почу́вствовать	себя́ + *adverb* (*как?*)	to feel to (begin to) feel	+ *adverb* (*how?*)

– Как вы себя́ чу́вствуете? — How do you feel?
– Я чу́вствую себя́ отли́чно (хорошо́, пло́хо, прекра́сно). — I feel wonderful (well, bad, fine).

ДИАЛОГИ

I

– Что у вас боли́т?
– Ничего́ не боли́т.
– А на что вы жа́луетесь?
– Я пло́хо сплю и бы́стро устаю́. У меня́ плохо́й аппети́т.
– Мо́жет быть, вы неда́вно че́м-нибудь боле́ли?
– Нет, я уже́ давно́ ниче́м не боле́л.
– Ну что же, на́до сде́лать ана́лизы. Вот вам направле́ние в лаборато́рию. А пока́ я вы́пишу два реце́пта. Это реце́пт на лека́рство от бессо́нницы, а э́то на витами́ны. Приди́те ко мне че́рез два дня, когда́ бу́дут результа́ты ана́лизов.
– Хорошо́, спаси́бо.

II

– Здра́вствуйте!
– Здра́вствуйте, до́ктор.
– Как вы себя́ чу́вствуете? Лу́чше?
– Спаси́бо. Лу́чше. Голова́ бо́льше не боли́т. Температу́ра пони́зилась.

126

– Продолжа́йте принима́ть лека́рство. И не встава́йте. Полежи́те ещё дня два-три. За́втра я зайду́ к вам по́сле обе́да.

– Спаси́бо.

III. У зубного врача

– Пожа́луйста, сади́тесь в кре́сло. Откро́йте рот. Так. Како́й зуб вас беспоко́ит?

– Вот э́тот.

– Так. Шесто́й ни́жний сле́ва. Давно́ он боли́т?

– Нет, он на́чал боле́ть вчера́ ве́чером.

– Ну что же, посмо́трим, что с ним мо́жно сде́лать. Мо́жет быть, мо́жно ещё вы́лечить, а возмо́жно, придётся его́ удали́ть.

– Мо́жет быть, мо́жно поста́вить пло́мбу?

– Да, мо́жно. Сего́дня я почи́щу зуб, положу́ в него́ лека́рство и поста́влю вре́менную пло́мбу.

– А-а-а!

– Что, бо́льно? Ну, вот и всё. На сего́дня дово́льно.

– Когда́ мне прийти́ к вам в сле́дующий раз?

– За́втра в два часа́.

Запо́мните:

Что с ва́ми? **Что у вас боли́т?**	What's the matter with you?
На что́ вы жа́луетесь?	What is your complaint?
принима́ть **приня́ть** лека́рство	to take medicine
лека́рство от головно́й бо́ли	medicine for headache
сре́дство от бессо́нницы	remedy for insomnia
табле́тки от ка́шля	cough tablets
У меня́ грипп. **Я боле́ю гри́ппом.** **Я бо́лен гри́ппом.**	I have the 'flu.

УПРАЖНЕНИЯ

I. Отве́тьте на вопро́сы.

1. Как вы себя́ чу́вствуете?
2. Что вас беспоко́ит?
3. На что вы жа́луетесь?
4. Когда́ вы почу́вствовали себя́ пло́хо?
5. Кака́я у вас температу́ра?
6. Что у вас боли́т?
7. У вас боли́т го́рло?
8. У вас на́сморк?
9. Давно́ вы больны́?
10. Давно́ вы боле́ете?
11. Где вы лечи́лись ра́ньше?
12. Кто вас лечи́л ра́ньше?
13. Вы ча́сто боле́ете ангѝ́ной?
14. Чем вы боле́ли в де́тстве?
15. Лежа́ли ли вы когда́-нибудь в больни́це?
16. Куда́ и к кому́ на́до обрати́ться, е́сли вы почу́вствовали себя́ пло́хо?
17. В каки́х слу́чаях вызыва́ют врача́ на́ дом?
18. В каки́х слу́чаях врач сове́тует больно́му лежа́ть в посте́ли?

III. Вме́сто то́чек вста́вьте ну́жный глаго́л.

1. С утра́ Ма́ша ... на головну́ю боль. 2. Ты бо́лен и до́лжен ... лека́рство от ка́шля. 3. Я ча́сто ... гри́ппом. 4. У него́ ... голова́. 5. Вы больны́? На что вы ...? 6. Врач ... мне реце́пт на лека́рство. 7. Како́й врач ... вас? 8. Больно́й ... на боль в нога́х. 9. Врач сове́тует ему́ ... витами́ны. 10. У него́ ... глаза́. 11. Чем ... ваш сын?

(боле́ть (боли́т), боле́ть (боле́ет), бо́лен, лечи́ть, принима́ть, вы́писать, жа́ловаться)

III. Переде́лайте сле́дующие предложе́ния, испо́льзуя констру́кции у меня́, у него́, у ва́с + имени́тельный паде́ж.

Образе́ц: Я боле́ю ангѝ́ной. – У меня́ ангѝ́на.

1. Он боле́ет гри́ппом. 2. Давно́ она́ боле́ет гри́ппом? 3. Мой брат боле́л воспале́нием лёгких. 4. Я не рабо́тал три дня, та́к как боле́л ангѝ́ной.

IV. Замени́те ли́чные предложе́ния безли́чными, испо́льзуя слова́ на́до, ну́жно, мо́жно, нельзя́.

Образе́ц: Вы *должны́* принима́ть лека́рство. – Вам *на́до* принима́ть лека́рство.

1. По́сле опера́ции вы должны́ лежа́ть в посте́ли. 2. Е́сли у вас боля́т зу́бы, вы должны́ идти́ к врачу́. 3. Сего́дня хо́лодно, она́ должна́ тепло́ оде́ться. 4. У него́ плохо́е здоро́вье, поэ́тому он не мо́жет занима́ться спо́ртом. 5. У меня́ хоро́шее се́рдце, и я могу́ е́хать на юг. 6. У него́ плохо́е се́рдце, и он не мо́жет е́хать на юг. 7. У моего́ отца́ плохо́е зре́ние, и он не мо́жет мно́го чита́ть. 8. Он до́лжен лечи́ть глаза́. 9. Неда́вно ей сде́лали опера́цию, и тепе́рь она́ не мо́жет мно́го ходи́ть.

V. Вставьте глаголы болеть (болит) и болеть (болеет) в нужной форме.

1. Мальчик часто ... . 2. Он никогда не ... ангиной. 3. У меня ... голова. 4. У мальчика ... зубы. 5. На прошлой неделе я ... гриппом. 6. Что у вас ...? 7. Чем вы ...? 8. Дочь говорит, что у неё ... горло.

VI. Соедините предложения с помощью союзов, данных ниже.

Образец: Человек тяжело болен. Врач приходит домой. – Если человек тяжело болен, врач приходит домой.

1. У вас болит голова. Надо принять лекарство от головной боли. 2. Вы больны. Вы должны лежать в постели. 3. Я почувствовал себя плохо. Я пошёл к врачу. 4. Вам нельзя выходить на улицу. У вас грипп. 5. Николай не пришёл на работу. Он простудился и заболел. 6. Моей сестре нельзя ехать на юг. У неё плохое сердце. 7. Вы почувствуете себя хуже. Позвоните врачу. 8. Он почувствовал себя хуже. Он позвонил врачу.

(если, когда, так как, потому что)

VII. Ответьте на вопросы, поставив в нужной форме с нужным предлогом слова, данные справа.

Образец: Куда вы ездили летом? | дача, друзья
Летом мы ездили *к друзьям на дачу.*

1. Куда он идёт?	поликлиника, зубной врач
2. Куда вы едете?	больница, моя больная подруга
3. Куда вы поедете летом?	деревня, мои родители
4. Куда мать ведёт сына?	кабинет, медицинская сестра
5. Куда вы обратились за помощью?	медицинский институт, известный профессор

VIII. Замените прямую речь косвенной.

Образец: Петя сказал: «Завтра я пойду к зубному врачу». – Петя сказал, что завтра он пойдёт к зубному врачу.

1. Вечером Нина сказала: «У меня болит голова». 2. Отец спросил сына: «Когда придёт врач?» 3. Сын ответил: «Врач придёт завтра». 4. Профессор сказал моей сестре: «Вы должны лечь в больницу». 5. Врач спросил меня: «Как вы себя чувствуете?» 6. Она сказала мне: «Через неделю вы сможете выйти на работу». 7. Мать сказала сыну: «Ты должен принимать это лекарство два раза в день».

IX. Составьте вопросы, на которые отвечали бы следующие предложения.

1. – ......?
 – Он заболел три дня назад.
2. – ......?
 – Утром у него была температура 37,5.
3. – ......?
 – Сейчас он чувствует себя хорошо.
4. – ......?
 – Да, он принимал лекарство.
5. – ......?
 – У меня болит горло.
6. – ......?
 – Нет, я не была у врача.

X. Расскажи́те по-ру́сски, как чу́вствует себя́ челове́к, е́сли он простуди́лся, и как бы вы его́ лечи́ли.

XI. Переведи́те на ру́сский язы́к.

1. – How do you feel?
   – Very well, thank you.
   – They say you've been ill.
   – Yes, I was.
   – Were you in hospital?
   – No, I was at home.
2. – You look ill. You ought to go and see the doctor.
   – I saw the doctor yesterday.
   – What did he say?
   – He said I've got to stay in bed and take some medicine.
   – Why aren't you in bed then?
   – I've been at the chemist's.
3. My father often has a headache. The doctor prescribed some medicine for his headache. My father says the medicine helps.
4. – I've not seen Nikolai for a long time. What's the matter with him?
   – He's not working now. They say he caught a cold, and is in bed.
5. – Your sister's been ill?
   – Yes, she had an operation and was in hospital for a month.
   – How is she now?
   – She is better, thanks. She is home again (*lit.* already). The doctor said she can go back to work in a week's time.
6. – What's the matter?
   – I've got a bad cold and a headache.
   – What's your temperature?
   – This morning I had a temperature of 37,7 (99 F).
7. The doctor took the patient's temperature and examined him.
8. The doctor prescribed me some medicine. He said that I've got to take one tablet a day before dinner.
9. Vladimir has got a toothache but he's afraid of going to the dentist.
10. – Marya Ivanovna says she's lost her appetite (*lit.* complains of a bad appetite).
    – Has she? I haven't noticed.

XII. Прочита́йте расска́з и перескажи́те его́.

Оди́н молодо́й челове́к по́здно встава́л по утра́м и ча́сто опа́здывал на рабо́ту. Он обрати́лся к врачу́.

– На что жа́луетесь? – спроси́л ю́ношу врач.

– Ве́чером я не могу́ до́лго усну́ть, а у́тром сплю так кре́пко, что ча́сто опа́здываю на рабо́ту.

– Хорошо́, – сказа́л врач, – я дам вам лека́рство. Принима́йте его́ по одно́й табле́тке пе́ред сном.

Врач вы́писал реце́пт на лека́рство, и ю́ноша побежа́л в апте́ку. Ве́чером ю́ноша при́нял его́ и лёг спать. Просну́вшись, он уви́дел, что ещё ра́но. Придя́ на рабо́ту, молодо́й челове́к сказа́л:

– Чуде́сное лека́рство! Я спал как уби́тый! И ви́дите, я пришёл на рабо́ту во́время.

– Поздравля́ем, – отве́тили ему́, – но где вы бы́ли вчера́?

14

СПОРТ, ИЛИ ИДЕАЛЬНАЯ СЕМЬЯ

В семье́ Моро́зовых о́чень лю́бят спорт. Доста́точно сказа́ть, что Серге́й и Зо́я впервы́е встре́тились на те́ннисном ко́рте, (1) когда́ они́ ещё учи́лись в институ́те. Это бы́ло оди́ннадцать лет наза́д. Сейча́с у них семья́, дво́е сынове́й, у ка́ждого своя́ рабо́та, но занима́ться спо́ртом они́ продолжа́ют.

Серге́й уже́ лет пятна́дцать игра́ет в волейбо́л. (2) Кро́ме того́, он лю́бит пла́вание. Кру́глый год три ра́за в неде́лю он хо́дит в бассе́йн. Его́ люби́мый стиль – брасс.

Зо́я игра́ет в те́ннис. Когда́ она́ была́ студе́нткой, она́ получи́ла зва́ние ма́стера спо́рта по те́ннису (3).

Их ста́рший сын, девятиле́тний И́горь, хорошо́ пла́вает, хо́дит на лы́жах и ката́ется на конька́х. Но бо́льше

всего он, конечно, любит футбол. С утра до вечера он готов гонять по двору мяч. Игорь знает названия всех футбольных команд и смотрит по телевизору все соревнования по футболу. Он болеет за команду «Спартак», (4) радуется, когда команда выигрывает, и расстраивается, когда она проигрывает. Когда Игоря спрашивают, кем он хочет стать, когда вырастет, он отвечает: «Капитаном футбольной команды».

Младший сын Морозовых, Витя, ещё не ходит в школу, но уже занимается спортом. Два раза в неделю дедушка водит его в школу фигурного катания. Пока дедушка читает в газетах новости, Витя вместе с другими дошкольниками учится кататься на фигурных коньках. Он начал заниматься недавно, но занимается с большим интересом и уже мечтает стать чемпионом мира по фигурному катанию. «Плох солдат, который не мечтает стать генералом»,– поддерживает его дедушка.

Дедушка Морозов – тоже большой любитель спорта. Он хороший шахматист. Его главный противник – Сергей. Вечера́ми они́ до́лго сидя́т за ша́хматной доско́й. Де́душка – стра́стный боле́льщик. Ле́том он не пропуска́ет ни одни́х соревнова́ний по футбо́лу, зимо́й – по хоккéю. Так же как и И́горь, он боле́ет за спарта́ковцев. Как люби́тель ша́хмат, он следи́т за все́ми соревнова́ниями, турни́рами и чемпиона́тами по ша́хматам.

Зо́я лю́бит повторя́ть слова́: «В здоро́вом те́ле здоро́вый дух».

У́тром все чле́ны семьи́ де́лают заря́дку; зимо́й ка́ждое воскресе́нье все Моро́зовы хо́дят на лы́жах.

КОММЕНТАРИИ

(1) Серге́й и Зо́я встре́тились на те́ннисном ко́рте.

Sergei and Zoya met on the tennis-court.

The following nouns describe places where people play games, etc.:

стадио́н	stadium
футбо́льное по́ле стадио́на	football field
волейбо́льная ⎫	volley-ball ⎫
баскетбо́льная ⎬ площа́дка	court
	basket-ball ⎭
те́ннисный корт	tennis-court
гимнасти́ческий зал	gymnasium
(пла́вательный) бассе́йн	swimming-bath/pool
като́к	skating-rink

(2) Серге́й игра́ет в волейбо́л.

Sergei plays volley-ball.

Игра́ть is used with the prepositions **в** and **на**.
1) It is used with **в** when speaking of games:

игра́ть
- *в* футбо́л
- *в* волейбо́л
- *в* те́ннис
- *в* ша́хматы
- *в* пинг-по́нг

2) It is used with **на** when speaking of musical instruments:

игра́ть
- *на* роя́ле
- *на* скри́пке
- *на* гита́ре
- *на* трубе́

(3) зва́ние ма́стера спо́рта   the title of Master of Sport
    по те́ннису   in tennis

After a) **турни́р, чемпиона́т, соревнова́ния, трениро́вка, матч; в) чемпио́н, чемпио́нка, ма́стер спо́рта, тре́нер, п о** + *dative* is used.

Ивано́в – ма́стер спо́рта *по*   Ivanov is a master of sport
   конька́м.   in skating.

Кто стал чемпио́ном ми́ра *по ша́хматам* в э́том году́?	Who is the chess champion this year?
Сего́дня начина́ются соревнова́ния *по гимна́стике.*	Today gymnastics competitions begin.
(4) Он боле́ет за кома́нду «Спарта́к».	He supports the "Spartak" team.

Боле́ть *за кого́, за что* means 'to be a fan or supporter of a given team'. With this meaning it is only used in the imperfective.

| За каку́ю кома́нду вы боле́ете? | What team do you support? |

 ДИАЛОГИ

I

— После́днее вре́мя я пло́хо себя́ чу́вствую, ча́сто боли́т голова́, я бы́стро устаю́.

— А вы де́лаете у́тром заря́дку?

— Нет, я не́сколько раз начина́л де́лать, но пото́м броса́л.

— Напра́сно. Утренняя гимна́стика о́чень помога́ет. Она́ укрепля́ет не то́лько мы́шцы, но и не́рвную систе́му. Я уже́ два́дцать лет ежедне́вно де́лаю заря́дку. Чу́вствую себя́ прекра́сно.

— Вы де́лаете гимна́стику по ра́дио (1)?

— Нет, я де́лаю бо́лее сло́жный ко́мплекс упражне́ний, но вам на́до нача́ть с просты́х.

II

— Вы занима́етесь спо́ртом?

— Да, занима́юсь.

— Каки́ми ви́дами?

— Зимо́й я хожу́ на лы́жах, ле́том ката́юсь на велосипе́де и кру́глый год пла́ваю.

– И у вас на всё хвата́ет вре́мени?

– Не всегда́. Ведь я учу́сь в институ́те. В бассе́йн я хожу́ два ра́за в неде́лю, по утра́м. На лы́жах ката́юсь то́лько по воскресе́ньям.

– Давно́ вы занима́етесь спо́ртом?

– Давно́, с де́тства.

III

– Серге́й, здра́вствуй! Ты на стадио́н?

– Да, сего́дня на́ши игра́ют с датча́нами.

– Ты был на прошлого́днем ма́тче «СССР – Да́-ния»?

– Да. Тогда́ соревнова́ния ко́нчились побе́дой сбо́рной кома́нды СССР.

– А мне каза́лось, что вы́играли да́тские футболи́-сты.

– Нет, я по́мню то́чно, счёт был 2:0 (два – ноль).

– Говоря́т, сего́дня игра́ет си́льный соста́в, игра́ должна́ быть интере́сной.

КОММЕНТАРИИ

(1) гимна́стика по ра́дио   broadcast of morning exercises

Запо́мните:

де́лать у́треннюю заря́дку – у́треннюю гимна́стику }	to do one's morning exer-cises
выи́грывать/ вы́играть прои́грывать/ проигра́ть } матч, встре́чу (со счётом...)	to win } a match (with a to lose } score of....)
сыгра́ть вничью́	to draw
занима́ться спо́ртом	to go in for sport
Каки́м ви́дом спо́рта вы занима́етесь?	What kind of sport do you go in for?
Како́й счёт?	What is the score?
Как (с каки́м счётом) ко́нчилась игра́?	What was the final score?
Игра́ ко́нчилась со счё- том...	The final score was....

УПРАЖНЕНИЯ

I. Ответьте на вопросы.

1. Вы давно занимаетесь спортом?
2. Каким видом спорта вы занимаетесь?
3. Вы играете в футбол?
4. В какой команде вы играете в футбол?
5. Вы любите играть в шахматы?
6. С кем вы обычно играете в шахматы?
7. Кто ещё в вашей семье занимается спортом?
8. Вы умеете плавать?
9. Каким стилем вы плаваете? (кроль, брасс)
10. Вы умеете кататься на коньках?
11. Какие виды спорта популярны в вашей стране?
12. Какой вид спорта самый популярный в вашей стране?
13. Где проходят соревнования по футболу, по гимнастике, по плаванию?
14. Где проходят тренировки по боксу, по гимнастике, по плаванию?
15. Вы болеете за какую-нибудь команду?

II. Слова, стоящие справа, поставьте в нужной форме.

1. Нина всегда была	хорошая спортсменка
2. Недавно она стала	чемпионка города по гимнастике
3. Вы занимаетесь ...?	спорт
4. Да, я занимаюсь	лыжи и плавание
5. В юности я увлекался	футбол и велосипед
6. Теперь я увлекаюсь	велосипед и шахматы

III. Слова, стоящие справа, поставьте в нужной форме с нужным предлогом.

1. Смирнов – мастер спорта	бокс
2. Кто чемпион мира ... среди женщин?	теннис
3. Иван Ильич – наш тренер	волейбол
4. Где проходят ваши тренировки ...?	гимнастика
5. Завтра во Дворце спорта состоятся соревнования	настольный теннис
6. Кто стал чемпионом мира ...?	шахматы
7. Я бываю на всех соревнованиях	гимнастика, плавание и фигурное катание

IV. Вместо точек вставьте глаголы играть, сыграть, проиграть, выиграть.

Вчера я был на стадионе. ... команды «Динамо» и «Спартак». Динамовцы ... плохо и ... со счётом 1:3. «Спартак» опять ... встречу. Я думаю, сейчас это лучшая наша команда. В этом сезоне она ... очень хорошо: спартаковцы ... семь встреч, ... одну встречу и два раза ... вничью.

V. Вместо точек вставьте глаголы, данные в скобках, в нужной форме.

1. a) Вы умеете ...? Каким стилем вы ...? Я тоже ... кролем. b) Смотрите, как красиво они ...! Кто ... первым? По-моему, первым ...

Кузнецо́в. с) – Вы хоти́те ... к тому́ бе́регу? – Нет, я бу́ду ... здесь. (плыть – пла́вать)

2. a) – Вы ... на лы́жах? – Нет, я никогда́ не ... на лы́жах, но я хочу́ научи́ться ... на лы́жах. b) – Вы ча́сто ... в бассе́йн? – Я ... в бассе́йн два ра́за в неде́лю. – Когда́ вы ... в сле́дующий раз? – Я ... за́втра. – Если у вас есть вре́мя, ... вме́сте. с) – Куда́ вы ...? – Мы ... на като́к. – А вы то́же ... на като́к? – Нет, я ... на като́к в суббо́ту. (ходи́ть – идти́/пойти́)

3. a) – Куда́ вы ...? – Я ... на вокза́л: опа́здываю на по́езд. b) – Кто ... пе́рвой? – Пе́рвой ... Пано́ва. Краси́во ..., пра́вда? Сего́дня она́ ... сто ме́тров, но она́ ... и на больши́е диста́нции. (бе́гать – бежа́ть)

VI. Слова́, стоя́щие спра́ва, поста́вьте в ну́жной фо́рме с ну́жным предло́гом.

игра́ть	пиани́но, волейбо́л, футбо́л, хокке́й, роя́ль, пинг-по́нг, скри́пка, ша́хматы, гита́ра, те́ннис, труба́, лы́жи, коньки́,
ката́ться	ло́дка, велосипе́д

VII. Соедини́те предложе́ния, замени́в местоиме́ние о н а́ сою́зным сло́вом к о т о́ р ы й в ну́жной фо́рме с ну́жным предло́гом.

Лео́нов игра́ет в кома́нде.	Она́ в про́шлом году́ е́здила в Болга́рию.
	В ней ра́ньше игра́л мой брат.
	В ней тре́нером был мой брат.
	Её сейча́с трениру́ет Блино́в.
	С ней неда́вно игра́ла на́ша кома́нда.
	О ней мно́го писа́ли в газе́те «Сове́тский спорт».

VIII. Замени́те пряму́ю речь ко́свенной.

1. Тре́нер спроси́л меня́:	«Каки́м спо́ртом вы занима́лись ра́ньше?»
	«Когда́ вы на́чали игра́ть в футбо́л?»
	«В како́й кома́нде вы игра́ли ра́ньше?»
2. Я отве́тил ему́:	«Я занима́лся бо́ксом».
	«Я на́чал игра́ть в футбо́л семь лет наза́д».
	«Я игра́л в футбо́л и в хокке́й в кома́нде «Зени́т».
3. Я спроси́л ма́льчика:	«Ты лю́бишь спорт?»
	«Ты занима́ешься спо́ртом?»
	«Ты ката́ешься на лы́жах?»
4. Врач сказа́л Серге́ю:	«Занима́йтесь спо́ртом».
	«Бро́сьте кури́ть».
	«Де́лайте у́треннюю гимна́стику».

IX. Соста́вьте вопро́сы, на кото́рые отвеча́ли бы сле́дующие предложе́ния.

1. – ......?
   – Да, я давно́ занима́юсь спо́ртом.
2. – ......?
   – Я игра́ю в те́ннис.

3. – ......?
   – Мой друг игра́ет в футбо́л.
4. – ......?
   – Он игра́ет в на́шей университе́тской кома́нде.
5. – ......?
   – Да, я был на вчера́шнем ма́тче.
6. – ......?
   – Вы́играла кома́нда «Спарта́к».
7. – ......?
   – Игра́ ко́нчилась со счётом 3 : 1.

X. Соста́вьте расска́з, испо́льзуя сле́дующие слова́ и выраже́ния:

занима́ться спо́ртом, де́лать у́треннюю гимна́стику, увлека́ться футбо́лом (велосипе́дом), боле́ть за кома́нду, вы́играть (проигра́ть) со счётом, футбо́льный матч, уме́ть ката́ться на конька́х, смотре́ть соревнова́ния по телеви́зору.

XI. Переведи́те на ру́сский язы́к.

1. My brother has been keen on sport ever since childhood. He goes skiing and skating. He likes swimming best of all. He goes to the swimming-pool all the year round. I like swimming too. Sometimes I go to the pool with him.
2. Nina is good at tennis. She won the competition last year and became national tennis champion.
3. – Do you go in for sport?
   – No, I don't now. When I was young I used to play football and volley-ball.
4. – Do you go in for gymnastics?
   – Yes, I do. I'm very keen on (*lit.* like) gymnastics. I think this is the best kind of sport (there is).
5. – Do your children do physical exercises in the morning?
   – Yes, they do. Every morning.
   – And do you?
   – No, I gave it up long ago.
6. – Do you often go to the skating-rink?
   – No, not often, once a week, sometimes twice a week.
7. I went to the stadium yesterday. "Dynamo" and "Arsenal" were playing. It was a very interesting match. The final score was 1 : 0. The English team won.
8. I see you support "Dynamo". I do too.
9. – Do you like playing football?
   – No, I don't. But I enjoy watching football on TV.

XII. Прочита́йте и расскажи́те текст.

Одна́жды молодо́й челове́к пригласи́л знако́мую де́вушку на футбо́льный матч. Та́к как де́вушка никогда́ ра́ньше не была́ на соревнова́ниях по футбо́лу, ю́ноша подро́бно объясни́л ей пра́вила игры́.

Во вре́мя игры́ де́вушка вела́ себя́, как все боле́льщики: аплоди́ровала, пры́гала, крича́ла.

По́сле оконча́ния ма́тча ю́ноша спроси́л де́вушку:

– Ну, как тебе́ понра́вилась игра́?

– Очень, – воскли́кнула де́вушка. – Всё бы́ло о́чень интере́сно. То́лько я не понима́ю одного́: почему́ все игроки́ бе́гают за одни́м мячо́м? Неуже́ли нельзя́ дать им два́дцать два мяча́ – ка́ждому по мячу́?

139

15

В ТЕАТРЕ

Сего́дня мы идём в Большо́й теа́тр на «Евге́ния Оне́гина». (1) Как всегда́, я немно́го волну́юсь, хотя́ мы ча́сто быва́ем в теа́тре.

Пе́ред теа́тром, как обы́чно, больша́я толпа́.

– У вас нет ли́шнего биле́та? – спра́шивают нас со всех сторо́н.

Мы вхо́дим в теа́тр, раздева́емся в гардеро́бе и прохо́дим в зал. На́ши места́ в парте́ре, в тре́тьем ряду́. Мы сади́мся и смо́трим програ́мму. Па́ртию Татья́ны сего́дня исполня́ет Со́фья Петро́ва, молода́я, о́чень тала́нтливая певи́ца. Евге́ния Оне́гина поёт Михаи́л Ле́бедев. Неда́вно мы слы́шали его́ (2) в «Пи́ковой да́ме».

Постепе́нно собира́ется пу́блика. В орке́стре настра́ивают инструме́нты. Звени́т после́дний звоно́к, в за́ле га́снет свет, и наступа́ет тишина́.

Звучи́т увертю́ра. Поднима́ется за́навес, и в за́ле сра́зу же раздаю́тся гро́мкие аплодисме́нты, хотя́ на сце́не никого́ нет: э́то зри́тели оцени́ли прекра́сные декора́ции, кото́рые перено́сят нас в сад ста́рой ру́сской уса́дьбы.

Сюда́, в семью́ провинциа́льной поме́щицы, приво́зит Ле́нский своего́ сосе́да и дру́га, го́стя из Петербу́рга Евге́ния

Оне́гина. Здесь впервы́е Оне́гин встреча́ет Татья́ну. Любо́вь провинциа́льной де́вушки не волну́ет, не тро́гает его́. Татья́на страда́ет, ви́дя хо́лодность Оне́гина...

Во вре́мя антра́кта мы выхо́дим в фойе́. Здесь на стена́х вися́т портре́ты компози́торов, дирижёров, арти́стов. В одно́м из за́лов фойе́ больша́я фотовы́ставка расска́зывает об исто́рии теа́тра, о его́ наибо́лее интере́сных постано́вках.

Сце́на прохо́дит за сце́ной. С волне́нием следя́т зри́тели за де́йствием. Бал у Ла́риных, ссо́ра Оне́гина с Ле́нским, дуэ́ль и ги́бель молодо́го поэ́та...

Вот и после́дняя сце́на – после́дняя встре́ча Оне́гина с Татья́ной.

«Сча́стье бы́ло так возмо́жно,
Так бли́зко...» – поёт Оне́гин.

Конча́ется спекта́кль. Зри́тели до́лго аплоди́руют и не́сколько раз вызыва́ют арти́стов на сце́ну.

Мы выхо́дим из теа́тра и остана́вливаемся у афи́ши. Что идёт в Большо́м в сле́дующую суббо́ту? Бале́т Проко́фьева «Роме́о и Джулье́тта». И хотя́ мы с Па́влом не раз ви́дели э́тот бале́т, мы реша́ем посмотре́ть его́ ещё раз – ещё раз послу́шать волну́ющую му́зыку Проко́фьева, посмотре́ть прекра́сно поста́вленные та́нцы, полюбова́ться вели́ким иску́сством мастеро́в ру́сского бале́та.

КОММЕНТАРИИ

(1) Мы идём на «Евге́ния Оне́гина». — We are going to see "Eugene Onegin".

(2) Мы слы́шали его́... — We heard him....

Distinguish between **слы́шать** and **слу́шать**:

Я сижу́ и *слу́шаю* ра́дио.	I am sitting and listening to the radio.
Я сижу́ и *слы́шу* шум маши́н на у́лице.	I am sitting and can hear the noise of the traffic in the street.
Вы *слы́шали* э́ту но́вость?	Have you heard the news?
Вы *слы́шали* э́того певца́?	Have you heard this singer?
Мы внима́тельно *слу́шали* его́ расска́з.	We listened to his story attentively.

There is a similar distinction between **ви́деть** and **смотре́ть**.

Слы́шать and **ви́деть** denote:

a) the ability to hear and to see;
b) a statement of fact.

Слу́шать and **смотре́ть** denote a purposive act.

Speaking of films and plays you can say either **ви́дел** or **смотре́л**.

ДИАЛОГИ

I

– Ни́на, ты свобо́дна ве́чером в э́ту пя́тницу?

– Да, свобо́дна.

– Ты не хо́чешь пойти́ в МХАТ на спекта́кль «Дя́дя Ва́ня»?

– У тебя́ уже́ есть биле́ты?

– Нет, но я заказа́л два биле́та ещё неде́лю наза́д.

– А что́ э́то за вещь? (1) Ты что́-нибудь слы́шал о ней?

– Э́то пье́са Че́хова. Я слы́шал ра́зные мне́ния о спекта́кле – одни́ хва́лят, други́е руга́ют.

– Ну, что же, я пойду́.

– Тогда́ я зайду́ за тобо́й в пя́тницу без че́тверти шесть. Хорошо́?

– Хорошо́.

II

– Что сто́ит посмотре́ть сейча́с в теа́трах Москвы́? (2)

– А что вас интересу́ет – о́пера, бале́т, дра́ма, опере́тта?

– Я люблю балет, но прежде всего мне хотелось бы посмотреть что-нибудь в драматическом театре.

– Сейчас в Москве есть что посмотреть. (3) Очень интересно поставлена пьеса А. Н. Островского «Банкрот, или Свои люди – сочтёмся» в Театре имени Маяковского. В Театре имени Вахтангова советую посмотреть «Анну Каренину». В этом спектакле всё хорошо – и сама пьеса, и постановка, и игра артистов.

– Скажите, пожалуйста, а Театр кукол Образцова сейчас в Москве?

– Да, недавно театр вернулся с гастролей. Посмотрите у них «Необыкновенный концерт». Вы получите огромное удовольствие.

– А билеты достать трудно? (4)

– Вообще москвичи – большие любители театра, но летом, в конце сезона, я думаю, можно купить билеты на любую вещь, попасть в любой театр. (5)

III

– У вас есть билеты на «Бориса Годунова»?

– Есть два билета.

– На какой день?

– На воскресенье, на утро.

– Нет, это не подойдёт. А что идёт в Большом в воскресенье вечером?

– Балет «Лебединое озеро».

– Билеты есть?

– Сейча́с посмотрю́. Да, есть два биле́та, но не в парте́р, а в бельэта́ж. Это неплохи́е места́: пе́рвый ряд, середи́на. Возьмёте?

– Да, возьму́.

IV

– Скажи́те, где здесь ближа́йший кинотеа́тр?

– На сосе́дней у́лице кинотеа́тр «Октя́брь».

– Вы не зна́ете, что идёт там сего́дня?

– В за́ле хро́ники обы́чно иду́т документа́льные и нау́чно-популя́рные кинофи́льмы, киножурна́л «Но́вости дня».

– А како́й худо́жественный фильм там идёт?

– Не зна́ю. Посмотри́те в афи́ше. Она́ ря́дом с ва́ми.

– Здесь напи́сано, что там иду́т два фи́льма: «Лев Толсто́й» (пе́рвая и втора́я се́рия) и «Те́ма». Как э́то поня́ть?

– Это зна́чит, что у́тром идёт оди́н фильм, а ве́чером – друго́й. А иногда́ фи́льмы иду́т че́рез сеа́нс.

– Да, да, пра́вильно, здесь ука́зано, что в 15 и 17 часо́в идёт «Те́ма», а в 12 и в 19 – «Лев Толсто́й». Пожа́луй, сейча́с я зайду́ в ка́ссу и возьму́ биле́ты на после́дний сеа́нс.

КОММЕНТАРИИ

(1) А что э́то за вещь?	What kind of a play (lit. thing) is it?
Что э́то за кни́га?	What kind of a book is it?
Что он за челове́к?	What kind of a person is he?
(2) Что сто́ит посмотре́ть в теа́трах Москвы́?	What is worth seeing in the Moscow theatres?

Сто́ить meaning 'to be worth' only has the following forms:

сто́ит – не сто́ит (present)
сто́ило – не сто́ило (past)

After **сто́ить** the infinitive (perfective or imperfective) is used; after a negative verb – **не сто́ит, не сто́ило** – the imperfective infinitive is used.

Сравни́те:

Сто́ит *посмотре́ть* э́тот фильм.	Не сто́ит *смотре́ть* э́тот фильм.

144

This film is worth seeing.	This film is not worth seeing.
Сто́ило *купи́ть* э́ту вещь.	Не сто́ило *покупа́ть* э́ту вещь.
This thing was worth buying.	This thing was not worth buying.
(3) Есть что посмотре́ть.	There is something worth seeing.

The antonymous construction is **не́чего смотре́ть, не́куда..., не́где..., не́ о ком..., не́зачем...**, etc.

Сравни́те:

Не́чего смотре́ть.	*Есть что* смотре́ть.
There is nothing to see.	There is something worth seeing.
Не́куда пойти́.	*Есть куда́* пойти́.
There is nowhere to go.	There is a place worth going to.
Не́где посиде́ть споко́йно.	*Есть где* посиде́ть споко́йно.
There is no place where you can sit in peace.	There is a place where you can sit in peace.
Не́ о чем говори́ть.	*Есть о чём* говори́ть.
There is nothing to speak about.	There is something to speak about.
(4) А биле́ты доста́ть тру́дно?	And is it difficult to get tickets?

достава́ть/доста́ть + *acc. (что?)* to get something

Купи́ть биле́ты (кни́гу) is a simple operation that presents no difficulty, while **доста́ть биле́ты (кни́гу)** means to obtain them with some difficulty.

Где вы доста́ли э́ту кни́гу? (Это о́чень ре́дкая кни́га.)	Where did you get this book? (This is a very rare book.)
Я ду́маю, мы не доста́нем биле́тов – сего́дня премье́ра.	I don't think we'll manage to get tickets as it's the première tonight.
(5) Мо́жно попа́сть в любо́й теа́тр.	You can get into any theatre.
попа́сть в теа́тр (на конце́рт)	to get into the theatre or a concert (in spite of difficulties in getting tickets)

145

Как ты попа́л на э́тот спек-та́кль, ведь все биле́ты бы́ли давно́ про́даны?	How did you manage to get (a ticket) to this show with all the tickets sold out a long time ago?
Я хочу́ пойти́ в Большо́й теа́тр, но говоря́т, туда́ тру́дно попа́сть (тру́дно доста́ть биле́ты).	I want to go to the Bolshoi Theatre but they say it is hard to get in (to get tickets).

Compare one more meaning of **попа́сть** on p. 49.

Запо́мните:

Вы ви́дели э́тот фильм, э́ту пье́су?	Have you seen this film, this play?
Вы слу́шали э́ту о́перу?	Have you heard this opera?
Что идёт сего́дня в Большо́м теа́тре?	What's on at the Bolshoi Theatre today?
В како́м теа́тре идёт э́та пье́са?	Where (in what theatre) is this play being shown?
Кто игра́ет (роль) Га́м-лета?	Who plays Hamlet?
Что э́то за вещь (пье́са, о́пера)?	What kind of a play (an opera) is it?
Эту вещь сто́ит посмо-тре́ть.	It's worth seeing.
Не сто́ит смотре́ть э́ту вещь.	It's not worth seeing.
Где доста́ть биле́ты на «Ча́йку»?	Where can I get tickets for "The Seagull"?
У вас есть биле́ты на «Жизе́ль»?	Have you any tickets for "Giselle"?
Где на́ши места́?	Where are our seats?
Да́йте, пожа́луйста, про-гра́мму.	Give me a programme, please.
Как вам понра́вился э́тот бале́т?	How did you like this ballet?
У вас нет ли́шнего биле́та?	Have you a ticket to spare? (Have you got a spare ticket?)

УПРАЖНЕНИЯ

I. Ответьте на вопросы.

А. 1. Вы любите театр?
2. Вы любите ходить в театр?
3. Вы часто ходите в театр?
4. Вы часто бываете в театре?
5. Что вы любите больше – оперу, балет или драму?
6. Какая ваша любимая опера?
7. Какая ваша любимая пьеса?
8. Какие пьесы вам больше нравятся – классические или современные?
9. Какие театры есть в вашем городе?
10. Что интересного идёт в театрах вашего города в этом сезоне?
11. Что стоит посмотреть в ваших театрах?
12. Что идёт сегодня в оперном театре?
13. Какие театры были на гастролях в вашем городе в этом году?
14. Где вы предпочитаете сидеть в театре?
15. Кто ваш любимый оперный певец?
16. Вы видели русский балет?

В. 17. Вы часто бываете в кино?
18. Что вы предпочитаете – смотреть фильмы по телевизору или в кинотеатре?
19. Какой фильм нравится вам больше всего?
20. Кто ваш любимый киноартист?
21. Кто ваша любимая киноактриса?

II. Поставьте глаголы в настоящем времени.

1. Петров хорошо пел. 2. Эту пьесу критиковали в печати. 3. В этом театре шла «Анна Каренина». 4. Зрители долго аплодировали. 5. Во всех кассах продавали билеты на эту пьесу. 6. Обычно я брал два билета в театр.

III. Закончите предложения. Слова, стоящие справа, употребите в нужном падеже и с нужным предлогом.

1. Сегодня мы идём	театр, балет «Золушка»
2. Вы были вчера ...?	консерватория, концерт
3. Наши места	партер, пятый ряд
4. Где можно купить билеты ...?	Большой театр, опера «Борис Годунов»
5. У вас есть билеты ...?	воскресенье, вечер

IV. Вставьте глаголы с частицей -ся или без неё.

1. Эта опера ... сегодня впервые. Кто ... роль Бориса? Оркестр ... увертюру. (исполнять – исполняться) 2. Когда артист ... свою арию, в зале раздались аплодисменты. В десять часов. (кончить – кончиться) 3. Во время антракта мы ... со своими друзьями. Я ... её сегодня на концерте. (встретить – встретиться) 4. Мы не могли пойти в театр и ... билеты в кассу. Мы ... из театра поздно. (вернуть – вернуться).

V. Да́йте отрица́тельные отве́ты на сле́дующие вопро́сы.

Образец: – У вас есть ли́шний биле́т? – Нет, у меня́ нет ли́шнего
биле́та.

1. У вас есть но́вый уче́бник?
2. У вас есть ста́рший брат?
3. У вас есть сего́дняшняя газе́та?
4. У него́ есть а́нгло-ру́сский слова́рь?
5. У вас есть кни́ги э́того писа́теля?
6. У ва́ших сосе́дей есть де́ти?
7. В ва́шем го́роде есть о́перный теа́тр?
8. В э́том теа́тре есть хоро́шие певцы́?
9. В гости́нице есть свобо́дные номера́?

VI. Вме́сто то́чек вста́вьте ну́жный глаго́л.

А. слы́шать – слу́шать

1. Вчера́ мы ... о́перу «Ива́н Суса́нин». 2. Вы ... но́вость? 3. Ка́ж-
дое у́тро я ... ра́дио. 4. На́до внима́тельно ... профе́ссора. 5. На́до
говори́ть гро́мче – он пло́хо ... . 6. Я ничего́ не ... об э́том и ничего́ не
зна́ю.

В. ви́деть/уви́деть – смотре́ть/посмотре́ть

1. – Вы ... но́вого преподава́теля? – Нет, я не ... его́. 2. Я услы́шал шум
и ... в окно́, но на у́лице никого́ не́ было. 3. Он но́сит очки́, та́к как с
де́тства пло́хо ... . 4. Вчера́ на факульте́те я ... знако́мое лицо́. Я до́лго ...
на э́того челове́ка, но так и не вспо́мнил, где я его́ ... . 5. Вчера́ мы
ходи́ли ... но́вый фильм. 6. Вы уже́ ... э́тот фильм?

VII. Соедини́те предложе́ния сою́зом х о т я́.

1. Пье́са мне не понра́вилась. Я люблю́ э́того а́втора. 2. Арти́ст
Ермако́в игра́ет о́чень хорошо́. Он неда́вно пришёл на сце́ну. 3. Конце́рт
ко́нчился по́здно. Мы реши́ли идти́ домо́й пешко́м. 4. Я реши́л
посмотре́ть «Ча́йку». (Я) ви́дел её ра́ньше. 5. Я не по́мню э́тот рома́н.
(Я) чита́л его́ неда́вно. 6. Мой това́рищ пло́хо говори́т по-ру́сски.
Он изуча́ет ру́сский язы́к уже́ не́сколько лет. 7. Мой това́рищ
изуча́ет ру́сский язы́к всего́ не́сколько ме́сяцев. Он непло́хо говори́т
по-ру́сски.

**VIII. Соста́вьте вопро́сы, на кото́рые отвеча́ли бы сле́дующие пред-
ложе́ния.**

1. – ......?
   – Нет, мы хо́дим в теа́тр не о́чень ча́сто.
2. – ......?
   – Вчера́ мы бы́ли в Большо́м теа́тре.
3. – ......?
   – Мы смотре́ли «Лебеди́ное о́зеро».
4. – ......?
   – Да, о́чень понра́вился.
5. – ......?
   – Спекта́кль начина́ется в семь часо́в ве́чера.
6. – ......?
   – Нет, не опозда́ем.
7. – ......?
   – На́ши места́ в пя́том ряду́.

IX. Переведите на русский язык.

1. When I was in Moscow I saw "Swan Lake" at the Bolshoi Theatre.
2. I like ballet best of all. I've seen all the ballets of the Bolshoi Theatre.
3. We'd wanted to see this play, but could not get tickets.
4. –What's on at the Art Theatre today?
   –Chekhov's "Three Sisters".
   –I saw that play last year.
5. –When is the opening night of Tolstoy's play "The Living Corpse"?
   –On the twentieth of March.
   –They say it's hard to get tickets for this play.
   –Yes, that's true.
6. Anya, are you free on Saturday? I want to ask (*lit.* invite) you (to come) to the ballet "The Sleeping Beauty" at the Bolshoi.
7. –Have you got any tickets for "The Seagull"?
   –I've got tickets for evening performance on the seventh of January.
   –Give me two tickets, please.
8. –Have you any spare tickets?
   –Yes, I've got one.
   –I need two.
9. –Where are our seats?
   –In the stalls, sixth row.
   –Where are Lida and Victor's seats? (*lit.* Lida and Victor sitting?)
   –In Box No. 3.
10. –When do performances begin in Moscow theatres?
    –Matinées at 12 and evening performances at 7.

X. Расскажите об одном из спектаклей, который вы видели в последнее время.

XI. Составьте диалоги:

а) между человеком, желающим пойти в театр, и кассиром (ticket-vendor);

б) между двумя любителями театра.

XII. Прочитайте и перескажите.

ВЕСЁЛАЯ ПЬЕСА

Вернувшись домой, мальчик рассказал отцу, что у них в школе был очень интересный спектакль. Все роли исполняли сами школьники. На спектакле было много родителей.

–Пьеса им очень понравилась, –сказал мальчик – хотя, я думаю, они видели её раньше.

–Почему ты думаешь, что спектакль им понравился?

–Ты бы видел, как они смеялись, –с гордостью ответил сын.

–А какая была пьеса? –спросил отец.

–«Гамлет», –ответил сын.

XIII. Прочитайте рассказ.

СМОТРЕТЬ И ВИДЕТЬ

Иностранцы, изучающие русский язык, не всегда понимают разницу между глаголами «смотреть» и «видеть». И вот однажды преподаватель русского языка рассказал своим студентам такую историю.

Вчера́ ве́чером мы с до́чкой возвраща́лись из госте́й. Мы стоя́ли на остано́вке и жда́ли авто́буса.

– Посмотри́, посмотри́, – сказа́ла до́чка и показа́ла на фона́рь на противополо́жной стороне́ у́лицы. Я посмотре́л и ничего́ осо́бенного не уви́дел: дом, ми́мо кото́рого я проходи́л мно́го раз, де́рево... Я пожа́л плеча́ми.

– Да посмотри́ же! – повтори́ла до́чка. Я посмотре́л и уви́дел. За́ день на де́реве распусти́лись листо́чки. Фона́рь, кото́рый стоя́л ря́дом с де́ревом, освети́л совсе́м молоду́ю листву́, и де́рево свети́лось тепе́рь среди́ ночно́й темноты́ зелёным све́том. Мы смотре́ли на э́то все, а уви́дела то́лько она́. Вы по́няли тепе́рь, чем отлича́ются глаго́лы «смотре́ть» и «ви́деть»?

– Я по́нял, – сказа́л оди́н из студе́нтов. – «Смо́трят» взро́слые, а «ви́дят» де́ти.

– А я ду́маю, что «ви́деть» – э́то зна́чит «удивля́ться», – сказа́л друго́й.

– А по-мо́ему, ви́деть – это зна́чит «смотре́ть и замеча́ть», – сказа́л тре́тий.

Так постепе́нно студе́нты подошли́ к понима́нию ра́зницы в значе́нии э́тих слов.

возвраща́ться из госте́й *colloq.*	to return from a visit
Я пожа́л плеча́ми.	I shrugged my shoulders.
распусти́лись	opened

16

ЛЕТНИЙ ОТДЫХ

Скоро лето. Вы уже решили, где вы будете отдыхать? (1) Поедете на юг или всё лето будете жить на даче? Ещё не решили?

А мы думаем провести свой отпуск (2) в Прибалтике. В прошлом году там отдыхали мои родители. Зимой отец перенёс тяжёлую болезнь, и врачи советовали ему отдохнуть в санатории. Санаторий им очень понравился. Он расположен на самом берегу Балтийского моря, в большом сосновом парке. Родители так много рассказывали о Прибалтике, что и нам захотелось побывать там. Захотелось полежать на прекрасных пляжах, подышать здоровым сосновым воздухом, посмотреть старинные литовские города. Мы поедем туда на своей машине, будем останавливаться в пансионатах и жить по нескольку дней в одном месте. В такое путешествие на машине мы отправляемся впервые. До сих пор каждое

ле́то мы проводи́ли в туристи́ческих похо́дах. Мы бы́ли на Алта́е, на Кавка́зе, в Карпа́тах, в Крыму́. После́днее ле́то мы провели́ на Кавка́зе, в путеше́ствии по Военно-Грузи́нской доро́ге. Мы броди́ли по гора́м, поднима́лись на ледники́, любова́лись сне́жными верши́нами, го́рными ре́ками и озёрами. Вечера́ми мы сиде́ли у костра́, пе́ли тури́стские пе́сни. Иногда́ ходи́ли в ла́герь альпини́стов потанцева́ть, посмотре́ть фильм. Пото́м мы спусти́лись с гор, вы́шли на побере́жье Чёрного мо́ря и две неде́ли жи́ли в ма́леньком куро́ртном городке́ Но́вый Афо́н. Там с утра́ до ве́чера мы бы́ли на мо́ре – купа́лись, ката́лись на ло́дке, загора́ли на пля́же, игра́ли в волейбо́л. И о́чень скуча́ли без гор, пала́ток и рюкзако́в... Мы хорошо́ отдохну́ли тем ле́том – попра́вились, загоре́ли, набрали́сь сил на це́лый год.

Я ду́маю, что в бу́дущем году́ мы опя́ть пое́дем на Кавка́з и́ли в Крым.

На́ши роди́тели собира́ются отдыха́ть э́тим ле́том на Во́лге. Они́ уже́ заказа́ли биле́ты на теплохо́д, кото́рый идёт по маршру́ту Москва́ – Астраха́нь – Москва́. Им хо́чется навести́ть те места́, где роди́лся и провёл своё де́тство мой оте́ц. Теплохо́д идёт от Москвы́ до Астраха́ни де́сять су́ток. Он остана́вливается во всех кру́пных во́лжских города́х – в Го́рьком, в Каза́ни, в Улья́новске, в Волгогра́де – и стои́т там не́сколько часо́в, пока́ пасса-жи́ры осма́тривают го́род. Говоря́т, что така́я пое́здка на теплохо́де – исключи́тельно интере́сный, прия́тный и поле́зный о́тдых.

КОММЕНТАРИИ

(1) Где вы бу́дете от-дыха́ть?
Where will you spend your holidays?

'to be on holidays' is the second meaning of the verb **отдыха́ть**. The main meaning is 'to rest, to have a rest'.

По́сле обе́да мы *отдыха́ем*.
After dinner we have a rest.

Отдохни́ немно́го – у тебя́ уста́лый вид.
You have to rest a little – you look tired.

(2) Мы ду́маем провести́ свой о́тпуск...
We intend to spend our holi-days... .

проводи́ть/провести́ о́тпуск
to spend one's holidays

быть в о́тпуске
to be on leave, on holiday

идти́ в о́тпуск
to go on leave

Кани́кулы indicates holidays (vacation) for students and schoolchildren. Holidays of people working at a job are expressed by **о́тпуск**.

ДИАЛОГИ

I

– Где вы бу́дете отдыха́ть в э́том году́?

– Я реши́л провести́ свой о́тпуск на ю́ге, в Ялте. Я купи́л путёвку в дом о́тдыха. Бу́ду купа́ться, загора́ть, броди́ть по гора́м.

– Вы пое́дете туда́ впервы́е? Я не́сколько раз быва́л в Ялте. (1) Э́то чуде́сный куро́ртный го́род. В како́м ме́сяце вы пое́дете туда́?

– Я бу́ду там с середи́ны ию́ля до конца́ а́вгуста.

– Прекра́сный сезо́н! Обы́чно в Крыму́ в э́то вре́мя стои́т хоро́шая пого́да, мо́ре споко́йное. И о́чень мно́го фру́ктов. Вы хорошо́ отдохнёте там.

II

– Тебя́ совсе́м не ви́дно. Где ты пропада́ешь?

– Мы бы́ли на Кавка́зе. Мы прое́хали на маши́не по маршру́ту Москва́ – Тбили́си – Со́чи – Москва́. Путеше́ствие бы́ло о́чень интере́сным.

– А ско́лько дней продолжа́лась ва́ша пое́здка?

– Ме́сяц. Неде́лю мы бы́ли в гора́х, неде́лю в пути́ и две неде́ли жи́ли на берегу́ Чёрного мо́ря, недалеко́ от Со́чи. А ты уже́ отдыха́л?

– Нет ещё. Мы с дру́гом че́рез два дня уезжа́ем в Карпа́ты.

– В дом о́тдыха?

– Нет, в туристи́ческий похо́д. Снача́ла немно́го побро́дим по леса́м и гора́м, а пото́м побыва́ем во Льво́ве и Ужгоро́де.

– Ну, что ж, счастли́вого пути́!

III

– Здра́вствуй, Игорь! Говоря́т, ты собира́ешься идти́ в о́тпуск? (2) Почему́ ты реши́л отдыха́ть зимо́й?

– Я пое́ду на́ две неде́ли на спорти́вную ба́зу. Хочу́ походи́ть на лы́жах.

– А пото́м всё ле́то бу́дешь рабо́тать?

– Нет, зимо́й я испо́льзую то́лько полови́ну своего́ о́тпуска – две неде́ли. А две неде́ли бу́ду отдыха́ть ле́том – пое́ду к роди́телям на Во́лгу.

IV

– Где вы бу́дете отдыха́ть в э́том году́?

– В до́ме о́тдыха в Со́чи.

– Вы пое́дете оди́н и́ли с жено́й?

– С жено́й.

– Это, наве́рное, сто́ит до́рого.

– Нет, мы пла́тим то́лько три́дцать проце́нтов сто́имости путёвок, остально́е опла́чивает профсою́з.

– Путёвки на́ две неде́ли?

– Нет, на два́дцать четы́ре дня.

V

– Куда́ вы отправля́ете ле́том ва́ших дете́й?

– На ме́сяц в пионе́рский ла́герь и на ме́сяц к мои́м роди́телям в дере́вню. А где прово́дит кани́кулы ваш сын?

– Обы́чно ле́том он живёт у ба́бушки на да́че, недалеко́ от Москвы́. Но в э́том году́ он хо́чет пое́хать в ла́герь.

– Ну, и что́ же?

– Коне́чно, мы отпра́вим его́ в ла́герь. Он уже́ большо́й ма́льчик, и ему́ интере́сней быть с други́ми детьми́, чем с ба́бушкой.

КОММЕНТАРИИ

| (1) Я несколько раз бывал в Ялте. | I've been to Yalta several times. |

Бывать is a frequentative form of **быть** 'to be, to visit', etc.

Мы часто *бывали* в этой семье.	We often visited this family.
Он *бывал* у нас.	He used to visit (to come to see) us.
(2) Ты собираешься идти в отпуск?	Are you going on holiday?

Собираться + *infinitive* means 'to be going to, to be about to'.

| Он *собирается поступать* в университет. | He is about to begin (to enter) the University. |
| Я *собираюсь написать* об этом статью. | I am about to write an article about this. |

УПРАЖНЕНИЯ

I. Ответьте на вопросы.

1. Когда вы обычно отдыхаете – летом или зимой?
2. Где вы обычно проводите свой отпуск?
3. Где вы отдыхали в прошлом году?
4. Вы отдыхаете один или с семьёй?
5. Вы любите туристические походы?
6. Что вы предпочитаете – отдыхать на одном месте или путешествовать?
7. Когда вы собираетесь пойти в отпуск в этом году?
8. У вас большой отпуск?
9. Где вы думаете отдыхать в этом году?
10. Где проводят лето ваши дети?

II. Ответьте на вопросы, поставив слова, стоящие справа, в нужной форме с нужным предлогом.

1. Куда вы ездили летом?	наши родители, Прибалтика
2. Где отдыхают ваши дети?	пионерский лагерь, берег Чёрного моря
3. С кем вы были в прошлом году на Кавказе?	мои коллеги, мои друзья
4. Кому вы рассказывали о поездке в Крым?	все мои друзья и знакомые
5. Где отдыхала в этом году ваша семья?	маленький курортный городок Новый Афон
6. Куда вы хотите поехать в будущем году?	Волга или Украина

155

III. Закончите предложения, вставив предлог на там, где это необходимо.

1. Мы поедем в санаторий .... Мы будем жить в санатории	месяц
2. Зоя отправила детей в деревню .... Дети будут жить в деревне	всё лето
3. Мы прожили на юге .... Мы ездили на юг	два месяца
4. Я взял книгу .... Я читал книгу	три дня
5. Мой друг уехал в Киев .... Мой друг был в Киеве	неделя
6. Этот студент будет учиться в университете .... Этот студент приехал в университет	три года

IV. Вместо точек вставьте глаголы, подходящие по смыслу.

1. Дети любят ... в море. 2. Мы ... всё лето на Чёрном море. 3. В этом году мы ... провести отпуск на Волге. 4. Вы любите ... на лодке? 5. Он хорошо ... и стал совсем чёрным. 6. Где вы обычно ... свой отпуск? (проводить, провести, купаться, загореть, собираться, кататься)

V. Замените прямую речь косвенной.

1. Павел спросил меня: «Где вы будете отдыхать летом?» 2. Я ответил: «Мы собираемся поехать в Крым». 3. Павел сказал: «Мы тоже поедем на юг». 4. «В каком месте вы будете отдыхать?» – спросил я. 5. «Мы хотим поехать в Сочи», – ответил он. 6. «Мы будем жить недалеко от вас», – сказал я.

VI. Вместо точек вставьте глагол нужного вида.

1. Мы долго ..., куда мы поедем летом. Мы ... поехать в этом году в Болгарию. (решать – решить) 2. Две недели мы ... в деревне. Мы хорошо... и вернулись в город с новыми силами. (отдыхать – отдохнуть) 3. В санатории я ... несколько писем из дома. Раз в неделю мы ходили на почту и ... там письма. (получать – получить) 4. Утром мы ... и пошли завтракать. Утром мы ... и шли завтракать. (купаться – искупаться) 5. Я уже ... вещи и ... их в чемодан. Когда я ... вещи и ... их в чемодан, вошла мама и спросила меня: «Ты всё ещё не готов?» (собирать – собрать, складывать – сложить) 6. Вчера мы были на вокзале – ... друзей в Крым. Вчера мы ... наших друзей в Крым. Через неделю и мы поедем туда. (провожать – проводить) 7. Когда туристы ... на вершину горы, им пришлось несколько раз останавливаться для отдыха. Когда туристы ... на вершину горы, вдали они увидели море. (подниматься – подняться)

VII. Напишите предложения, антонимичные данным.

Образец: Мать вошла в комнату. – Мать вышла из комнаты.

1. Наши соседи недавно уехали на Украину. 2. Он ушёл из дому рано утром. 3. Машина отъехала от нашего дома. 4. Кто-то вошёл в дом. 5. Они уехали в санаторий. 6. Мальчик подошёл к окну. 7. Они приехали к нам вечером. 8. Я вышел из вагона.

VIII. Замените предложения с деепричастными оборотами сложными предложениями. Союзы для вставки даны ниже.

Образец: Вернувшись домой, я нашёл на столе письмо. – *Когда я вернулся домой, я нашёл на столе письмо.*

1. Посмотрев на часы́, я уви́дел, что пора́ е́хать на вокза́л. 2. Подня́вшись на го́ру, тури́сты реши́ли отдохну́ть. 3. Уезжа́я в о́тпуск, я обеща́л ча́сто писа́ть домо́й. 4. Отдыха́я на ю́ге, я продолжа́л занима́ться там ру́сским языко́м. 5. Не зна́я ру́сского языка́, она́ не поняла́, о чём мы говори́ли. 6. Слу́шая переда́чи на ру́сском языке́, я стара́юсь поня́ть всё, что говори́т ди́ктор. 7. Изучи́в ру́сский язы́к, он реши́л заня́ться по́льским. 8. Попроща́вшись с друзья́ми, мы вы́шли на у́лицу. 9. Выходя́ из университе́та, я обы́чно встреча́ю э́того челове́ка. 10. Позвони́в на вокза́л, я узна́л, когда́ отхо́дит по́езд на Ленингра́д.

(*Сою́зы для вста́вки:* когда́; по́сле того́, как; и; та́к как.)

IX. Вме́сто то́чек вста́вьте дееприча́стия соверше́нного и́ли несоверше́нного ви́да.

1. ..., де́ти гро́мко смея́лись.	купа́ясь
..., де́ти вы́шли на бе́рег.	искупа́вшись
2. ..., мы говори́ли о свои́х дела́х.	обе́дая
..., мы вы́шли в сад.	пообе́дав
3. ..., тури́сты продолжа́ли свой путь.	отдыха́я
..., я не мог забы́ть о свое́й рабо́те.	отдохну́в
4. ... домо́й, я узна́л, что ко мне приходи́л мой това́рищ.	возвраща́ясь
... домо́й, я встре́тил своего́ това́рища.	возврати́вшись
5. ... на берегу́ мо́ря, мы смотре́ли на купа́ющихся.	си́дя
... на берегу́ мо́ря, мы пошли́ ката́ться на ло́дке.	посиде́в
6. ... письмо́ сы́на, мать отдала́ его́ отцу́.	чита́я
... письмо́ сы́на, мать улыба́лась.	прочита́в

X. Соста́вьте вопро́сы, на кото́рые отвеча́ли бы сле́дующие предложе́ния.

1. – ......?
   – Обы́чно мы прово́дим свой о́тпуск в дере́вне.
2. ......?
   – В про́шлом году́ мы отдыха́ли в Крыму́.
3. ......?
   – Мы жи́ли в Крыму́ полтора́ ме́сяца.
4. – ......?
   – А роди́тели – на Во́лге.
5. – ......?
   – В э́том году́ мы пое́дем на Кавка́з.
6. – ......?
   – У меня́ о́тпуск в а́вгусте.
7. – ......?
   – Да, де́ти пое́дут в пионе́рский ла́герь.

XI. Переведи́те на ру́сский язы́к.

1. – Where did you go for your summer holidays?
   – We went to the Crimea.
   – Did you have a good holiday?
   – Yes, a very good holiday.
2. Last year we spent our holiday in the South, at Yalta.
3. – This summer we want to go to the Baltic. We've never been there. They say there are wonderful beaches there and that it's not as hot as in the South.
   – If the weather is fine you can have a good holiday there.
4. We usually spend the summer in the mountains. We like walking.
5. – You are going to a sanatorium?

– Yes, I've had an operation recently and now the doctors are sending me to a sanatorium.

6. – Where are your children going in the summer?

– My eldest son–he's a student–is going to a mountaineering camp. He's a mountaineer and goes to the Caucasus every year. My youngest son is going to a Pioneer camp.

– But won't he be lonely at camp?

– No, he's a very lively boy and he always has lots of friends wherever he is.

7. – We've not made up our minds where we are going for our holidays this year.

– When is your holiday?

– In August.

– It's nice to go to the South in August, to Moldavia, for example.

8. This year we're not going anywhere, we are going to stay at our dacha near Moscow.

9. We're going to Bulgaria for two weeks in August, the rest of the time we'll be in Moscow as well.

XII. Расскажи́те, где и как вы отдыха́ли про́шлым ле́том.

17

СРЕДСТВА СООБЩЕНИЯ

Несколько лет назад мой друг Володя Петров, окончив горный институт, уехал работать на Север. Писал он редко, и мы знали о нём только то, что он жив и здоров. Мы знали, что он много работает и что работа у него интересная. И вот он снова появился в Москве.

– Сколько лет, сколько зим! (1) – встречали его друзья. – Давно тебя не было видно в Москве.

– А что делать геологу в столице? – спрашивал Володя. – Всего две недели я в Москве, а меня уже назад, в тайгу, тянет (2).

Как-то вечером, сидя у нас дома, Володя рассказал нам, как он ехал в Москву.

– Из Берёзовки, где работает наша геологическая партия, до Дудинки, морского и речного порта, около трёхсот километров. Утром я сел в поезд и через несколько часов был уже в Дудинке. Моим соседом по купе оказался весёлый, разговорчивый старик. (3) Он называл себя местным, хотя прожил в этих краях всего несколько лет. Сейчас он ехал в Красноярск к своей дочери. В Дудинке мне надо было ехать на аэродром, а ему – на речной вокзал. Когда мы стали прощаться, он спросил меня:

– А почему ты не хочешь поехать до Красноярска пароходом, посмотреть Енисей? Ты никогда не видел этой реки? (4) Ну, сынок, значит, ты ещё не видел настоящей красоты.

И старик – его звали Иваном Романовичем – убедил меня. Мы вместе отправились на речной вокзал. Посмотрели расписание: пароход отходил через три часа. Мы взяли билеты и пошли обедать.

На при́стань мы верну́лись за два́дцать мину́т до отплы́тия парохо́да. Огро́мный бе́лый теплохо́д «Ле́рмонтов» уже́ стоя́л у при́стани. Мы нашли́ свою́ каю́ту, положи́ли ве́щи и вы́шли на па́лубу. Ско́ро теплохо́д дал после́дний гудо́к и ме́дленно отошёл от при́стани. Начало́сь на́ше трёхдне́вное путеше́ствие. Ива́н Рома́нович был прав: я не устава́л любова́ться суро́вой и могу́чей красото́й Енисе́я, его́ берего́в. Стоя́ла прекра́сная пого́да, и бо́льшую часть вре́мени мы проводи́ли на па́лубе. Ми́мо плыла́ тайга́, больши́е сёла и ма́ленькие дере́вни, а я всё смотре́л вокру́г и слу́шал расска́зы Ива́на Рома́новича об э́тих места́х и о замеча́тельных лю́дях, кото́рые живу́т и рабо́тают здесь. Я был о́чень благода́рен ему́ за э́то путеше́ствие.

В Краснояр́ске мы расста́лись. Ива́н Рома́нович пое́хал к до́чери, а я – в аэропо́рт. Там я узна́л, что самолёт на Москву́ лети́т че́рез не́сколько часо́в. Я был рад э́тому, та́к как мне хоте́лось посмотре́ть го́род.

Наконе́ц я в самолёте. Огро́мный ИЛ-62 подня́лся и стал набира́ть высоту́. Че́рез де́сять мину́т мы уже́ лете́ли над облака́ми. Вы́шла бортпроводни́ца и предложи́ла нам чай, бутербро́ды, конфе́ты, а та́кже све́жие газе́ты и журна́лы. Самолёт лете́л со ско́ростью девятьсо́т киломе́тров в час, и вре́мя прошло́ незаме́тно. Но в Москве́ нас ждала́ неприя́тность: была́ гроза́ и в тече́ние ча́са аэродро́м не мог приня́ть нас. Наконе́ц гроза́ ко́нчилась, ту́чи разошли́сь, и наш самолёт приземли́лся на родно́й моско́вской земле́.

КОММЕНТАРИИ

(1) Ско́лько лет, ско́ль-
ко зим!

I haven't seen you for ages.

This is a friendly, slightly familiar greeting. In full it would be: Ско́лько лет, ско́лько зим мы не ви́делись!

(2) Меня́ наза́д, в тайгу́,
тя́нет.

I am anxious to return to the taiga.

(3) Мои́м сосе́дом по
купе́ оказа́лся весё-
лый, разгово́рчивый
стари́к.

My fellow-traveller was (turn-ed out to be) a cheerful talkative old man.

Сравните:

Весёлый, разгово́рчивый
стари́к оказа́лся мои́м
сосе́дом по купе́.

The cheerful talkative old man was travelling in the same compartment.

The difference in meaning between these two sentences is conveyed by the difference in the word order; the new, unknown factor being placed last in the sentence.

Пе́рвым лётчиком-космона́в-
том стал *Юрий Гага́рин.*

The first spaceman was Yuri Gagarin.

Юрий Гага́рин стал *пе́рвым
лётчиком-космона́втом.*

Yuri Gagarin was (became) the first spaceman.

These sentences are answers to different questions:

Кто стал пе́рвым лётчиком-космона́втом?
Кем стал Юрий Гага́рин?

(4) Ты никогда́ не ви́дел
э́той реки́?

Haven't you ever seen this river?

In Russian, as distinct from English, in addition to negative pronouns and adverbs – **никто́, никогда́, нигде́, никому́, ни о чём,** etc. – the verb must be preceded by **не**; there is, in fact, a "double" negation.

Я *никогда́ не* лета́л на самолёте.

I've *never* travelled by plane.

Мы *никуда́ не* е́здили ле́том.

We *didn't* go *anywhere* this summer.

Он *никому́ не* говори́л об
э́том.

He *didn't* tell *anyone* about this.

Ни with pronouns and adverbs does not replace the negative, it merely emphasizes it.

If a preposition is involved, it is preceded by **ни.**

– У кого́ вы мо́жете спро-си́ть об э́том?	– Whom can you ask about this?
– Я *ни у кого́ не* могу́ спро-си́ть об э́том.	– I can't ask anyone about this.

ДИАЛОГИ

I

– Я слы́шал, вы е́дете в Оде́ссу?

– Да, я до́лжен пое́хать туда́ по дела́м.

– Вы пое́дете по́ездом и́ли полети́те самолётом?

– Пое́ду по́ездом. Я уже́ купи́л биле́т.

– Когда́ вы е́дете?

– За́втра в де́вять часо́в ве́чера.

– Ско́лько часо́в идёт по́езд до Оде́ссы?

– Два́дцать во́семь часо́в.

– И надо́лго вы е́дете?

– На неде́лю.

– Счастли́вого пути́!

– Спаси́бо. До свида́ния.

II

– Да́йте, пожа́луйста, оди́н биле́т до Каза́ни.

– На како́е число́?

– На послеза́втра, на 26 ма́рта.

– Како́й ваго́н?

– Купи́рованный. Если мо́жно, да́йте ни́жнее ме́сто. Ско́лько вре́мени идёт по́езд до Каза́ни?

– Восемна́дцать часо́в. Вот ваш биле́т.

– Спаси́бо.

III

– Това́рищ проводни́к, э́то деся́тый ваго́н?

– Да. Покажи́те, пожа́луйста, ва́ши биле́ты. Проходи́те. Ва́ше купе́ тре́тье от вхо́да.

– Скажи́те, пожа́луйста, наш по́езд отправля́ется ро́вно в семь?

– Да, по́езд отхо́дит то́чно по расписа́нию. А в чём де́ло?

– Я хоте́л бы сходи́ть в буфе́т.

– Вы не успе́ете до отхо́да

162

поезда. Через пятнадцать минут я принесу чай. Или, если хотите, можете пойти в вагон-ресторан и там поужинать.

IV

– Алло, это Катя?

– Да, это я.

– Здравствуй, Катя. Это говорит Павел. Ты знаешь, что завтра уезжает Володя?

– Да, знаю.

– Ты приедешь на вокзал провожать его?

– Приеду. Только я не знаю точно, какой поезд и когда отходит.

– Поезд № 52 (номер пятьдесят два) Москва – Новосибирск, шестой вагон. Отходит в 17.45 (в семнадцать сорок пять). Не опаздывай, пожалуйста.

– Постараюсь. До свидания.

– До завтра.

Запомните:

Я жив и здоров.	I am safe and sound. (*lit.* I am alive and well.)
Все мы живы и здоровы.	We are all quite well.
Когда отходит (отправляется) поезд, пароход?	When does the train (or steamer) leave?
Когда отправляется самолёт?	When does the plane take off (leave)?
Я ничего не знаю.	I don't know anything.
Он нигде не был.	He hasn't been anywhere.
Мы ни с кем не говорили.	We didn't speak to anyone.
Она никого не видела.	She didn't see anyone.

УПРАЖНЕНИЯ

I. Ответьте на вопросы.

1. Вам часто приходится ездить?
2. Какой вид транспорта вы предпочитаете – поезд, теплоход или самолёт?
3. Каким видом транспорта пользуетесь вы, когда едете по делам?
4. Каким видом транспорта пользуетесь вы, когда едете отдыхать?
5. Вы летали на самолёте?
6. Куда вы летали последний раз?

7. Вам ча́сто прихо́дится лета́ть на самолёте?
8. Как вы себя́ чу́вствуете в самолёте?
9. Ско́лько часо́в лети́т самолёт от Ло́ндона до Москвы́?
10. Вы ча́сто е́здите на по́езде?
11. С какой ско́ростью хо́дят поезда́ в ва́шей стране́?
12. Ско́лько часо́в идёт по́езд от Ло́ндона до Манче́стера?
13. Где покупа́ют биле́ты на по́езд, на самолёт, на теплохо́д?
14. Как и куда́ вы е́здили после́дний раз?

II. Проспряга́йте сле́дующие глаго́лы:

е́хать, е́здить, идти́, лете́ть

III. Вме́сто то́чек вста́вьте оди́н из да́нных в ско́бках глаго́лов в прошедшем вре́мени.

1. В э́том году́ я ... в Сиби́рь. По доро́ге, когда́ я ... туда́, я ви́дел мно́го интере́сного. (е́хать – е́здить) 2. В про́шлом ме́сяце мы ... в Минск. Когда́ мы ... обра́тно, была́ плоха́я пого́да. (лете́ть – лета́ть) 3. Когда́ я рабо́тал в институ́те, я всегда́ ... на рабо́ту пешко́м. Вчера́, когда́ я ... домо́й, я встре́тил знако́мого. (идти́ – ходи́ть) 4. Неда́вно мой оте́ц ... в Болга́рию. Туда́ он лете́л самолётом, а обра́тно ... на по́езде. (е́хать – е́здить)

IV. В сле́дующих предложе́ниях глаго́л б ы т ь замени́те одни́м из глаго́-лов движе́ния, да́нных в ско́бках. Не забу́дьте измени́ть паде́ж существи́тельных.

Образе́ц: Мы *бы́ли* в *Крыму́.* – Мы *е́здили* в *Крым.*

1. Вчера́ мы бы́ли в теа́тре. (идти́ – ходи́ть) 2. В про́шлом году́ мы бы́ли на Кавка́зе. (е́хать – е́здить) 3. На про́шлой неде́ле он был в Ленингра́де. (лете́ть – лета́ть) 4. Неда́вно мой брат был в Ве́нгрии. (е́хать – е́здить) 5. Мы ча́сто быва́ем на стадио́не. (идти́ – ходи́ть) 6. – Где вы бы́ли? – Мы бы́ли в библиоте́ке. (идти́ – ходи́ть) 7. Он никогда́ не́ был в Сиби́ри. (е́хать – е́здить)

V. Вме́сто то́чек вста́вьте подходя́щий по смы́слу глаго́л движе́ния.

Ка́ждый год на́ша семья́ ... на юг. В про́шлом году́ мы ... на Кавка́з. Туда́ мы ... по́ездом, обра́тно ... самолётом. Когда́ мы ... туда́, в по́езде бы́ло о́чень жа́рко и на ка́ждой ста́нции мы ... из ваго́на подыша́ть све́жим во́здухом. На одно́й ста́нции, где впервы́е ря́дом с желе́зной доро́гой мы уви́дели мо́ре, по́езд стоя́л два́дцать мину́т. Все пассажи́ры ... из ваго́нов и ... купа́ться. Че́рез пятна́дцать мину́т маши́нист дал свисто́к (сигна́л), а ещё че́рез пять мину́т мы ... да́льше. На Кавка́зе мы жи́ли в Суху́ми, но мы ча́сто ... и в други́е города́.

VI. Вме́сто то́чек вста́вьте подходя́щие глаго́лы движе́ния с ну́жной приста́вкой.

В суббо́ту ве́чером мы ... из до́ма, се́ли в авто́бус и ... на вокза́л. Мы хоте́ли успе́ть на по́езд 19.05, но опозда́ли. Когда́ мы ... к ка́ссам, бы́ло уже́ шесть мину́т восьмо́го и по́езд то́лько что ... . Сле́дующий по́езд ... в 19.15. Мы купи́ли биле́ты и ... на перро́н. Электри́чка уже́ стоя́ла у платфо́рмы. Мы ... в ваго́н, размести́ли свои́ ве́щи и удо́бно размести́-лись са́ми.

До ста́нции «Тури́ст» по́езд ... о́коло ча́са. Когда́ мы ... из ваго́на, бы́ло ещё светло́. У дежу́рного по ста́нции мы спроси́ли, как ... к дере́вне

Петро́вка. Он объясни́л нам, как ... и мы ... . Мы ... три часа́. За э́то вре́мя мы ... приблизи́тельно де́сять киломе́тров. В полови́не двена́дцатого, когда́ бы́ло уже́ совсе́м темно́, мы ... в дере́вню.

VII. Да́йте отрица́тельные отве́ты на сле́дующие вопро́сы.

Образе́ц: Куда́ ты е́здил ле́том? – Я никуда́ не е́здил ле́том.

1. Куда́ вы пойдёте сего́дня ве́чером? 2. К кому́ вы пойдёте в воскресе́нье? 3. Когда́ ты ви́дел э́того челове́ка? 4. Когда́ вы бы́ли в Крыму́? 5. Кому́ вы пи́шете пи́сьма? 6. Кому́ вы рассказа́ли об э́том? 7. Кого́ он ждёт? 8. У кого́ есть тако́й уче́бник? 9. У кого́ из вас есть маши́на? 10. С кем вы говори́те по-ру́сски?

VIII. Вста́вьте вме́сто то́чек отрица́тельные местоиме́ния и наре́чия.

1. Я ... не мог найти́ ваш а́дрес. 2. В э́то воскресе́нье мы ... не пое́дем. 3. Он ... не перепи́сывается. 4. Я ... не чита́л об э́том. 5. Э́тот челове́к ... не интересу́ется. 6. Э́тот мальчи́шка ... не бои́тся. 7. Вам сего́дня ... не звони́л. 8. Он ... не́ был в Москве́. 9. Пожа́луйста, ... не говори́те об э́том.

IX. Отве́тьте на сле́дующие вопро́сы.

А. *Образе́ц:* Кто был ва́шим пе́рвым учи́телем? – Мои́м пе́рвым учи́телем был студе́нт университе́та.

1. Кто был ва́шим сосе́дом, когда́ вы жи́ли в дере́вне? 2. Кто был ва́шим дру́гом в шко́ле? 3. Кто был ва́шим учи́телем ру́сского языка́? 4. Кто был дире́ктором шко́лы, в кото́рой вы учи́лись?.

В. *Образе́ц:* Кем бу́дет ваш друг? – Мой друг бу́дет учи́телем ру́сского языка́.

1. Кем был в мо́лодости ваш оте́ц? 2. Кем был ваш де́душка? 3. Кем был ваш друг? 4. Кем вы бу́дете по́сле оконча́ния университе́та? 5. Кем хо́чет быть ва́ша сестра́? 6. Кем бу́дет ваш брат?

X. В сле́дующих предложе́ниях замени́те пряму́ю речь ко́свенной.

1. Я спроси́л дежу́рного: «Когда́ прихо́дит по́езд из Ки́ева?» Он отве́тил: «По́езд из Ки́ева прихо́дит в де́вять часо́в утра́». 2. Ни́на спроси́ла милиционе́ра: «Как пройти́ на Ленингра́дский вокза́л?» Милиционе́р отве́тил: «Пешко́м идти́ далеко́, на́до сесть на седьмо́й трамва́й». 3. Я спроси́л сосе́да по купе́: «Когда́ отхо́дит наш по́езд?» 4. Сосе́д по купе́ спроси́л меня́: «Вы не хоти́те пойти́ в ваго́н-рестора́н поу́жинать?» 5. В письме́ мой друг спра́шивал меня́: «Когда́ ты прие́дешь к нам?» Я отве́тил ему́: «Я прие́ду к вам в конце́ ме́сяца». 6. На платфо́рме проводни́ца попроси́ла нас: «Покажи́те ва́ши биле́ты». 7. На вокза́ле незнако́мый челове́к попроси́л нас: «Пожа́луйста, помоги́те мне найти́ спра́вочное бюро́».

XI. Соста́вьте вопро́сы, на кото́рые отвеча́ли бы сле́дующие предложе́ния.

1. – ......?
   – От Москвы́ до Ленингра́да по́езд идёт во́семь часо́в.
2. – ......?
   – Биле́т от Москвы́ до Ленингра́да сто́ит де́вять рубле́й.
3. – ......?
   – Наш по́езд отхо́дит в оди́ннадцать часо́в.

4. – ......?
– Да, мы бу́дем в Ленингра́де в семь часо́в утра́.
5. – ......?
– Э́тот по́езд стои́т в Росто́ве пять мину́т.
6. – ......?
– Ва́ше ме́сто в деся́том купе́.
7. – ......?
– Поу́жинать мо́жно в ваго́не-рестора́не.

XII. Переведи́те на ру́сский язы́к.

1. I'm going to Leningrad tomorrow. The train leaves at 9.15.
2. – How long does the journey from Moscow to Leningrad take?
   – Eight hours.
3. Give me two tickets to Minsk on the 27th, please.
4. – When are you going to Kiev?
   – The day after tomorrow.
   – Are you going by train or by air?
   – I'm going by air.
   – How long is it to Kiev by air?
   – I don't know exactly, I think it's one or one and a half hours.
5. My parents are going to the Crimea tomorrow. We are going to the station to see them off.
6. When the train arrived (at the station) I saw my brother on the platform. He'd come to meet me.
7. – Attendant, where are our seats, please?
   – Your seats are in compartment five.
8. – How long does the train stop at this station?
   – Five minutes.
9. The diesel stops at Sochi for three hours. You can go down to the beach and have a look at the town.
10. – How do you feel in an aeroplane?
    – All right.
11. The plane landed. The door opened and the passengers started going down the steps. There was my friend.

XIII. Расскажи́те, куда́ и как (каки́м ви́дом тра́нспорта) вы е́здили после́дний раз.

XIV. Соста́вьте диало́г ме́жду двумя́ знако́мыми, оди́н из кото́рых собира́ется куда́-нибудь е́хать.

XV. Прочита́йте и расскажи́те текст.

По́езд останови́лся на ма́ленькой ста́нции. Пассажи́р посмотре́л в окно́ и уви́дел же́нщину, кото́рая продава́ла бу́лочки. Она́ стоя́ла дово́льно далеко́ от ваго́на, и пассажи́р не хоте́л идти́ за бу́лочками сам. Ви́димо, он боя́лся отста́ть от по́езда. Он позва́л ма́льчика, кото́рый гуля́л по платфо́рме, и спроси́л его́, ско́лько сто́ит бу́лочка.

– Де́сять копе́ек,– отве́тил ма́льчик.

Мужчи́на дал ма́льчику два́дцать копе́ек и сказа́л:

– Возьми́ два́дцать копе́ек и купи́ две бу́лочки – одну́ мне, а другу́ю – себе́.

Че́рез мину́ту ма́льчик верну́лся. Он с аппети́том ел бу́лочку. Ма́льчик по́дал пассажи́ру де́сять копе́ек и сказа́л:

– К сожале́нию, там остава́лась то́лько одна́ бу́лочка.

18

МОСКОВСКИЙ ГОСУДАРСТВЕННЫЙ УНИВЕРСИТЕТ

Мой брат Николай учится на физическом факультете МГУ. Сейчас он студент четвёртого курса. Однажды он пригласил нас с Мариной в клуб университета на студенческий вечер (1). Мы пришли в университет за час до начала вечера. Марина никогда не была в новом здании университета на Ленинских горах, и Николай обещал показать нам его.

Брат встретил нас у главного входа. Как настоящий экскурсовод, он начал свой рассказ об университете с его истории:

– Московский государственный университет был открыт 27 апреля 1755 года. Его основателем был великий русский учёный Михаил Васильевич Ломоносов. Вы знаете, что наш университет носит имя Ломоносова. Сначала в университете было три факультета: медицинский, юри-

дический и философский. С давних пор университет был центром русской науки и культуры. Здесь учились Герцен, Белинский, Лермонтов, Тургенев.

Сейчас в университете шестнадцать факультетов: физический, химический, механико-математический, факультет вычислительной математики и кибернетики, биологический, почвенный, геологический, географический, исторический, философский, филологический, юридический, экономический, факультет журналистики, факультет психологии и подготовительный факультет для иностранной молодёжи.

Здесь, в высотном здании на Ленинских горах, учатся студенты естественных факультетов. Рядом построено здание для гуманитарных факультетов (2).

На скоростном лифте мы поднялись на двадцать четвёртый этаж и вышли на балкон. Вокруг главного корпуса, в котором мы находились, раскинулся университетский городок: здания факультетов, ботанический сад, спортивные площадки, обсерватория. В ясную погоду отсюда, с самой высокой точки Москвы, открывается прекрасный вид на город.

Мы спустились вниз, на шестой этаж. Николай повёл нас в один из двадцати двух читальных залов библиотеки. В за́лах занима́ются студе́нты, аспира́нты, преподава́тели и профессора́. Библиоте́ка университе́та – одна́ из богате́йших библиоте́к Сове́тского Сою́за. В её фо́ндах о́коло семи́ миллио́нов томо́в.

Из библиоте́ки мы пошли́ в общежи́тие. Никола́й показа́л нам, в каки́х ко́мнатах живу́т студе́нты. В небольшо́й, но удо́бной и све́тлой ко́мнате стои́т пи́сьменный стол, ма́ленький обе́денный стол, кни́жный шкаф, дива́н. На ка́ждом этаже́ есть ку́хни, где студе́нты мо́гут гото́вить обе́д. Но студе́нты ре́дко гото́вят до́ма. В зда́нии университе́та четы́ре столо́вых, не́сколько буфе́тов, магази́н, по́чта, телегра́ф, парикма́херская, поликли́ника.

– Е́сли студе́нт бои́тся моро́зов, он мо́жет всю зи́му прожи́ть в зда́нии, не выходя́ на у́лицу,– пошути́л я.

– У вас есть таки́е студе́нты? – пове́рила Мари́на.

– Коне́чно, нет,– оби́делся Никола́й.– Почти́ все на́ши студе́нты занима́ются спо́ртом. Идёмте, я покажу́ вам гимнасти́ческий зал и бассе́йн, пото́м пойдём в клуб.

Когда́ мы пришли́ в клуб, зал был уже́ по́лон. Мы нашли́ свобо́дные места́, се́ли, и Никола́й рассказа́л нам немно́го о клу́бе.

В клу́бе, и́ли в До́ме культу́ры, как его́ называ́ют, рабо́тает о́коло тридцати́ кружко́в худо́жественной самоде́ятельности (3): студе́нты пою́т в хо́ре, танцу́ют, игра́ют в орке́стре; у них есть свой студе́нческий теа́тр. Зри́тельный зал клу́ба вмеща́ет восемьсо́т зри́телей. Почти́ ка́ждый день здесь мо́жно посмотре́ть что́-нибудь интере́сное: спекта́кль, но́вый фильм, конце́рт.

В тот ве́чер в клу́бе была́ встре́ча студе́нтов МГУ со студе́нтами Ленингра́дского университе́та. В за́ле пога́с свет, на сце́ну вы́шел студе́нт, и начался́ конце́рт.

На э́том зако́нчилась на́ша экску́рсия по Моско́вскому университе́ту.

КОММЕНТАРИИ

(1) студе́нческий ве́чер student evening

Ве́чер is used in the sense of a literary evening or social gathering.

За́втра у нас в клу́бе бу́дет *ве́чер*.	Tomorrow there will be a social evening at our club.
Вчера́ мы бы́ли на *ве́чере* в университе́те.	Last night we were at a concert in the university.

(2) гуманита́рные фа-культе́ты	arts faculties
гуманита́рные нау́ки	arts
есте́ственные фа-культе́ты	science faculties
есте́ственные нау́ки	natural sciences
(3) кружо́к худо́жест-венной самоде́ятель-ности	student amateur societies which organize concerts and literary evenings where students themselves perform
худо́жественная само-де́ятельность	amateur cultural activities

ДИАЛОГИ

I

– Вы у́читесь в МГУ?
– Да.
– На како́м факульте́те?
– На хими́ческом.
– На како́м ку́рсе?
– На пя́том.
– Ско́лько лет у́чатся в университе́те?
– Пять лет.
– Зна́чит, вы ско́ро ко́нчите университе́т?
– Да, в э́том году́. Че́рез два ме́сяца я бу́ду защища́ть дипло́м, пото́м сдава́ть госуда́рственные экза́мены. И по́сле э́того я получу́ дипло́м об оконча́нии университе́та.

II

– Вы студе́нт?
– Да, я студе́нт.
– А где вы у́читесь?
– Я учу́сь в Моско́вском университе́те, на истори́ческом факульте́те.
– Я ви́жу, вы не москви́ч. (1)
– Да, я поля́к, и до про́шлого го́да жил у себя́ на ро́дине, в По́льше.
– Ско́лько вре́мени вы живёте в Москве́?
– Уже́ семь ме́сяцев.

— Вы хорошо говорите по-русски. Вы давно изучаете русский язык?

— До приезда в Советский Союз я почти не знал языка. Я умел только читать по-русски. А сейчас я свободно говорю, слушаю лекции на русском языке и через два месяца буду сдавать экзамены по истории и литературе вместе с русскими студентами.

— Какие предметы вы изучаете сейчас?

— Историю, литературу, философию, русский язык. Кроме русского я изучаю ещё и чешский язык, так как хочу специализироваться по истории славянских стран.

III

— Здравствуй, Виктор!

— Здравствуй, Джон! Как твои дела?

— Спасибо, хорошо. У нас сейчас сессия. (2) Я уже сдал три экзамена. Завтра сдаю последний. (3)

— Как сдаёшь?

— Пока всё на «отлично».

— А что сдаёшь завтра?

— Математику.

— Ну, ни пуха ни пера! (4)

IV

— Нина, где работает ваш брат?

— Игорь? Он сейчас не работает. В прошлом году он поступил в аспирантуру.

— Он экономист?

— Да, он кончил экономический факультет. Сейчас он пишет диссертацию. Игорь очень много работает. Я уверена, что он успешно защитит её.

— Он получает стипендию?

— Конечно.

— Какая у него стипендия?

— Сто тридцать рублей.

КОММЕНТАРИИ

(1) — Я вижу, вы не москвич.

— Да, я поляк.

— I see you are not a Muscovite.

— No, I am not. I am a Pole.

When the question is in the negative (form), answers such as the following may be given:

   – Вы не москви́ч?

1. – *Нет,* я не москви́ч.	– No, I am not.
2. – *Да,* я не москви́ч.	– No, I am not.
3. – *Нет,* я москви́ч.	– Yes, I am.

In answer (1) the fact (of being a Muscovite) is negated. In answers (2), (3) the supposition made in the question is negated or confirmed:

      2. Да, (you are right) я не москви́ч.
      3. Нет, (you are wrong) я москви́ч.

When the question contains a negation there must be some negation in the answers. The answer to the question **Вы не москви́ч?** cannot be **Да, я москви́ч.**

– Вы никогда́ не́ были в Москве́?	– You have never been to Moscow?
– *Нет,* никогда́ не́ был.	– *No,* never.
– *Да,* никогда́ *не́* был.	– *No,* never.
– *Нет,* был в про́шлом году́.	– *Yes,* I have. I was there last year.
– Вы не говори́те по-ру́сски?	– You don't speak Russian?
– *Нет,* не говорю́.	– *No,* I don't.
– *Да, не* говорю́.	– *No,* I don't.
– *Нет,* говорю́.	– *Yes,* I do.

(2) У нас сейча́с се́ссия.	It is now exam time.
(3) За́втра сдаю́ пос-ле́дний (экза́мен).	Tomorrow I shall take my last examination.

In Russian the present tense is often used loosely for the future:

За́втра *сдаю́.*	instead of	За́втра *бу́ду сдава́ть.*
Вы *идёте* в суббо́ту на ве́чер?	instead of	Вы *пойдёте* в суббо́ту на ве́чер?
Вы *е́дете* в Ленингра́д за́втра и́ли послеза́втра?	instead of	Вы *пое́дете* в Ленингра́д за́втра и́ли послеза́втра?

(4) Ни пу́ха ни пера́!	Good luck!

Запомните:

учи́ться в университе́те		to study at the University
– на факульте́те		at the faculty
– на пе́рвом ку́рсе		in the first year
поступа́ть ⎫ поступи́ть ⎬	в университе́т	to enter (to begin) University
конча́ть ⎫ ко́нчить ⎬	университе́т	to graduate from the University
сдава́ть ⎫ сдать ⎬	экза́мен	to take ⎫ to pass ⎬ examination
защища́ть ⎫ защити́ть ⎬	дипло́м, диссерта́цию	to defend a diploma, a degree thesis

УПРАЖНЕНИЯ

I. Отве́тьте на вопро́сы.

A. 1. Когда́ был осно́ван Моско́вский университе́т?
2. Ско́лько факульте́тов в Моско́вском университе́те?
3. Где нахо́дится но́вое зда́ние Моско́вского университе́та?
4. Каки́е факульте́ты называ́ются гуманита́рными?
5. Каки́е факульте́ты называ́ются есте́ственными?
6. Где занима́ются студе́нты?
7. Где они́ слу́шают ле́кции?
8. Где отдыха́ют студе́нты?
9. Где они́ занима́ются спо́ртом?
10. Где живу́т студе́нты-немосквичи́?

B. 1. В како́м университе́те вы у́читесь?
2. Когда́ был осно́ван ваш университе́т?
3. Каки́е факульте́ты есть в ва́шем университе́те?
4. На како́м факульте́те вы у́читесь?
5. Кака́я у вас специа́льность?
6. Каки́е предме́ты вы изуча́ете?
7. Кем вы бу́дете по́сле оконча́ния университе́та?
8. Где бы вы хоте́ли рабо́тать по́сле оконча́ния университе́та?

II. Переде́лайте предложе́ния, замени́в вы́деленные слова́ сочета́нием оди́н из + роди́тельный паде́ж.

Образец: Это *наш преподава́тель.*–Это *оди́н из на́ших преподава́телей.*

1. В университе́те я встре́тил *своего́ знако́мого.* 2. В за́ле я уви́дел *на́шего студе́нта.* 3. Я вспо́мнил о *своём това́рище.* 4. Джон – *англи́йский студе́нт, обуча́ющийся в Моско́вском университе́те.* 5. На́ша библиоте́ка – *са́мая больша́я и бога́тая университе́тская библиоте́ка.* 6. Ко мне подошёл *оди́н преподава́тель.* 7. Я взял в библиоте́ке *но́вую кни́гу.*

173

III. Замените активные конструкции пассивными.

Образец: Московский университет *основал* М. В. Ломоносов. – Московский университет *основан* М. В. Ломоносовым.

1. Это здание построили двести лет назад. 2. В нашем районе скоро откроют новую библиотеку. 3. Все студенты успешно сдали экзамены. 4. В лаборатории всё приготовили для занятий. 5. На собрании объявили, что экзамены начнутся 25 мая. 6. Письмо послали только вчера.

IV. Вместо точек вставьте местоимение с в о й или другие притяжательные местоимения.

1. В ... университете шестнадцать факультетов. 2. Студенты любят ... университет. Студенты–патриоты ... университета. 3. Аспирант показал профессору ... диссертацию. Профессору понравилась ... диссертация. 4. Лектор заинтересовал нас ... докладом. Я внимательно слушал ... доклад. После ... доклада лектор отвечал на ... вопросы. 5. Я взял книгу у ... товарища. Я потерял ... книгу. 6. Профессор Громов прекрасно знает ... специальность и очень интересно читает лекции. На ... лекциях всегда много народу.

V. Вместо точек вставьте глаголы в нужной форме. Перескажите текст.

1. Вчера в Москву ... делегация английских преподавателей русского языка. Сегодня утром делегаты ... в Московский университет. Они ... туда на автобусе. Автобус ... к главному входу. Все ... из автобуса. Многие начали фотографировать здание университета. Когда делегаты ... в здание, к ним ... молодая девушка. «Вы преподаватели из Англии? Я ваш экскурсовод».

(ехать, поехать, приехать, подъехать, войти, выйти, подойти)

VI. Замените сложные предложения простыми.

Образец: До того как я приехал в Лондон, я жил в Бристоле.– До приезда в Лондон я жил в Бристоле.

1. До того как я поступил в университет, я работал на заводе. 2. Я никогда не говорил по-русски, до того как встретил вас. 3. Он стал работать в библиотеке, после того как окончил школу. 4. После того как я окончу университет, я буду работать преподавателем. 5. Я много слышал о вас ещё до того, как познакомился с вами. 6. До того как начнутся экзамены, осталось две недели. 7. После того как вы поужинаете, приходите в клуб.

VII. Вставьте союз ч т о или ч т о б ы.

1. Я знаю, ... завтра у вас экзамен. 2. Я думаю, ... мы хорошо сдадим этот экзамен. 3. Я хочу, ... наши студенты хорошо сдали этот экзамен. 4. Вы знаете, ... сегодня у нас не будет лекции по биохимии? 5. Вы думаете, ... наш преподаватель заболел? 6. Мы заметили, ... на последнем занятии наш преподаватель плохо себя чувствовал. 7. Мы хотим, ... завтра у нас было занятие по биохимии. 8. Мне кажется, ... я уже читал эту книгу. 9. Мне хочется, ... вы прочитали эту книгу.

VIII. Замените прямую речь косвенной.

1. Преподаватель сказал нам: «Завтра мы начнём изучать новую тему». Один студент спросил: «Какую тему мы начнём изучать?» 2. Студентка попросила преподавателя: «Объясните, пожалуйста, это

пра́вило ещё раз». 3. Преподава́тель спроси́л: «Когда́ у вас бы́ло после́днее заня́тие по ру́сскому языку́?» Мы отве́тили: «В про́шлую пя́тницу». 4. Профе́ссор сказа́л нам: «Обяза́тельно прочита́йте э́ту кни́гу». 5. Мой сосе́д спроси́л меня́: «Ты по́нял после́днюю ле́кцию?» 6. Оди́н студе́нт спроси́л меня́: «Вы всё по́няли в после́дней ле́кции?» 7. В общежи́тии я спроси́л: «Мне нет письма́?» Дежу́рный отве́тил: «Вам есть письмо́». 8. В письме́ мой друг пи́шет: «Мне о́чень хо́чется прие́хать в Москву́».

IX. Прочита́йте да́ты:

а) 27 апре́ля 1755 го́да, 14 ию́ля 1789 го́да, 7 ноября́ 1917 го́да, 1 января́ 1930 го́да, 18 ма́рта 1942 го́да, 12 апре́ля 1961 го́да;
б) 10/II 1830 г., 15/IV 1924 г., 31/VII 1951 г., 2/IX 1893 г., 23/XII 1755 г., 6/VI 1963 г.

X. Соста́вьте вопро́сы, на кото́рые отвеча́ли бы сле́дующие предложе́ния.

1. – ......?
   – Моско́вский университе́т был осно́ван Ломоно́совым.
2. – ......?
   – В высо́тном зда́нии у́чатся студе́нты есте́ственных факульте́тов.
3. – ......?
   – Мой брат у́чится на филосо́фском факульте́те.
4. – ......?
   – Да, он получа́ет стипе́ндию.
5. – ......?
   – Послеза́втра мы сдаём экза́мен по исто́рии.
6. – ......?
   – Обы́чно я занима́юсь в библиоте́ке университе́та.
7. – ......?
   – По́сле оконча́ния университе́та я бу́ду преподава́телем ру́сского языка́.

XI. Переведи́те на ру́сский язы́к.

1. There are six faculties in our university. I'm in the history faculty. I'm reading (*lit.* studying) Russian history. When I leave the university I'm going to teach history.
2. My brother is a second year student (*lit.* in his second year) at the university. He's doing Russian language and literature. He wants to be a teacher.
3. – Are you a student or are you working?
   – I'm studying.
   – Where?
   – At the university.
4. There are students from 90 countries at Moscow University.
5. A university course lasts five years. (*lit.* They study for five years at the university.)
6. – What subjects do students take in their first year in the Arts Faculty?
   – History, Old Russian Literature and History of the Russian Language.
7. This student works very hard.
8. – Where do you like to work, at home or in the library?
   – I like working in the library.
9. Our students are fond of sports. Some play football or volley-ball, others do gymnastics, others go swimming.

10. There are amateur societies in the students' union (*lit.* university club). I'm a member of the Dramatic Society.

11. – I've not seen you for a long time.
    – We've got exams.
    – How are you getting on?
    – All right, so far.
    – How many exams have you done?
    – Three.
    – How many more are there?
    – One.
    – What are you doing after the exams?
    – I'm going home to my parents.

XII. Расскажи́те о ва́шем университе́те.

XIII. Соста́вьте диало́г ме́жду студе́нтами, сдаю́щими экза́мены.

XIV. Прочита́йте и расскажи́те шу́тки.

Оди́н челове́к прие́хал в го́род навести́ть сы́на, кото́рый учи́лся в университе́те. Он подошёл к до́му, где жил его́ сын, и позвони́л.

Дверь откры́ла пожила́я же́нщина, хозя́йка кварти́ры.

– Здесь живёт студе́нт Джон Смит?

– Он студе́нт? А я ду́мала, что он ночно́й сто́рож,– отве́тила хозя́йка.

* * *

– У меня́ сего́дня экза́мен, а я ничего́ не зна́ю.

– О чём же ты ду́мал вчера́?

– Вчера́ я ду́мал о том, что за́втра у меня́ экза́мен, а я ничего́ не зна́ю.

* * *

Оди́н профе́ссор отдыха́л на берегу́ мо́ря. Одна́жды он реши́л поката́ться на ло́дке. Си́дя на ло́дке, он заговори́л с матро́сом.

– Скажи́, мой друг,– спроси́л он,– ты хорошо́ зна́ешь фи́зику?

– Извини́те,– сказа́л матро́с,– я не зна́ю фи́зики.

– Несча́стный,– воскли́кнул профе́ссор,– ты потеря́л треть жи́зни.

Че́рез не́сколько мину́т профе́ссор спроси́л:

– Но ты, наве́рное, хорошо́ зна́ешь астроно́мию?

– Нет,– отве́тил матро́с,– я никогда́ не изуча́л астроно́мии.

– Несча́стный,– повтори́л профе́ссор,– ты потеря́л две тре́ти свое́й жи́зни.

В э́то вре́мя подня́лся си́льный ве́тер и ло́дка ста́ла тону́ть.

– Вы уме́ете пла́вать? – спроси́л матро́с профе́ссора.

– Нет, не уме́ю,– жа́лобно простона́л профе́ссор.

– Держи́тесь за меня́, да кре́пче. Ина́че вы потеря́ете три тре́ти свое́й жи́зни сра́зу.

19

ЭКСКУРСИЯ ПО МОСКВЕ

Дороги́е чита́тели!

Предлага́ем вам соверши́ть небольшу́ю экску́рсию по Москве́. Предста́вьте себе́, что мы с ва́ми нахо́димся в са́мом це́нтре Москвы́ – на Кра́сной пло́щади. Пе́ред на́ми Кремль – стари́нная кре́пость, окружённая стено́й с высо́кими ба́шнями. В Кремле́ заседа́ет Верхо́вный Сове́т СССР и РСФСР, собира́ются съе́зды Коммунисти́ческой па́ртии Сове́тского Сою́за, прохо́дят всесою́зные совеща́ния рабо́тников промы́шленности, се́льского хозя́йства, нау́ки и культу́ры.

Нале́во от нас – храм Васи́лия Блаже́нного, па́мятник ру́сской архитекту́ры XVI ве́ка. Напра́во – Истори́ческий музе́й. Пе́ред Кремлёвской стено́й – Мавзоле́й В. И. Ле́нина. Ежедне́вно ты́сячи москвиче́й и госте́й Москвы́ прихо́дят сюда́, что́бы почти́ть па́мять вели́кого челове́ка и вождя́.

Отсю́да по ти́хим у́лицам Замоскворе́чья и но́вому широ́кому Ле́нинскому проспе́кту мы с ва́ми пое́дем на Ле́нинские го́ры. В 1953 году́ здесь бы́ло постро́ено огро́мное зда́ние Моско́вского госуда́рственного университе́та. С балко́на два́дцать четвёртого этажа́ открыва́ется прекра́сная панора́ма Москвы́. Внизу́, пря́мо пе́ред на́ми, Лужники́ – Центра́льный стадио́н и́мени В. И. Ле́нина. Это це́лый ко́мплекс спорти́вных сооруже́ний: стадио́н на сто ты́сяч челове́к, Дворе́ц спо́рта, бассе́йн, деся́тки спорти́вных площа́док. Сюда́ на соревнова́ния и дру́жеские спорти́вные встре́чи ча́сто приезжа́ют спортсме́ны из ра́зных концо́в Сове́тского Сою́за и други́х стран ми́ра.

Немно́го праве́е стадио́на вы ви́дите двухъя́русный мост че́рез Москву́-реку́ для пешехо́дов, автотра́нспорта

Москва́. Кра́сная пло́щадь.

и метро́. За мосто́м вдоль Москвы́-реки́ тя́нется сплошна́я зелёная полоса́ Па́рка культу́ры и о́тдыха и́мени Го́рького. Спра́ва от университе́та вы ви́дите кварта́лы больши́х жилы́х домо́в. Это но́вый райо́н Москвы́, вы́росший на ю́го-за́паде столи́цы за после́дние десятиле́тия. На приме́ре э́того райо́на ви́дно, как меня́ется о́блик на́шего го́рода. Сего́дняшняя Москва́ — го́род широ́ких проспе́ктов, на́бережных, зелёных бульва́ров, краси́вых мосто́в, но́вых многоэта́жных зда́ний. Отсю́да, с Ле́нинских гор, по на́бережной Москвы́-реки́ мы прое́дем к гости́нице «Украи́на». Это одно́ из высо́тных зда́ний Москвы́. Зате́м мы выезжа́ем на Садо́вое кольцо́, широ́кой ле́нтой опоя́сывающее центра́льную часть го́рода.

Мы е́дем по кольцу́ ми́мо высо́тного жило́го до́ма на пло́щади Восста́ния, ми́мо До́ма-музе́я Че́хова, ми́мо Конце́ртного за́ла и́мени Чайко́вского.

На пло́щади Маяко́вского мы повора́чиваем напра́во и выезжа́ем на центра́льную у́лицу Москвы́ — у́лицу Го́рького. Мы е́дем к це́нтру го́рода. Сле́ва остаётся па́мятник Пу́шкину, па́мятник основа́телю Москвы́ — кня́зю Юрию Долгору́кому, спра́ва — Музе́й Револю́ции, зда́ние Моско́вского Сове́та, Центра́льный телегра́ф. Мелька́ют витри́ны магази́нов, назва́ния кинотеа́тров, гости́ниц, рестора́нов, кафе́.

Впереди́ видны́ ба́шни Кремля́, но мы свернём нале́во — на пло́щадь Свердло́ва. Здесь мы выхо́дим из авто́буса и остана́вливаемся пе́ред зда́нием, кото́рое, наверное, уже знакомо вам. Это Большой театр – гордость москвичей, театр, заслуженно пользующийся славой не только в нашей стране, но и за рубежом. На этой же площади находятся Малый театр и Центральный детский театр, поэтому до сих пор иногда эту площадь называют Театральной.

Напротив Большого театра, в сквере, стоит памятник Карлу Марксу. А немного дальше, на площади Револю́ции, находится здание, в котором стремится побывать каждый, кто приезжает в Москву. Это Музей Владимира Ильича Ленина.

Наша экскурсия подходит к концу. Конечно, мы с вами видели лишь небольшую часть из того интересного, что стоит посмотреть в Москве. Одних музеев в Москве более восьмидесяти, среди них Третьяковская галерея, Музей изобразительных искусств имени Пушкина, Дом-музей Льва Толстого, Политехнический музей, Музей истории и реконструкции Москвы. Но самое интересное в Москве – это москвичи, энергичные, жизнерадостные, приветливые и гостеприимные люди. В этом вы можете убедиться сами. Приезжайте в Москву – посмотрите город, познакомьтесь с москвичами, поговорите с ними по-русски.

КАК МЫ ГОВОРИ́М В РА́ЗНЫХ СЛУ́ЧАЯХ
WHAT WE SAY ON DIFFERENT OCCASIONS

При встре́че мы говори́м:

On meeting people we say:

До́брое у́тро!
Good morning!

До́брый день!
Good afternoon!

До́брый ве́чер!
Good evening!

Здра́вствуй(те)!
How do you do!

О́чень рад вас ви́деть!
I am very glad to see you.

Ско́лько лет, ско́лько зим!
I haven't seen you for ages!

Кака́я прия́тная встре́ча!
How wonderful meeting you!

При расстава́нии мы гово-ри́м:

When taking leave we say:

До свида́ния!
Good-bye!

До за́втра (до ве́чера, до суббо́ты, до сле́дующей неде́ли).
Till tomorrow (tonight, Saturday, next week).

До ско́рой встре́чи.
See you soon.

Наде́юсь, ско́ро уви́димся.
Hope to see you soon.

Всего́ хоро́шего.
All the best.

Приве́т всем.
My regards to all.

Переда́йте приве́т всем знако́мым.
My regards to all our friends.

Приве́т и наилу́чшие пожела́ния ва́шей семье́.
Remember me to your family.

Счастли́вого пути́!
I wish you a happy journey!

Прия́тного путеше́ствия!
A happy journey to you!

Споко́йной но́чи!
Good night!

Когда́ мы хоти́м кого́-нибудь поздра́вить, мы говори́м:	**When we want to congratulate a person we say:**
Поздравля́ю вас с пра́здником (с днём рожде́ния, с Но́вым го́дом)!	I congratulate you on the occasion (of your birthday, of the New Year)!
С пра́здником!	Best wishes of the season!
С днём рожде́ния!	Many happy returns of the day!
С Но́вым го́дом!	A happy New Year to you!
Поздравля́ю вас с... и жела́ю вам успе́хов в рабо́те (учёбе) и сча́стья.	I congratulate you on...and I wish you success in your work (studies) and happiness.
Жела́ю успе́хов во всём и сча́стья!	I wish you every success and happiness!
При знако́мстве мы говори́м:	**When we have been introduced we say:**
Вы не знако́мы?	Have you met before?
Познако́мьтесь.	
Разреши́те предста́вить вам...	May I introduce...to you?
Разреши́те предста́вить вас...	May I introduce you to...?
Очень рад познако́миться с ва́ми.	I am pleased to meet you.
Если мы хоти́м обрати́ться с про́сьбой, мы говори́м:	**When we want to ask a person for a favour we say:**
Скажи́те, пожа́луйста...	Please tell me...
Бу́дьте добры́...	Will you be so kind as...?
Не ска́жете ли вы...?	Would you kindly tell me...?
Вы не ска́жете мне...?	Can you tell me...?
Разреши́те спроси́ть вас...?	Would you mind telling me...?
Мо́жно спроси́ть вас...?	May I ask you...?
Мо́жно вас попроси́ть...?	May I ask you...?
Если мы хоти́м попроси́ть извине́ния, мы говори́м:	**When we want to apologize we say:**
Прости́те, пожа́луйста.	I am sorry.
Извини́те, пожа́луйста.	Excuse me.
Прошу́ прости́ть меня́.	
Прошу́ извине́ния.	I beg your pardon.

В ответ на извинение мы говорим:

Ничего, пожалуйста.
Ничего, не беспокойтесь.
Пустяки, ничего страшного.

Если мы хотим поблагодарить кого-нибудь, мы говорим:

Спасибо.
Большое (огромное) спасибо.
Благодарю вас.
Я вам очень благодарен (благодарна).
Я вам так благодарен (благодарна).
Я вам очень признателен (признательна).

В ответ на благодарность мы говорим:

Пожалуйста.
Не стоит говорить об этом.

Если мы хотим выразить наше согласие, мы говорим:

Да.
Хорошо.
Да, конечно.
Разумеется.
Думаю, что это так.
По-моему, вы правы.
Я с вами вполне согласен (согласна).
Совершенно верно.
Без сомнения.

Если мы хотим выразить несогласие, мы говорим:

Я не согласен (согласна) с вами.
Боюсь, что вы не правы.

In reply to an apology we say:

Don't mention it.
It's all right.
It doesn't matter.

When we want to express our gratitude we say:

Thanks.
Thank you very much indeed.
Thank you.
I am very grateful to you.

I am so grateful to you.

I am extremely grateful to you.

In reply to an expression of gratitude we say:

It's all right.
Don't mention it.

When we want to express our agreement we say:

Yes.
All right.
Yes, of course.
Certainly.
I think so.
I think you are right.
I quite agree with you.

Quite right.
Undoubtedly.

When we want to express disagreement we say:

I can't agree with you.

I am afraid you are wrong.

К сожале́нию, я не могу́ согласи́ться с ва́ми.	I am sorry, but I can't agree with you.
Я ду́маю ина́че.	I think differently.
Нет, я не могу́.	No, I can't.
Спаси́бо, я не хочу́.	Thank you, but I don't want (that).

Мы о́чень ча́сто задаём сле́дующие вопро́сы:

We very often ask these questions:

Что э́то?	What is that?
Что с ва́ми?	What is the matter with you?
Что случи́лось?	What has happened?
Что э́то зна́чит?	What does that mean?
Что но́вого?	What is the news?
Прости́те, что вы сказа́ли?	I beg your pardon. (I didn't catch what you said.)
Как вы сказа́ли?	
Что вы име́ете в виду́?	What do you mean?
Что бы вы хоте́ли (купи́ть, заказа́ть)?	What would you like (to buy, to order)?
Что идёт (в кино́, в теа́тре)?	What is on (at the cinema, at the theatre)?
Что сего́дня в програ́мме?	What is on the programme?
Кто э́то?	Who is that (he, she)?
Кто э́тот челове́к?	Who is that person?
Кто э́то был?	
Кто приходи́л?	Who was that?
Кто вам сказа́л об э́том?	Who told you that?
Как вас зову́т?	
Как ва́ше и́мя?	What is your name?
Как пожива́ете?	How are you getting on?
Как дела́?	How are things?
Как вы себя́ чу́вствуете?	
Как (ва́ше) здоро́вье?	How are you?
Как семья́?	How are your family?
Как де́ти?	How are your children?
Как вы провели́ пра́здники (кани́кулы)?	How did you spend the holiday (vacation)?
Как называ́ется э́та кни́га (э́тот фильм, э́та у́лица)?	What is the title of that book? What is the name of this film (of this street)?
Как вам нра́вится...?	How do you like...?
Как по-ру́сски...?	What is the Russian for...?
Как прое́хать...?	
Как пройти́...?	How do I get to...?
Как дое́хать до...?	

Как до́лго вы жда́ли нас?	How long have you been waiting for us?
Как ча́сто вы хо́дите в теа́тр?	How often do you go to the theatre?
Ско́лько раз вы бы́ли в Сове́тском Сою́зе?	How many times did you visit the Soviet Union?
Ско́лько сто́ит...?	How much is...?
Ско́лько вам биле́тов?	How many tickets do you need?
Ско́лько лет ва́шему сы́ну (ва́шей до́чери)?	How old is your son (daughter)?
Како́й сего́дня день (неде́ли)?	What day of the week is today?
Како́е сего́дня число́?	What is today's date?
Кото́рый час?	What time is it?
Кака́я ра́зница ме́жду...?	What is the difference between...?
Кака́я э́то остано́вка?	What stop is this?
В чём де́ло?	What is the matter?
О чём идёт речь?	What is it all about?

VOCABULARY

Abbreviations

acc. – accusative case
adj. – adjective
adv. – adverb
colloq. – colloquial
comp. – comparative
conj. – conjunction
dat. – dative case
f – feminine gender
fut. – future
gen. – genitive case
gen. pl. – genitive plural
imp. – imperfective aspect
impers. – impersonal
instr. – instrumental case

m – masculine gender
n – neuter gender
not decl. – not declined
num. – numeral
p – perfective aspect
part. – participle
pers. – person
pl. – plural
predic. – predicate
prep. – preposition
prepos. – prepositional case
pron. – pronoun
I – ist conjugation
II – 2nd conjugation

А, а

а *conj.* while, and; but
авиапо́чт|а *f* airmail; **(посыла́ть)** ~ **ой** send by airmail
авто́бусн|ый, -ая, -ое; -ые bus; ~ **ая остано́вка** bus stop
автомаши́на *f or* **маши́на** *f* motor-car
авторучка *f* (*gen. pl.* авторучек) fountain-pen
адреса́т *m* addressee
англи́йск|ий, -ая, -ое; -ие English; ~ **язы́к** English
англича́нин *m* (*pl.* англича́не, англича́н) Englishman
апте́ка *f* chemist's (shop); drugstore
арти́ст *m* actor
арти́стка *m* (*gen. pl.* арти́сток) actress
аспира́нт *m* post-graduate (student)
аспиранту́ра *f* post-graduate course
аудито́рия *f* room, lecture-hall

Б, б

ба́бушка *f* (*gen. pl.* ба́бушек) grandmother, granny
бакале́я *f* grocery
балери́на *f* ballet-dancer
бандеро́ль *f* book and small parcel post; **посыла́ть** ~ **ю** send by book-post
ба́нка *f* (*gen. pl.* ба́нок) jar; tin
бассе́йн *m* swimming-pool
ба́шня *f* (*gen.* ба́шен) tower
бе́гать *I imp.* run
бе́дн|ый, -ая, -ое; -ые poor
бежа́ть *imp.* (бегу́, бежи́шь... бегу́т) run
бе́жев|ый, -ая, -ое; -ые beige
без *prep.* (+ *gen.*) without
бе́л|ый, -ая, -ое; -ые white
бельё *n* linen; underclothes
бе́рег *m* (*prepos.* о бе́реге ‖ на берегу́; *pl.* берега́) bank; shore; coast

бесе́довать *I imp.* (бесе́дую, бесе́-
дуешь) talk
беспоко́ить *II imp.* worry, trouble,
disturb
беспоко́йство *n* anxiety, uneasiness,
trouble
бессо́нница *f* sleeplessness
биле́т *m* 1. ticket; 2. card
биологи́ческ|ий, -ая, -ое; -ие: ~ фа-
культе́т biology faculty
бифште́кс *m* beefsteak
благода́рен, благода́рн|а, -о; -ы
short adj. grateful
благодари́ть *II imp.* thank
благодаря́ *prep.* (+ *dat.*) thanks to
бланк *m* form
блестя́щ|ий, -ая, -ее; -ие brilliant
ближа́йш|ий, -ая, -ее; -ие nearest,
next
бли́же (*comp. of* бли́зкий & бли́зко)
nearer
бли́зко near, close
блокно́т *m* notebook
блю́до *n* 1. dish; 2. course
богате́йш|ий, -ая, -ее; -ие very rich
бога́т|ый, -ая, -ое; -ые rich; ~ вы-
бор wide choice
бо́др|ый, -ая, -ое; -ые cheerful; brisk
бока́л *m* glass
болга́рск|ий, -ая, -ое; -ие Bulgarian
бо́лее more
боле́льщик *m* fan
бо́лен, больн|а́; -ы́ *short adj.* ill;
я ~ I am ill
боле́ть¹ *imp.* 1. *чем* (боле́ю, боле́-
ешь) be ill; be down (with); 2. *за
кого* support (a team or sportsman) enthusiastically
боле́ть² *II imp.* (боли́т, боля́т; *3rd
pers. only*) hurt, ache, be sore; у
меня́ боли́т голова́ I have a headache
боль *f* pain; головна́я ~ headache
больни́ца *f* hospital
бо́льно *predic. impers.* it is painful;
мне ~ it hurts me
больн|о́й, -а́я, -о́е; -ы́е sick; sore
больно́й *m* sick person
бо́льше (*comp. of* большо́й & мно́-
го) bigger, larger; more
бо́льш|ий, -ая, -ее; -ие (*comp. of*
большо́й) greater; ~ая часть the
greater/most part
больш|о́й, -а́я, -о́е; -и́е big, large;
great
бортпроводни́ца *f* air stewardess

борщ *m* (*gen.* борща́) borshch (beet-
root and cabbage soup)
борьба́ *f* struggle; fight
ботани́ческ|ий, -ая, -ое; -ие bota-
nical
боти́нки *pl.* (*sing.* боти́нок *m*) boots
боя́ться *II imp.* be afraid
брат *m* (*pl.* бра́тья, бра́тьев) brother
брать *I imp.* (беру́, берёшь; *past*
брал, -о, -и, брала́) take
бри́ться *I imp.* (бре́юсь, бре́ешься)
shave
броди́ть *II imp.* (брожу́, бро́дишь)
wander
броса́ть *I imp.* throw; give up
брю́ки *only pl.* (*gen.* брюк) trousers
бу́днич|ный, -ая, -ое; -ые everyday,
prosaic
бу́дущее *n* future
бу́дущ|ий, -ая, -ее; -ие future
бу́лочка *f* (*gen. pl.* бу́лочек) roll, bun
бу́лочная [-шн-] *f* baker's
бульо́н *m* broth
бума́га *f* paper
бума́жник *m* wallet
бу́сы *only pl.* (*gen.* бус) beads
бутербро́д *m* sandwich
буты́лка *f* (*gen. pl.* буты́лок) bottle
быва́ть *I imp.* be, visit, stay; happen
бы́стро quickly; fast
быть *imp.* (*present* есть *is usually
omitted; fut.* бу́ду, бу́дешь... бу́-
дут; *past* был, -о, -и, была́) be; В
ко́мнате бы́ло мно́го сту́льев.
There were many chairs in the
room. У меня́ была́ кни́га. I had a
book.
бюро́ *n* (*not decl.*) bureau, office; ~
обслу́живания service bureau

В, в

в, во *prep.* (+ *prepos. & acc.*) in, into;
to, at
ва́жн|ый, -ая, -ое; -ые important
ва́нная *f* bathroom
варён|ый, -ая, -ое; -ые boiled
вдвоём two (together)
вдоль *prep.* (+ *gen.*) along
вдруг suddenly
ведь *particle* you see, you know
везти́ *I impers.* (везёт, везло́) be
lucky; ему́ везёт he is lucky
век *m* (*pl.* века́) century, age
веле́ть *II imp. & p* order
вели́к, велик|а́, -о́; -и́ (*short adj.*) too
big, too large

вели́к|ий, -ая, -ое; -ие great

велосипе́д *m* bicycle; ката́ться на ~ e cycle

велосипеди́ст *m* cyclist

ве́рить *II imp.* believe

ве́рно right, correctly; э́то ~ it is true

верну́ться *I p* (верну́сь, вернёшься) return, come back

Верхо́вный Сове́т the Supreme Soviet

вес *m* weight

ве́село *adv.* gaily, merrily; мне ~ *predic. impers.* I am enjoying myself

весёл|ый, -ая, -ое; -ые merry, gay

весе́нн|ий, -яя, -ее spring

весна́ *f* spring

весно́й in spring

вести́ *I imp.* (веду́, ведёшь... веду́т; *past* вёл, вел|а́, -о́, -и́) lead

весь, вся, всё; все all, whole; всё everything; все everybody; all

ве́тер *m* (*gen.* ве́тра) wind

ве́чер *n* (*pl.* вечера́) evening; evening party, social gathering

ве́чером in the evening; сего́дня ~ this evening, tonight

вещь *f* (*gen. pl.* веще́й) thing

взве́сить *II p* (взве́шу, взве́сишь) weigh

взять *I p* (возьму́, возьмёшь; *past* взял, -о, -и, взяла́) take

вид[1] *m* sight, view; look, aspect

вид[2] *m* kind, sort

ви́деть *II imp.* (ви́жу, ви́дишь) see

ви́деться *II imp.* (ви́жусь, ви́дишься) с кем see each other

ви́дно *predic. impers.* one can see

ви́лка *f* (*gen. pl.* ви́лок) fork

вино́ *n* (*pl.* ви́на) wine

виногра́д *m* vine, grapes

висе́ть *II imp.* (вишу́, виси́шь) hang

витри́на *f* shop window

вкус *m* taste

вку́сно *predic. impers:* э́то ~ it's tasty

вку́сн|ый, -ая, -ое; -ые tasty

вме́сте together

вме́сто *prep.* (+ *gen.*) instead of, in place of

вмеща́ть *I imp.* contain, hold; seat

вне́шн|ий, -яя, -ее; -ие outward, external

вниз (*куда?*) down, downwards

внизу́ (*где?*) below

внима́ние *n* attention, notice

внима́тельно attentively, carefully

вничью́: сыгра́ть ~ draw

внук *m* grandson

вну́тренн|ий, -яя, -ее; -ие inside, interior, inner

внутри́ (*где?*) *adv. & prep.* (+ *gen.*) inside, in

внутрь (*куда?*) *adv. & prep.* inward

вну́чка *f* (*gen. pl.* вну́чек) granddaughter

во вре́мя *prep.* (+ *gen.*) during

во́время in time

вода́ (*acc.* во́ду; *pl.* во́ды) water

води́ть *II imp.* (вожу́, во́дишь) lead, conduct

водопрово́д *m* water-main, running water

вождь *m* (*gen.* вождя́) leader

возвраща́ться *I imp.* return

во́здух *m* air; на ~ e in the open air

война́ *f* (*pl.* во́йны) war

войти́ *I p* (войду́, войдёшь; *past* вошёл, вошл|а́, -о́; -и́) enter

вокза́л *m* railway-station

вокру́г *adv. & prep.* (+ *gen.*) round, around

волне́ние *n* agitation

волнова́ться *I imp.* (волну́юсь, волну́ешься) be agitated; be nervous

волну́ющ|ий, -ая, -ее; -ие exciting, moving

вообще́ in general

вопро́с *m* question

воспале́ние *n* inflammation; ~ лёгких pneumonia

восто́к *m* east

восто́чн|ый, -ая, -ое; -ые east, eastern; oriental

впервы́е for the first time

вперёд (*куда?*) forward

впереди́ (*где?*) in front, before

впечатле́ние *n* impression

врата́рь *m* (*gen.* вратаря́) goalkeeper

врач *m* (*gen.* врача́) physician, doctor

вре́менн|ый, -ая, -ое; -ые temporary

вре́мя *n* (*gen.* вре́мени, *instr.* вре́менем; *pl.* времена́, времён, времена́м, *etc.*) time

вруча́ть *I imp.* hand in

всегда́ always

всего́ [-во] in all, all together; only

всего́ хоро́шего good-bye

всеми́рн|ый, -ая, -ое; -ые world, world-wide

всё-таки nevertheless

вско́ре soon

вспо́мнить *II p* remember

вставать I *imp.* (встаю, встаёшь) get up, rise

встать I *p* (встану, встанешь) get up, rise

встреча *f* meeting; reception; welcome; match

встречать I *imp.* meet, receive; greet; welcome

встречаться I *imp.* meet

всюду everywhere

в течение *prep.* (+ *gen.*) in the course of; during

втор|ой, -ая, -ое; -ые second; ~ое блюдо *or* второе second course

втроём three (together)

вход *m* entrance

входить II *imp.* (вхожу, входишь) enter

вчера yesterday

вчерашн|ий, -яя, -ее; -ие yesterday's

выбирать I *imp.* choose

выбор *m* choice; **большой ~ товаров** large variety of goods

выбрать I *p* (выберу, выберешь) choose

выдающ|ийся, -аяся, -ееся; -иеся outstanding

выехать I *p* (выеду, выедешь) go out, leave

вызов *m* call

вызывать I *imp.* call, send for; ~ **врача на дом** call the doctor, send for the doctor

выигрывать I *imp.* win, gain

вылечить II *p* cure

выписать I *p* (выпишу, выпишешь): ~ **рецепт** write out a presciption

выпить I *p* (выпью, выпьешь) drink

выполнять I *imp.* carry out, fulfil

выражать I *imp.* express

выражение *n* expression

вырасти I *p* (вырасту, вырастешь; *past* вырос, -ла, -ло; -ли) grow

высок|ий, -ая, -ое; -ие high; tall

высоко high

высота *f* (*pl.* высоты) height

высотн|ый, -ая, -ое; -ые multi-storeyed

выставка *f* (*gen. pl.* выставок) exhibition

высш|ий, -ая, -ее; -ие higher, highest; superior

выходить II *imp.* (выхожу, выходишь) 1. go out; 2. open on(to)

газета newspaper

газетн|ый, -ая, -ое; -ые: ~ **киоск** news-stand

галантерея *f* haberdashery

галстук *m* tie

гардероб *m* 1. cloak-room; 2. wardrobe

гарнир *m* garnish

гаснуть I *imp.* (гаснет; *past* гас, -ла, -ло; -ли) go out, die out

гастроли *pl.* (*gen. pl.* гастролей) tour

гастроном *m* foodstore

где where

герой *m* (*gen.* героя; *pl.* герои) hero

гибель *f* death

глава[1] *m* (*pl.* главы) head, chief

глава[2] *f* (*pl.* главы) chapter

главн|ый, -ая, -ое; -ые main; ~ **ым образом** chiefly, mainly

гладк|ий, -ая, -ое; -ие smooth

глаз *m* (*prepos.* в глазу; *pl.* глаза, глаз, глазам, *etc.*) eye

глотать I *imp.* swallow

глубок|ий, -ая, -ое; -ие deep

глуп|ый, -ая, -ое; -ые foolish, stupid

глядеть II *imp.* (гляжу, глядишь) look (at)

говорить II *imp.* speak; say, tell

год *m* (*prepos.* о годе ‖ в году; *pl.* годы, года, *gen. pl.* лет) year

гол *m* (*pl.* голы, голов) goal

голова *f* (*acc.* голову; *pl.* головы, голов, головам, etc.) head

головн|ой, -ая, -ое; -ые: ~ **ая боль** headache

голодн|ый, -ая, -ое; -ые hungry

голос *m* (*pl.* голоса) voice

голуб|ой, -ая, -ое; -ые light-blue

гора *f* (*acc.* гору; *pl.* горы) mountain; **Ленинские горы** Lenin Hills

гордиться II *imp.* (горжусь, гордишься) чем be proud (of)

гордость *f* pride

гореть II *imp.* burn

горло *n* throat

горничная *f* chambermaid

горн|ый, -ая, -ое; -ые mountain; mining; ~ **институт** Mining Institute

город *m* (*pl.* города) city, town

городск|ой, -ая, -ое; -ие city, town

горьк|ий, -ая, -ое; -ие bitter

горя́ч|ий, -ая, -ее; -ие hot; ardent, passionate

гостеприи́мн|ый, -ая, -ое; -ые hospitable

гости́ница *f* hotel

гость *m* (*pl.* го́сти, госте́й, гостя́м) guest, visitor

госуда́рственн|ый, -ая, -ое; -ые state

госуда́рство *n* state

гото́в, -а, -о; -ы (*short form of* гото́вый) ready

гото́вить *II imp.* (гото́влю, гото́вишь) prepare, make ready; cook

гото́виться *II imp.* (гото́влюсь, гото́вишься) get/make ready

гото́в|ый, -ая, -ое; -ые ready, ready-made, finished

граждани́н *m* (*pl.* гра́ждане, гра́ждан) citizen

гражда́нка *f* (*gen. pl.* гражда́нок) citizen

грамма́тика *f* grammar

грани́ца *f* border; **за ~ у** (*куда́?*), **за ~ ей** (*где?*) abroad; **из-за ~ы** (*откуда́?*) from abroad

греть *I imp.* warm, heat

гриб *m* (*gen.* гриба́) mushroom

грипп *m* influenza

гроза́ *f* (*pl.* гро́зы) thunderstorm

гро́мк|ий, -ая, -ое; -ие loud

гро́мче (*comp. of* гро́мкий & гро́мко) louder

гру́б|ый, -ая, -ое; -ые rough; rude

грузи́нск|ий, -ая, -ое; -ие Georgian

гру́стн|ый, -ая, -ое; -ые sad

гря́зно *predic. impers.* (it is) dirty; (it is) muddy

гудо́к *m* (*gen.* гудка́) whistle; horn; buzz

гуля́ть *I imp.* go for a walk

гуманита́рн|ый, -ая, -ое; -ые humanitarian; **~ ые нау́ки** arts

густ|о́й, -а́я, -о́е; -ы́е thick, dense

Д, д

да yes

дава́йте *particle* let us; **~ игра́ть** let us play

дава́ть *I imp.* (даю́, даёшь) 1. give; 2. let

давно́ for a long time, long ago

да́же even

далёк|ий, -ая, -ое; -ие distant, remote; far

далеко́ far off, far (from)

да́льше 1. *comp. of* далёкий & далеко́ farther, further; 2. *adv.* further; then

да́мски|ий, -ая, -ое; -ие ladies'

да́нн|ый, -ая, -ое; -ые *part.* given; present

дари́ть *II imp.* (дарю́, да́ришь) give as a gift

да́ром for nothing; in vain

дать *p* (дам, дашь, даст, дади́м, дади́те, даду́т; *past* дал, -о, -и, дала́) 1. give; 2. let

да́ча *f* summer house

дверь *f* (*gen. pl.* двере́й) door

дви́гаться *I imp.* move

движе́ние *n* 1. motion; 2. traffic

дво́е two (together)

двор *m* (*gen.* двора́) courtyard

де́вочка *f* (*gen. pl.* де́вочек) (little) girl

де́вушка *f* (*gen. pl.* де́вушек) girl

дед *m* grandfather

де́душка *m* (*gen. pl.* де́душек) grandfather, grandpa

дежу́рн|ый, -ая, -ое; -ые on duty

де́йствие *n* 1. action; 2. act

действи́тельно really, indeed

декора́ции *only pl.* scenery

де́лать *I imp.* make, do

делега́т *m* delegate

делега́ция *f* delegation

де́л|о *n* (*pl.* дела́) matter; deed; business; **В чём ~ ?** What is the matter?; **по ~ а́м** on business; **Как ~ а́?** How are things?

демисезо́нн|ый, -ая, -ое; -ые spring/autumn (overcoat)

де́нежн|ый, -ая, -ое; -ые money; **~ перево́д** money order; postal order

день *m* (*gen.* дня) day

де́ньги *only pl.* (*gen. pl.* де́нег) money

дере́вня *f* (*gen. pl.* дереве́нь) village, country

де́рево *n* (*pl.* дере́вья) tree

деревя́нн|ый, -ая, -ое; -ые wooden

держа́ть *II imp.* (держу́, де́ржишь) hold; keep

деся́ток *m* (*gen.* деся́тка) ten

де́ти *pl.* (*sing.* ребёнок *m*) children

де́тск|ий, -ая, -ое; -ие child's, children's; **~ сад** kindergarten

де́тство *n* childhood

дешёв|ый, -ая, -ое; -ые cheap

де́ятель *m:* госуда́рственный ~ statesman

джаз *m* jazz-band

джем *m* jam

диа́гноз *m* diagnosis; ста́вить ~ diagnose

дива́н *m* divan, sofa, settee

дирижёр *m* conductor

диссерта́ция *f* thesis, dissertation

дли́нн|ый, -ая, -ое; -ые long

для *prep.* (+ *gen.*) for; to

дневн|о́й, -а́я, -о́е; -ы́е: ~ спекта́кль matinée

днём in the day-time, in the afternoon

до *prep.* (+ *gen.*) to; till; before

добива́ться *I imp.* чего́ obtain, achieve

добр, -а́, -ы́ (*short form of* до́брый) kind, good; бу́дьте добры́ Will you be so kind as...?

до́бр|ый, -ая, -ое; -ые kind, good

дово́лен, дово́льн|а, -о; -ы (*short form of* дово́льный) чем content, pleased

дово́льно rather; enough

до востре́бования poste restante

догада́ться *I p* guess

догова́риваться *I imp.* come to an agreement

дое́хать *I p* (дое́ду, дое́дешь) reach the place, arrive

дождли́в|ый, -ая, -ое; -ые rainy, wet

дождь *m* (*gen.* дождя́) rain; идёт ~ it rains

дойти́ *I p* (дойду́, дойдёшь; *past* дошёл, дошл|а́, -о́; -и́) reach a place (on foot)

докла́д *m* report

до́ктор *m* (*pl.* доктора́) doctor

документа́льн|ый, -ая, -ое; -ые documentary

до́лг|ий, -ая, -ое; -ие long

до́лго (for) a long time

до́лжен, должн|а́, -о́; ы *short adj* 1. must, have to; я ~ (+ *inf.*) I must; 2. owe; Он ~ мне три рубля́. He owes me three roubles

дом *m* (*pl.* дома́) house; home

до́ма (*где?*) at home

дома́шн|ий, -яя, -ее; -ие home, house, domestic

домо́й (*куда́?*) home

дописа́ть *I p* (допишу́, допи́шешь) finish writing

доро́га *f* road

дорог|о́й, -а́я, -о́е; -и́е dear; expensive; valuable

до свида́ния good-bye

доска́ (*acc.* до́ску; *pl.* до́ски, досо́к, доска́м, *etc.*) board; ша́хматная ~ chess-board

достава́ть *I imp.* (достаю́, достаёшь) 1. take out; 2. get, obtain

доставля́ть *I imp.* deliver, supply

доста́точно sufficiently; enough

доста́ть *I p* (доста́ну, доста́нешь) 1. take out; 2. get, obtain

достига́ть *I imp.* reach; achieve

доходи́ть *II imp.* (дохожу́, дохо́дишь) reach a place (on foot)

до́чка *f* (*gen. pl.* до́чек) *colloq.* (little) daughter

дочь *f* (*gen., dat., prepos.* до́чери; *pl.* до́чери, дочере́й, дочеря́м, дочерьми́, о дочеря́х) daughter

дошко́льник *m* child under school age

дре́вн|ий, -яя, -ее; -ие ancient

друг[1] *m* (*pl.* друзья́, друзе́й, друзья́м, *etc.*) friend

друг[2]: ~ дру́га each other, one another

друг|о́й, -а́я, -о́е; -и́е another; other; different

дру́жба *f* friendship

дру́жеск|ий, -ая, -ое; -ие friendly

дружи́ть *II imp.* (дружу́, дру́жишь) с кем be on friendly terms (with)

дру́жн|ый, -ая, -ое; -ые friendly; harmonious; united

ду́мать *I imp.* think

дупло́ *n* cavity

духи́ *only pl.* perfume

душ *m* shower

душ|а́ *f* (*acc.* ду́шу; *pl.* ду́ши) soul; мне э́то не по ~ е́ I don't like it

дыша́ть *II imp.* (дышу́, ды́шишь) breathe

дя́дя *m* uncle

Е, е

еда́ *f* food; meal

еди́нственн|ый, -ая, -ое; -ые only

ежего́дно yearly

ежедне́вно daily

е́здить *II imp.* (е́зжу, е́здишь) go; ride; drive; travel

е́ле hardly

е́сли *conj.* if

есте́ственн|ый, -ая, -ое; -ые natural

есть[1] **(ем, ешь, ест, еди́м, еди́те, едя́т;** *past* **ел, е́ла, е́ли)** eat

есть[2] **(***present of* **быть)** is, are

е́хать *I imp.* **(е́ду, е́дешь)** go; ride; drive; travel

ещё still, some more, again; ~ **раз** once more; ~ **не...** not yet; **Он прие́хал ~ вчера́.** He came yesterday.

Ж, ж

жа́дн|ый, -ая, -ое; -ые greedy

жале́ть *I imp.* feel sorry, pity; regret

жа́лко *predic. impers.*: **мне ~ , что...** I'm sorry that....

жа́ловаться *I imp.* **(жа́луюсь, жа́луешься)** *на что* complain of

жаль *predic. impers.* it is a pity; **мне ~, что...** I'm sorry that....

жа́рен|ый, -ая, -ое; -ые fried; roasted

жа́рк|ий, -ая, -ое; -ие hot

жа́рко *predic. impers.* it is hot

ждать *I imp.* **(жду, ждёшь;** *past* **ждал, -о, -и, ждала́)** *кого, что or чего* wait for, expect

же *particle* then, indeed; **всё ~** yet

жела́ние *n* wish

жела́тельно *predic. impers.* it is desirable

жела́ть *I imp. чего* wish

желе́зн|ый, -ая, -ое; -ые iron; ~ **ая доро́га** railway

жёлт|ый, -ая, -ое; -ые yellow

желу́док *m* **(***gen.* **желу́дка)** stomach

жена́ *f* **(***pl.* **жёны)** wife

жена́т|ый, -ые married

жени́ться *II p & imp.* **(женю́сь, же́нишься)** *на ком* marry

же́нск|ий, -ая, -ое; -ие female; feminine

же́нщина *f* woman

жёстк|ий, -ая, -ое; -ие hard

жив, -о, -ы, жива́ *(short form of* **живо́й)** alive; living; ~ **и здоро́в** safe and sound

жив|о́й, -а́я, -о́е; -ы́е alive

жи́вопись *f* painting

живо́т *m* **(***gen.* **живота́)** stomach

жизнера́достн|ый, -ая, -ое; -ые cheerful, joyous

жизнь *f* life

жил|о́й, -а́я, -о́е; -ы́е dwelling

жи́рн|ый, -ая, -ое; -ые fat, rich

жи́тель *m* inhabitant

жить *I imp.* **(живу́, живёшь;** *past* **жил, -о, -и, жила́)** live

журна́л *m* magazine, periodical, journal

З, з

за *prep.* 1. (+ *acc.*) *(куда́?)* behind; ~ **два дня до** *чего* two days before.... 2. (+ *instr.*) *(где?)* behind, over, at; after; **идти́, посыла́ть ~** *кем, чем* go, send for

заби́ть *I p* **(забью́, забьёшь):** ~ **гол** score a goal

заблуди́ться *II p* **(заблужу́сь, заблу́дишься)** lose one's way

заболе́ть *I p* **(заболе́ю, заболе́ешь)** fall ill

забо́титься *II imp.* **(забо́чусь, забо́тишься)** *о ком о чём* take care of

забо́тлив|ый, -ая, -ое; -ые thoughtful, careful

забыва́ть *I imp.* forget

забы́ть *I p* **(забу́ду, забу́дешь)** forget

заведе́ние *n:* **уче́бное ~** educational establishment

заверну́ть *I p* **(заверну́, завернёшь)** wrap up

завёртывать *I imp.* wrap up

заво́д *m* plant, works

за́втра tomorrow

за́втрак *m* breakfast; lunch

за́втракать *I imp.* have breakfast

за́втрашн|ий, -яя, -ее; -ие tomorrow's

загла́вие *n* title, heading

загора́ть *I imp.* sunbathe

за́городн|ый, -ая, -ое; -ые out-of-town, country; ~ **ая прогу́лка** country walk; trip in (to) the country

задава́ть *I imp.* **(задаю́, задаёшь)** give; ~ **вопро́сы** ask questions

зада́ча *f* problem; task

заже́чь *I p* **(зажгу́, зажжёшь... зажгу́т;** *past* **зажёг, зажгл|а́, -о́; -и́)** light, switch on

зайти́ *I p* **(зайду́, зайдёшь;** *past* **зашёл, зашл|а́, -о́; -и́)** call on/at; drop in

зака́з *m* order

заказа́ть *I p* **(закажу́, зака́жешь)** order; book

заказн|о́й, -а́я, -о́е; -ы́е: ~ **о́е письмо́** registered letter

зака́зывать *I imp.* order; book

зако́нчить *II p* finish; complete

зако́нчиться *II p* end
закрыва́ть *I imp.* close, cover
закры́т, -а, -о; -ы (*short form of part.* закры́тый) (is) closed
закры́т|ый, -ая, -ое; -ые closed
закури́ть *II p* (закурю́, заку́ришь) light a cigarette
закуси́ть *II p* (закушу́, заку́сишь) have a snack
заку́ска *f* (*gen. of* заку́сок) hors d'œuvre, snack
заку́сочная *f* snack-bar
заку́сывать *I imp.* have a snack
зал *m* hall
замени́ть *II p* (заменю́, заме́нишь) replace, substitute
заме́тить *II p* (заме́чу, заме́тишь) notice; note
замеча́тельн|ый, -ая, -ое; -ые remarkable
замеча́ть *I imp.* notice; note
замолча́ть *II p* (замолчу́, замолчи́шь) become silent, stop speaking or singing
за́муж: выходи́ть ~ *за кого́* marry
за́мужем: быть ~ *за кем* be married
за́навес *m* curtain
занима́ть *I imp.* 1. occupy; 2. take; ~ пе́рвое ме́сто take the first place
занима́ться *I imp. чем* study; be occupied; be engaged; go in for
за́нят, -о, -ы, занята́ (*short form of part.* за́нятый) busy; occupied, engaged
заня́тие *n* business, occupation; заня́тия *pl.* lessons, studies
заня́ть *I p* займу́, займёшь... займу́т; *past* за́нял, -о, -и, заняла́) 1. occupy; 2. take; ~ пе́рвое ме́сто take the first place
за́пад *m* west
за́падн|ый, -ая, -ое; -ые west, western
записа́ть *I p* (запишу́, запи́шешь) write down; note
заплати́ть *II p* (заплачу́, запла́тишь) pay
запо́лнить *II p* fill in; crowd
запо́мнить *II p* memorize, bear in mind
запреща́ть *I imp.* forbid, ban
зара́нее in advance
зарубе́жн|ый, -ая, -ое; -ые foreign
заря́дк|а *f* P. T. exercises, gymnastics; де́лать ~у do one's morning exercises
заседа́ть *I imp.* sit (in session)
заслу́женно deservedly; ~ по́льзоваться успе́хом enjoy well-earned success
засмея́ться *I p* begin to laugh
зате́м then
зато́ *conj.* in return
заходи́ть *II imp.* (захожу́, захо́дишь) call on/at; drop in
захоте́ть *p* (захочу́, захо́чешь, захо́чет, захоти́м, захоти́те, захотя́т) want
захоте́ться *impers. p* (захо́чется, захоте́лось) *кому́ чего́* want; мне захоте́лось I wanted
заче́м what for, why
защища́ть *I imp.* defend
зва́ние *n* title; rank
звать *I imp.* (зову́, зовёшь; *past* звал, -о, -и, звала́) call; ask; invite; его́ (её) зову́т... his (her) name is... .
звезда́ *f* (*pl.* звёзды) star
звене́ть *II imp.* ring
звоно́к *m* (*gen.* звонка́) bell
звук *m* sound
звуча́ть *II imp.* sound; ring; be heard
зда́ние *n* building
здесь here
здоро́в, -а, -о; -ы (*short form of* здоро́вый) healthy; sound
здоро́ваться *I imp. с кем* greet
здоро́вье *n* health
здра́вствуй(те) how do you do; good morning/evening
зелён|ый, -ая, -ое; -ые green
земля́ *f* (*асс.* зе́млю; *pl.* зе́мли, земе́ль, зе́млям, *etc.*) earth; land; ground
зе́ркало *n* (*pl.* зеркала́, зерка́л) mirror
зима́ *f* (*асс.* зи́му, на́ зиму; *pl.* зи́мы) winter
зи́мн|ий, -яя, -ее, -ие winter, wintry
зимо́й in winter
знако́м, -а, -о; -ы (*short form of* знако́мый) known, familiar; я с ним ~ I known him
знако́мить *II imp.* (знако́млю, знако́мишь) *кого́ с кем* acquaint, introduce
знако́миться *II imp.* (знако́млюсь, знако́мишься) *с кем, с чем* meet, make acquaintance

знако́м|ый, -ая, -ое; -ые familiar; whom/which one knows
знамени́т|ый, -ая, -ое; -ые famous
зна́ние n knowledge
знать I imp. know
зна́чит it means
значи́тельн|ый, -ая, -ое; -ые considerable, important
зна́чить II imp. mean; signify
золот|о́й -а́я, -о́е; -ы́е gold, golden
зо́нтик m umbrella
зре́ние n sight
зри́тель m spectator; зри́тели pl. audience
зри́тельн|ый, -ая, -ое; -ые: ~ зал hall, auditorium
зря to no purpose
зуб m (pl. зу́бы, зубо́в) tooth
зубн|о́й, -а́я, -о́е; -ы́е dental; ~ врач dentist

И, и

и conj. and
игра́ f (pl. и́гры) play; game; match; performance; acting
игра́ть I imp. play; ~ в волейбо́л play volley-ball; ~ на роя́ле play the piano
игро́к m (gen. игрока́) player
игру́шка f (gen. pl. игру́шек) toy
идти́ I imp. (иду́, идёшь, past шёл, шла, шло, шли) go, walk; suit
из, изо prep. (+ gen.) from; out of; of
изве́стие n news
изве́стн|ый, -ая, -ое; -ые well-known, noted
извини́ть II p excuse
извини́ться II p apologize
и́здали from a distance
изда́ние n publication
изде́лие n article, ware
и́з-за prep. (+ gen.) from; from behind; because of
излю́бленн|ый, -ая, -ое; -ые favourite; pet
измени́ть II p (изменю́, изме́нишь) change
изме́рить II p measure; ~ температу́ру take one's temperature
изобража́ть I imp. depict; picture; paint
изобрази́тельн|ый, -ая, -ое; -ые imitative; Музе́й ~ых иску́сств Museum of Fine Arts
из-под prep. (+ gen.) from under

изуча́ть I imp. study; learn
икра́ f caviar
и́ли conj. or; и́ли... и́ли either... or
и́мени named after; теа́тр ~ Мая-ко́вского Mayakovsky Theatre
име́ть I imp. have
име́ться I: име́ется there is (are)
и́мя n (gen. и́мени; pl. имена́, имён, имена́м) name
ина́че otherwise, or (else)
инициа́лы only pl. initials
иногда́ sometimes
ин|о́й, -а́я, -о́е; -ы́е different; other; some
иностра́нец m (gen. иностра́нца) foreigner
иностра́нн|ый, -ая, -ое; -ые foreign
инструме́нт m instrument, tool; музыка́льный ~ musical instrument
интере́с m interest
интере́сн|ый, -ая, -ое; -ые interesting
интересова́ть I imp. (интересу́ю, интересу́ешь) interest
интересова́ться I imp. (интересу́юсь, интересу́ешься) кем, чем be interested
иска́ть I imp. (ищу́, и́щешь) look for
иску́сственн|ый, -ая, -ое; -ые artificial
иску́сство n art; skill; craftsmanship
испа́нск|ий, -ая, -ое; -ие Spanish
исполня́ть I imp. perform; execute; carry out; fulfil
испо́льзовать I imp. & p (испо́льзую, испо́льзуешь) use
исправля́ть I imp. correct
иссле́довать I imp. & p (иссле́дую, иссле́дуешь) study, investigate, explore
исто́рия f history
истори́ческ|ий, -ая, -ое; -ие history, historical
исчеза́ть I imp. disappear, vanish
ита́к conj. thus; so
и т. д. (= и так да́лее) etc., and so on

К, к

к. ко prep. (+ dat.) to, towards; for
кабине́т m study; consulting-room
каблу́к m (gen. каблука́) heel
Кавка́з m Caucasus
ка́жд|ый, -ая, -ое; -ые each, every; everyone

ка́жется *see* каза́ться

каза́ться *I imp.* 1. (кажу́сь, ка́жешь-ся) seem; appear; 2. *impers. & parenth. word* (ка́жется; каза́-лось) it seems that; I believe that

как *adv. & conj.* how, what, like, as, when, since; ~ бу́дто as if, as though; ~ раз just; быть ~ раз *colloq.* fit; ~ сле́дует in a proper way

как|о́й, -а́я, -о́е; -и́е what, which

како́й-нибудь some, some kind of

како́й-то some, a

календа́рь *m* (*gen.* календаря́) calendar

ка́мера *f* chamber; ~ хране́ния cloak-room

кани́кулы *only pl.* holidays, vacation

капита́н *m* captain

ка́пля *f* (*gen. pl.* ка́пель) drop

капу́ста *f* cabbage

каранда́ш *m* (*gen.* карандаша́) pencil

карма́н *m* pocket

карти́на *f* picture; scene

карто́фель *m* potatoes

каса́ться *I imp.* touch; concern

ка́сса *f* booking-office; cashdesk

касси́р *m* cashier

кастрю́ля *f* pan; saucepan

ката́ться *I imp.* go for a drive; ~ на конька́х skate; ~ на лы́жах ski; ~ на ло́дке boat; go boating

като́к *m* (*gen.* катка́) skating-rink

ка́федра *f* chair

ка́чество *n* quality

ка́шель *m* (*gen.* ка́шля) cough

каю́та *f* cabin

квадра́тн|ый, -ая, -ое; -ые square

кварта́л *m* block (of buildings)

кварти́ра *f* flat; apartment

квита́нция *f* receipt; бага́жная ~ luggage ticket

кило́ *n* (*not decl.*) *colloq.* kilogramme

кино́ *n* (*not decl.*) cinema

киноактёр *m* film actor

киножурна́л *m* newsreel

кинотеа́тр *m* cinema

кинофи́льм *m* film

класс *m* class; classroom

класси́ческ|ий, -ая, -ое; -ие classical

класть *I imp.* (кладу́, кладёшь; *past* клал, -а, -о; -и) lay, put

кли́мат *m* climate

ключ *m* (*gen.* ключа́) key

кни́га *f* book

кни́жн|ый, -ая, -ое; -ые book, book-ish; ~ шкаф bookcase

ковёр *m* (*gen.* ковра́) carpet

когда́ *adv. & conj.* when

когда́-нибудь ever; some time, some day

ко́жа *f* leather

ко́жан|ый, -ая, -ое; -ые leather

колбаса́ *f* sausage

коли́чество *n* quantity

кольцо́ *n* (*pl.* ко́льца, коле́ц) ring

кома́нда *f* team

командиро́вк|а *f* business trip; е́здить в ~у make a business trip, go away on business

комбина́т *m*; ~ бытово́го обслу́жи-вания personal service shop

ко́мната *f* room

ко́мплекс *m* complex; ~ упражне́-ний set of exercises

конве́рт *m* envelope

конди́терск|ий, -ая, -ое; -ие confectionery

конду́ктор *m* conductor; guard

коне́ц *m* (*gen.* конца́) end

коне́чно [-шн-] of course, naturally

коне́чн|ый, -ая, -ое; -ые final, terminal

консервато́рия *f* conservatoire

консе́рвы *only pl.* canned food

конфе́та *f* sweet

конча́ть *I imp.* end, finish

ко́нчить *II p* end, finish

ко́нчиться *II p* end

коньки́ *pl.* (*sing* конёк *m*) skates

конькобе́жн|ый, -ая, -ое; -ые skating

копе́йка *f* (*gen. pl.* копе́ек) copeck

кора́бль *m* (*gen.* корабля́) ship

коренно́й: ~ зуб molar

кори́чнев|ый, -ая, -ое; -ые brown

коро́бка *f* (*gen. pl.* коро́бок) box, case

коро́тк|ий, -ая, -ое; -ие short

ко́рпус *m* building

корреспонде́нция *f* mail

корт *m* court

косми́ческ|ий, -ая, -ое; -ие space

космона́вт *m* spaceman

ко́смос *m* space

косну́ться *I p* (косну́сь, коснёшься) touch

костёр *m* (*gen.* костра́) bonfire, campfire

кость *f* (*pl.* ко́сти, косте́й, костя́м, *etc.*) bone

костю́м *m* suit; costume
котле́та *f* cutlet; chop
кото́р|ый, -ая, -ое; -ые which; who; that
ко́фе *m* (*not decl.*) coffee
ко́фточка *f* (*gen. pl.* ко́фточек) blouse, cardigan
край *m* (*pl.* края́) region; land; territory
краси́вее (*comp. of* краси́вый & краси́во) more beautiful(ly)
краси́в|ый, -ая, -ое; -ые beautiful
кра́сн|ый, -ая, -ое; -ые red
красота́ *f* beauty
Кремль *m* (*gen.* Кремля́) Kremlin
кре́пк|ий, -ая, -ое; -ие strong; firm
кре́пость *f* fortress
кре́сло *n* (*gen. pl.* кре́сел) armchair
крестья́нин *m* (*pl.* крестья́не, крестья́н) peasant
крив|о́й, -а́я, -о́е; -ы́е curved; wrong
крик *m* shout
критикова́ть *I* *imp.* (критику́ю, критику́ешь) criticize
крича́ть *II* *imp.* shout
крова́ть *f* bed
кроль *m* crawl
кро́ме *prep.* (+ *gen.*) 1. besides; 2. except; ~ того́ besides that
кру́гл|ый, -ая, -ое; -ые round; whole; ~ год the whole year round
круго́м round, around
кружи́ться *II* *imp.* (кружу́сь, кру́жишься) go round; whirl
кружо́к *m* (*gen.* кружка́) circle; ~ худо́жественной самоде́ятельности amateur art club
крупне́йш|ий, -ая, -ее; -ие largest
кру́пн|ый, -ая, -ое; -ые large, big, great, prominent
крут|о́й -а́я, -о́е; -ы́е steep; sharp
Крым *m* (*prepos.* о Кры́ме ‖ в Крыму́) Crimea
кста́ти to the point
кто who
кто́-нибудь somebody, someone; anybody, anyone
кто́-то somebody
куда́ where (to)
куда́-нибудь somewhere, anywhere
куда́-то somewhere
ку́кла *f* (*gen. pl.* ку́кол) doll
культу́рн|ый, -ая, -ое; -ые cultural
купа́ние *n* bathing
купа́ться *I* *imp.* bathe
купе́ *n* (*not decl.*) compartment

купи́рованн|ый, -ая, -ое; -ые: ~ ваго́н carriage with compartments
купи́ть *II* *p* (куплю́, ку́пишь) buy
ку́пол *m* (*pl.* купола́, куполо́в) cupola, dome
кури́ть *II* *imp.* (курю́, ку́ришь) smoke
ку́рица *f* (*pl.* ку́ры, кур, *etc.*) hen; chicken
куро́рт *m* health-resort
курс *m* course
кусо́к *m* (*gen.* куска́) piece
ку́хня *f* (*gen. pl.* ку́хонь) 1. kitchen; 2. cooking
ку́хонн|ый, -ая, -ое; -ые kitchen

Л, л

лаборато́рия *f* laboratory
ла́герь *m* camp
латви́йск|ий, -ая, -ое; -ие Latvian
ле́в|ый, -ая, -ое; -ые left
лёгкие *pl.* (*sing.* лёгкое *n*) lungs
лёгк|ий, -ая, -ое; -ие light; easy
легко́ *adv.* easily; lightly; *predic. impers.* it is easy
лёд *m* (*gen.* льда) ice
ледни́к *m* (*gen.* ледника́) glacier
лежа́ть *II* *imp.* (лежу́, лежи́шь) lie
лека́рство *n* medicine
ле́ктор *m* lecturer
ле́кция *f* lecture
ле́нта *f* ribbon
лес *m* (*prepos.* о ле́се ‖ в лесу́; *pl.* леса́) forest, wood
лесн|о́й, -а́я, -о́е; -ы́е wooden, forest
ле́стница *f* stairs, staircase
лет *gen. pl. of* год
лета́ть *I* *imp.* fly
лете́ть *II* *imp.* (лечу́, лети́шь) fly, take off
ле́тн|ий, -яя, -ее; -ие summer
ле́то *n* summer
ле́том in summer
лётчик *m* flier, pilot; ~-космона́вт spaceman
лече́бн|ый, -ая, -ое; -ые medicinal
лечи́ть *II* *imp.* (лечу́, ле́чишь) treat
лечь *I* *imp.* (ля́гу, ля́жешь... ля́гут; *past.* лёг, легл|а́, -о́; -и́) lie down
ли *interrogative particle* whether
ли́бо *conj.* or, either; ли́бо... ли́бо... either... or
лимо́н *m* lemon
ли́ния *f* line

195

13*

лист¹ *m* (*gen.* листа́; *pl.* ли́стья) leaf
лист² *m* (*gen.* листа́; *pl.* листы́) sheet
лито́вск|ий, -ая, -ое; -ие Lithuanian
лить I *imp.* (лью, льёшь; *past* ли́л, -о, -и, лила́) pour
лифт *m* lift
лицо́ *n* (*pl.* ли́ца) face
ли́чн|ый, -ая, -ое; -ые personal; private
ли́шн|ий, -яя, -ее; -ие spare; unnecessary
лишь only
лоб *m* (*gen.* лба) forehead
лови́ть II *imp.* (ловлю́, ло́вишь) catch
ло́дка *f* (*gen. pl.* ло́док) boat
ло́жа *f* box
ложи́ться II *imp.* (ложу́сь, ло-жи́шься) lie down; ~ спать go to bed
ло́жка *f* (*gen. pl.* ло́жек) spoon
Ло́ндон *m* London
ло́шадь *f* (*gen. pl.* лошаде́й) horse
луг *m* (*prepos.* о лу́ге ‖ на лугу́) meadow
луна́ *f* moon
лу́чше (*comp. of* хоро́ший & хорошо́) better; ~ всех best of all; ~ всего́ it is best
лу́чш|ий, -ая, -ее; -ие best; better
лы́ж|и *pl.* (*sing.* лы́жа *f*) skis; ходи́ть на ~ах ski; ката́ться на ~ах ski
лы́жник *m* skier
люби́м|ый, -ая, -ое; -ые beloved, favourite
люби́тель *m* amateur; lover
люби́ть II *imp.* (люблю́, лю́бишь) love, be fond of
любова́ться I *imp.* (любу́юсь, любу́ешься) *чем* admire
любо́вь *f* (*gen.* любви́) love
люб|о́й, -а́я, -о́е; -ы́е any
лю́ди *pl.* (*gen.* люде́й, *dat.* лю́дям, *instr.* людьми́, *prepos.* о лю́дях; *sing.* челове́к *m*) people
лю́стра *f* chandelier

М, м

мавзоле́й *m* (*gen.* мавзоле́я) mausoleum
мал, -а́, -о́; -ы́ (*short form of* ма́ленький, ма́лый) too small
ма́леньк|ий, -ая, -ое; -ие small; little; slight; young
ма́ло little; few; not enough

ма́льчик *m* boy
ма́ма *f* mummy
ма́рка *f* (*gen. pl.* ма́рок) postage stamp
маршру́т *m* route
ма́сло *n* butter; oil
ма́стер *m* (*pl.* мастера́, мастеро́в, *etc.*) master; ~ спо́рта master of sport
материа́л *m* material
мать *f* (*gen., dat., prepos.* ма́тери; *pl.* ма́тери, матере́й, матеря́м, *etc.*) mother
маши́на *f* 1. machine; engine; 2. *colloq.* motor-car
машини́ст *m* engine-driver
ме́бель *f* (*only sing.*) furniture
медици́на *f* medicine
медици́нск|ий, -ая, -ое; -ие medical
ме́дленн|ый, -ая, -ое; -ые slow
медсестра́ *f* (*pl.* медсёстры, медсестёр, медсёстрам, *etc.*) nurse
ме́жду *prep.* (+ *gen.* & *instr.*) between, among
междунаро́дн|ый, -ая, -ое; -ые international
ме́лк|ий, -ая, -ое; -ие small; ~ая таре́лка dinner plate
мелька́ть I *imp.* flash; gleam; appear for a moment
ме́ньше (*comp. of* ма́ленький & ма́ло) smaller; less
ме́ньш|ий, -ая, -ее; -ие smaller, lesser
меня́ть I *imp.* change
меня́ться I *imp.* change
ме́рить II *imp.* measure; try on
ме́стн|ый, -ая, -ое; -ые local
ме́сто *n* (*pl.* места́) place; seat
ме́сяц *m* month
мета́лл *m* metal
метро́ *n* (*not decl.*) underground
мех *m* (*pl.* меха́) fur
меха́нико-математи́ческий: ~ факульте́т mechanics and mathematics faculty
мечта́ *f* (*gen. pl.* мечта́ний) dream; day dream
мечта́ть I *imp.* *о ком, о чём* dream
меша́ть I *imp.* *кому́, чему́* prevent; hinder; disturb
милиционе́р *m* militiaman
ми́л|ый, -ая, -ое; -ые nice, sweet; dear
ми́мо *prep.* (+ *gen.*) past; by
минера́льн|ый, -ая, -ое; -ые: ~ая вода́ mineral water

мину́та *f* minute
мир¹ *m* (*pl.* миры́) world; universe
мир² *m* peace
ми́рн|ый, -ая, -ое; -ые peaceful
миров|о́й, -а́я, -о́е; -ы́е world
мла́дш|ий, -ая, -ее; -ие junior
мне́ние *n* opinion
мно́гие *pl.* (*gen.* мно́гих) many (people)
мно́го many, much
мно́гое *n* (*gen.* мно́гого) a great deal; many things
многочи́сленн|ый, -ая, -ое; -ые numerous
многоэта́жн|ый, -ая, -ое; -ые multi-storeyed
мо́дн|ый, -ая, -ое; -ые fashionable
мо́жет быть perhaps, may be
мо́жно *кому́ impers. predic.* one can/may; Мне мо́жно войти́? May I come in?
мо́кр|ый, -ая, -ое; -ые wet
молда́вск|ий, -ая, -ое; -ие Moldavian
молодёжь *f* youth, young people
молоде́ц! fine fellow!
молод|о́й, -а́я, -о́е; -ы́е young
мо́лодост|ь youth; в ~и in one's youth
моло́же younger
молоко́ *n* milk
моло́чн|ый, -ая, -ое; -ые milk
мо́лча silently, without a word
молчали́в|ый, -ая, -ое; -ые silent
молча́ть *II imp.* be silent
моне́та *f* coin
мо́ре *n* (*pl.* моря́) sea
моро́женое *n* ice-cream
моро́з *m* frost
морск|о́й, -а́я, -о́е; -и́е sea
москви́ч *m* (*gen.* москвича́) Muscovite
моско́вск|ий, -ая, -ое; -ие (of) Moscow
мост *m* (*gen.* моста́ ‖ мо́ста; *prepos.* о мо́сте ‖ на мосту́; *pl.* мосты́) bridge
мочь *I imp.* (могу́, мо́жешь... мо́гут; *past* мог, могл|а́, -о́; -и́) 1. can; 2. may
муж *m* (*pl.* мужья́, муже́й, мужья́м *etc.*) husband
мужск|о́й, -а́я, -о́е; -и́е male; men's; masculine
мужчи́на *m* man
музе́й *m* (*gen.* музе́я) museum

му́зыка *f* music
музыка́льн|ый, -ая, -ое; -ые musical
мусоропрово́д *m* refuse chute
мы́ло *n* soap
мыть *I imp.* (мо́ю, мо́ешь) wash
мы́ться *I imp.* (мо́юсь, мо́ешься) wash
мы́шца *f* muscle
мя́гк|ий, -ая, -ое; -ие soft
мясн|о́й, -а́я, -о́е; -ы́е meat
мя́со *n* meat
мяч *m* (*gen.* мяча́) ball

Н, н

на *prep.* (+ *acc.* & *prepos.*) on; at; upon; to; for
на́бережная *f* embankment
набира́ть *I imp.:* ~ высоту́ gain height; ~ но́мер телефо́на dial
наблюда́ть *I imp.* observe; watch
набо́р *m* set; collection
набра́ть *I p* (наберу́, наберёшь; *past* набра́л, -и, набрала́) *see* набира́ть
набра́ться *I p* (наберу́сь, наберёшься): ~ сил recuperate
наве́рно(е) most likely
наве́рх (*куда́?*) above, upstairs
наверху́ (*где?*) above, upstairs
навеща́ть *I imp.* visit
над, на́до *prep.* (+ *instr.*) at, over, above
надева́ть *I imp.* put on
наде́яться *I imp. на кого́, на что* hope, rely
на дня́х the other day, in a day or two
на́до *predic. impers. кому́* it is necessary, one must; мне ~ рабо́тать I must work
надоеда́ть *I imp.* bore
надо́лго for a long time
на́дпись *f* inscription
наза́д 1. (*куда́?*) back; 2. ago; неде́лю ~ a week ago
назва́ние *n* name; title
называ́ть *I imp.* call; name
называ́ться *I imp.* be called; be named
наибо́лее most; ~ удо́бный the most convenient
наизу́сть by heart
найти́ *I p* (найду́, найдёшь; *past* нашёл, нашл|а́, -о́; -и́) find; come across; consider

найти́сь I p (найдётся; *past* нашёл-ся, нашл|а́сь, -о́сь; -и́сь) be found; turn up

накану́не the day before, on the eve

накле́ить II p stick

наконе́ц at last

накрыва́ть I *imp.* cover; lay (the table)

накры́ть I p (накро́ю, накро́ешь) cover, lay (the table)

нале́во to the left, on the left

нали́ть I p (налью́, нальёшь; *past* нали́л, -о, -и, налила́) pour out

намно́го by far

наоборо́т on the contrary

напеча́тать I p print; type

написа́ть I p (напишу́, напи́шешь) write

напи́ток m drinks

напо́мнить II p remind; recall

напра́виться II p (напра́влюсь, напра́вишься) make / head for, be bound for

направле́ние n direction

напра́во to the right, on the right

напра́сно in vain, to no purpose; (you) should not have done so

наприме́р for example

напро́тив *adv.* & *prep.* (+ *gen.*) opposite

нарисова́ть I p (нарису́ю, нарису́ешь) draw

наро́д m people

наро́дн|ый, -ая, -ое; -ые people's popular; folk

наро́чно purposely

наруша́ть I *imp.* violate

наря́дн|ый, -ая, -ое; -ые smart, well-dressed

населе́ние n population

на́сморк m cold (in the head)

наста́ть I p (наста́нет) come

насто́йчив|ый, -ая, -ое; -ые persistent

насто́льн|ый, -ая, -ое; -ые table; ~ая ла́мпа desk-lamp

настоя́щ|ий, -ая, -ее; -ие 1. present; 2. real, genuine

настра́ивать I *imp.* tune

настрое́ние n mood

наступа́ть I *imp.* come, set in; ensue

наступи́ть II p (насту́пит) come; set in

нау́ка f science

научи́ть II p (научу́, нау́чишь) *кого́, чему́* teach

научи́ться II p (научу́сь, нау́чишь-ся) *чему́* learn

нау́чн|ый, -ая, -ое; -ые scientific

находи́ть II *imp.* (нахожу́, нахо́дишь) find; come upon

находи́ться II *imp.* (нахожу́сь, нахо́дишься) be; be situated, be found, turn up

национа́льн|ый, -ая, -ое; -ые national

нача́ло n start; beginning

нача́льник m head, chief; superior

нача́ть I p (начну́, начнёшь; *past* на́чал, -о, -и, начала́) begin; start

нача́ться I p (начнётся; *past* на-ча́лся, начал|а́сь, -о́сь; -и́сь) begin, start

начина́ть I *imp.* begin, start

не *particle* not, no

не́бо n (*pl.* небеса́, небе́с, небеса́м, *etc.*) sky, heaven

небольш|о́й, -а́я, -о́е; -и́е small

нева́жн|ый, -ая, -ое; -ые unimportant; bad; indifferent

неве́ста f bride, fiancee

невозмо́жно impossible; э́то ~ it is impossible

не́где (*где?*) there is nowhere; мне ~ взять there is nowhere I could get it from

неда́вно recently

недалеко́ not far

неде́ля f (*gen. pl.* неде́ль) week

недоста́ток m (*gen.* недоста́тка) lack (of); shortage (of); defect

не́жн|ый, -ая, -ое; -ые tender, delicate

незаме́тно imperceptibly

нездоро́виться *impers.* (нездоро́вит-ся, нездоро́вилось) *кому́* мне нездоро́вится I am unwell

незнако́мец m (*gen.* незнако́мца) stranger

незнако́м|ый, -ая, -ое; -ые strange; unknown

не́когда *predic. impers.* there is no time; мне ~ I have no time

не́котор|ый, -ая, -ое; -ые some

не́куда (*куда́?*) *predic. impers.* nowhere; мне ~ идти́ I have nowhere to go

нелёгк|ий, -ая, -ое; -ие not easy

нельзя́ *predic. impers.* (it is) impossible; one cannot; must not; Неуже́ли нельзя́? Can't one?

нема́ло not little; much, not few, many

немно́го a little, some

необходи́мо *predic. impers.* necessarily, (it is) necessary

необыкнове́нн|ый, -ая, -ое; -ые unusual, extraordinary

неожи́данно unexpectedly; suddenly

неожи́данность *f* surprise, suddenness

неохо́тно unwillingly; reluctantly

непло́хо not bad(ly)

неплох|о́й, -а́я, -о́е; -и́е not bad, good

непра́вильно wrong

неприя́тность *f* unpleasantness

неприя́тн|ый, -ая, -ое; -ые unpleasant

нерв *m* nerve

не́рвн|ый, -ая, -ое; -ые nervous

нере́дко often, not infrequently

не́сколько some, several

несмотря́ на *prep.* (+ *acc.*) in spite of

нести́ *I imp.* (несу́, несёшь; *past* нёс, несл|а́, -о́; -и́) carry; bring; bear

несча́стн|ый, -ая, -ое; -ые unhappy, unfortunate; ~ слу́чай accident

несча́стье *n* misfortune

нет no, not; there is (are) no; у меня́ ~ кни́ги I have no book

неуже́ли *particle* really, is it possible

не хвата́ть *see* хвата́ть

неча́янно accidentally

не́чего [-во] there is nothing

ни not a; **ни... ни...** neither... nor...

нигде́ nowhere

ни́жн|ий, -яя, -ее; -ие lower

ни́зк|ий, -ая, -ое; -ие low

ника́к in no way; by no means

никак|о́й, -а́я, -о́е; -и́е no (whatever), none

никогда́ never

никто́ nobody, no one

ничего́ [-во] 1. *gen. of* **ничто́;** 2. *adv.* so-so, passably; 3. *particle* it doesn't matter, never mind

нич|е́й, -ья́, -ье́; -ьи́ nobody's, no one's

но *conj.* but

новогодн|ий, -яя, -ее; -ие new-year's

новосе́лье *n* house-warming; **справля́ть** ~ give a house-warming party

но́вость *f* (*gen. pl.* новосте́й) news

но́в|ый, -ая, -ое; -ые new; modern; fresh

нога́ *f* (*acc.* но́гу; *pl.* ног, нога́м, *etc.*) leg, foot

нож *m* (*gen.* ножа́) knife

но́мер *m* (*pl.* номера́) number; size; apartment, room; **сего́дняшний** ~ **газе́ты** today's issue

норма́льно normally

нос *m* (*prepos.* на носу́; *pl.* носы́) nose

носи́ть *II imp.* (ношу́, но́сишь) carry; bear

носки́ *pl.* (*sing.* носо́к *m*) socks

ночн|о́й, -а́я, -о́е; -ы́е night

ноч|ь *f* night; **споко́йной** ~ **и!** good night!

но́чью at night; by night

нра́виться *II imp.* (нра́влюсь, нра́вишься) like, please

ну *interjection* well

нужда́ться *I imp. в ком, в чём* need, require

ну́жен, нужна́, нужны́ (*short form of* ну́жный) *кому́* need; want; мне ~ каранда́ш I want a pencil

ну́жно *predic. impers.* (it is) necessary; need; one should

ну́жн|ый, -ая, -ое; -ые necessary

ны́нешн|ий, -яя, -ее; -ие present, today

О, о

о, об, обо *prep.* (+ *prepos.*) of, about; on

о́ба *m, n* (*f* о́бе) both

обду́мывать *I imp.* think over

обе́д *m* dinner; lunch

обе́дать *I imp.* have lunch, dinner, dine

обе́денн|ый, -ая, -ое; -ые dinner, lunch; ~ **переры́в** lunch break

обеща́ть *I imp.* promise

обзо́р *m* review

оби́деться *II p* (оби́жусь, оби́дишься) *на кого́, на что* take offence, feel hurt

оби́дно *predic. impers.* it is a pity; мне ~ I feel hurt

оби́льн|ый, -ая, -ое; -ые plentiful; abundant

о́блако *n* (*pl* облака́, облако́в) cloud

о́бласть *f* (*gen. pl.* областе́й) region; sphere; field

о́блик *m* look; aspect

обме́ниваться *I imp. чем с кем* exchange; share

обнима́ться I imp. embrace

обня́ть I p (обниму́, обни́мешь; past о́бнял, -о, -и, обняла́) embrace

обозначе́ние n designation

обойти́ I p (обойду́, обойдёшь; past обошёл, обошл|а́, -о́; -й) go round

обра́доваться I p (обра́дуюсь, обра́дуешься) be glad, happy, rejoice

образе́ц m (gen. образца́) model, pattern

образова́ние n education

обрати́ться II p (обращу́сь, обрати́шься) address, turn to

обра́тно back; идти́, е́хать ~ go back, return; туда́ и ~ there and back

обра́тн|ый, -ая, -ое; -ые reverse; ~ путь return journey; ~ а́дрес sender's address

обраща́ться I imp. address, turn to

обслу́живание n service

обслу́живать I imp. attend (to), serve

обстано́вка f conditions, situation

обстоя́тельство n circumstance

обсужда́ть I imp. discuss, talk over

о́бувь f footwear

обходи́ть II imp. (обхожу́, обхо́дишь) go round

общежи́тие n hostel

обще́ственн|ый, -ая, -ое; -ые social; public; ~ де́ятель public man/figure

о́бщество n society

о́бщ|ий, -ая, -ее; -ие general; common

объяви́ть II p (объявлю́, объя́вишь) declare, announce

объявле́ние n announcement

объясне́ние n explanation

объясня́ть I imp. explain

обыкнове́нн|ый, -ая, -ое; -ые usual; ordinary

обы́чай m (gen. обы́чная) custom

обы́чно usually; as a rule

обы́чн|ый, -ая, -ое; -ые usual; ordinary

обяза́тельно without fail

овладе́ть I p чем master

о́вощи pl. (gen. pl. овоще́й; sing. о́вощ m) vegetables

овощн|о́й, -а́я, -о́е; -ы́е vegetable

огляну́ться I p (огляну́сь, огля́нешься) turn (back), look at something, glance back/behind

ого́нь m (gen. огня́; pl. огни́, огне́й) 1. no pl. fire; 2. light

огро́мн|ый, -ая, -ое; -ые huge, great, vast

огуре́ц m (gen. огурца́) cucumber

одева́ть I imp. dress

оде́жда f clothes

оде́ть I p (оде́ну, оде́нешь) dress

оде́ться I p (оде́нусь, оде́нешься) dress (oneself)

одея́ло n blanket

одна́жды once, one day

одна́ко conj. however; though; but

одновре́менно simultaneously

одобря́ть I imp. approve

оживлённо animatedly

ожида́ть I imp. wait (for), expect

о́зеро n (pl. озёра, озёр) lake

оказа́ться I p (окажу́сь, ока́жешься) find (oneself); turn out, prove (to be)

ока́нчивать I imp. finish, end; graduate

океа́н m ocean

окно́ n (pl. о́кна, о́кон) window

о́коло prer. (+ gen.) by, at; about

оконча́ние n ending

око́нчить II p finish, end

око́нчиться II p finish, end; be over

око́шко n (pl. око́шки, око́шек) colloq. window (usu. not very large)

окра́ина f outskirts

окре́пнуть I p (окре́пну, окре́пнешь; past окре́п, -ла, -ло; -ли) get stronger, healthier

окружа́ть I imp. surround

опа́здывать I imp. be / get late

опа́сность f danger

опа́сн|ый, -ая, -ое; -ые dangerous

опера́ци|я f operation; де́лать ~ю operate

о́пери|ый, -ая, -ое; -ые opera

описа́ние n description

описа́ть I p (опишу́, опи́шешь) describe

опозда́ть I p be late

определе́ние n definition; attribute

определя́ть I imp. define, determine; diagnose

опуска́ть I imp. lower, drop

опусти́ть II p (опущу́, опу́стишь) lower; drop

о́пытн|ый, -ая, -ое; -ые experienced

опя́ть again

организова́ть I imp. & p. (организу́ю, организу́ешь) organize; arrange

оригина́льн|ый, -ая, -ое; -ые original

осе́нн|ий, -яя, -ее; -ие autumn

о́сень f autumn

осетри́на f sturgeon

осма́тривать I imp. see (museum, etc.), examine

осмотре́ть II p (осмотрю́, осмо́тришь) look over; examine

осмотре́ться II p (осмотрю́сь, осмо́тришься) look round

основа́тель m founder

основа́ть I p (only past) found

основн|о́й, -а́я, -о́е; -ы́е basic

осо́бенно especially; particularly

осо́бенн|ый, -ая, -ое; -ые special; particular

остава́ться I imp. (остаю́сь, остаёшься) 1. remain; 2. be left

оставля́ть I imp. leave

остальн|о́й, -а́я, -о́е; -ы́е the rest; the others

остана́вливать I imp. stop

остана́вливаться I imp. stop; put up; stay

останови́ть II p (остановлю́, остано́вишь) stop

остано́вка f (gen. pl. остано́вок) stop

оста́ться I p 1. (оста́нусь, оста́нешься) remain; 2. (only: оста́нется; оста́лось) **мне оста́лось учи́ться год** I still have a year to study

осторо́жно carefully; ~ ! be careful!

остроу́мн|ый, -ая, -ое; -ые witty

о́стр|ый, -ая, -ое; -ые sharp; keen; strong; piquant

осуществи́ться II p come true, come to be

от, ото prep. (+ gen.) from; away from; of; for

отвезти́: I p (отвезу́, отвезёшь; past отвёз, отвезл|а́, -о́; -и́) take / drive away; take / drive back

отве́т m answer

отве́тить II p (отве́чу, отве́тишь) answer, reply

отве́тн|ый, -ая, -ое; -ые reciprocal; in answer, in return

отвеча́ть I imp. answer

отдава́ть I imp. (отдаю́, отдаёшь) give back

отда́ть p (отда́м, отда́шь, отда́ст, отдади́м, отдади́те, отдаду́т; past о́тдал, -о, -и, отдала́) give back

отде́л m department; section; office

отделе́ние n department; **почто́вое** ~ post office

отде́льно separately

о́тдых m rest

отдыха́ть I imp. rest; have a rest

оте́ц m (gen. отца́) father

отказа́ться I p (откажу́сь, отка́жешься) refuse; give up

откла́дывать I imp. postpone; set aside

открыва́ть I imp. open; discover

откры́тка f (gen. pl. откры́ток) postcard

откры́ть I p (откро́ю, откро́ешь) open; discover

отку́да where from; from which; whence

отлича́ться I imp. differ

отли́чно (it is) fine; excellent

отмени́ть II p (отменю́, отме́нишь) abolish; call off

отнима́ть I imp. у кого́, что take away

относи́ться II imp. (отношу́сь, отно́сишься) treat; regard; concern

отплы́ть I p (отплыву́, отплывёшь) sail

отпра́вить II p (отпра́влю, отпра́вишь) send

отпра́виться II p (отпра́влюсь, отпра́вишься) set out, go, start; ~ в путь set out

отправля́ть I imp. send

отправля́ться I imp. set out; start; ~ в путь set out

о́тпуск m (pl. отпуска́) leave; **идти́ в** ~ go on leave; **быть в** ~ **е** be on leave

отстава́ть I imp. (отстаю́, отстаёшь) lag behind; **часы́ отстаю́т** the watch is slow

отста́ть I p (отста́ну, отста́нешь) lag behind

отсю́да from here

отту́да from there

отходи́ть II imp. (отхожу́, отхо́дишь) move away; step aside

о́тчество n patronymic

отчи́зна f fatherland, native country

отъе́зд m departure

отъезжа́ть I imp. move away

официа́нт m waiter

охо́тно willingly; readily

охраня́ть I imp. guard, protect

оцени́ть II p (оценю́, оце́нишь) appraise, evaluate

о́чень very; very much; ~ **хорошо́** very well; **я ~ люблю́...** I like... very much

о́чередь f 1. no pl. turn; 2. (gen. pl. (очереде́й) queue

очки́ only pl. (gen. pl. очко́в) spectacles

ошиби́ться I p (ошибу́сь, ошибёшься) make a mistake

оши́бка f (gen. pl. оши́бок) mistake

П, п

па́дать I imp. fall; drop

па́луба f deck

пальто́ n (not decl.) coat, overcoat

па́мятник m monument

па́мять f memory

пансиона́т m: ~ **для автомобили́стов** motel

папиро́са f cigarette

па́пка f (gen. pl. па́пок) file

па́ра f pair, couple

парикма́херская f barber's shop; hair-dressing salon

парохо́д m steamer

парте́р m stalls

па́ртия f party; group

пассажи́р m passenger

пассажи́рск|ий, -ая, -ое; -ие passenger

пацие́нт m patient

па́чка f (gen. pl. па́чек) packet; pack

певе́ц m (gen. певца́) singer

певи́ца f singer

педагоги́ческ|ий, -ая, -ое; -ие pedagogical

пе́нсия f pension

первокла́ссн|ый, -ая, -ое; -ые first-class

пе́рв|ый, -ая, -ое; -ые first; ~**ое блю́до** or **пе́рвое** first course; (в) **пе́рвое вре́мя** at first

перево́д m 1. postal order; 2. translation

переводи́ть II imp. (перевожу́, перево́дишь) 1. transfer; 2. translate

перево́дчик m interpreter, translator

пе́ред(о) prep. (+ instr.) before; in front of

передава́ть I imp. (передаю́, передаёшь) pass; convey; broadcast

переда́ть p (переда́м, переда́шь, переда́ст, передади́м, передади́те, передаду́т; past пе́редал, -о, -и, передала́) pass; convey; broadcast

переда́ча f broadcast

пере́дн|ий, -яя, -ее; -ие front, fore

пере́дняя f entrance hall

переезжа́ть I imp. move to a new place

перее́хать I p (перее́ду, перее́дешь) move to a new place

перейти́ I p (перейду́, перейдёшь; past перешёл, перешл|а́, -о́; -и́) cross

перенести́ I p (перенесу́, перенесёшь; past перенёс, перенесл|а́, -о́; -и́) carry over; transfer, bear; ~ **боле́знь** have an illness

переодева́ться I imp. change one's clothes

перепи́ск|а f correspondence; **вести́ ~у** correspond

перепи́сываться I imp. correspond, write to each other

переры́в m interval; **обе́денный ~** lunch break

переса́дк|а f change (train, etc.); **де́лать ~у** change (trains, etc.)

пересе́сть I p (перося́ду, перося́дешь; past пересе́л, -а, -о; -и) change (one's seat)

пересказа́ть I p (перескажу́, переска́жешь) retell

перестава́ть I imp. (перестаю́, перестаёшь) stop

переста́ть I p (переста́ну, переста́нешь) stop

переу́лок m (gen. переу́лка) by-street, lane

пе́рец m (gen. пе́рца)

перо́ n (pl. пе́рья, пе́рьев) pen; feather

перро́н m platform

перча́тка f (gen. pl. перча́ток) glove

пе́сня f (gen. pl. пе́сен) song

песо́к m (gen. песка́ ‖ песку́) sand

петь I imp. (пою́, поёшь) sing

печа́льн|ый, -ая, -ое; -ые sad

печа́тать I imp. print; type

печа́ть f (only sing.) press

пече́нье n pastry, biscuits

пешехо́д m pedestrian

пешко́м on foot

пиани́но n (not decl.) piano

пи́во n beer

пиро́г m (gen. пирога́) pie

писа́тель m writer; author

писа́ть I imp. (пишу́, пи́шешь) write

пи́сьменн|ый, -ая, -ое; -ые writing; ~ **стол** desk

письмо́ *n* (*pl.* пи́сьма, пи́сем) letter

пита́ться *I imp. чем* feed (on); have food

пить *I imp.* (пью, пьёшь, пьют; *past* пил, -о, -и, пила́) drink

пи́ща *f* food

пла́вание *n* swimming

пла́вательн|ый, -ая, -ое; -ые: ~ **бассе́йн** swimming-pool

пла́вать *I imp.* swim

пла́кать *I imp.* (пла́чу, пла́чешь) cry, weep

пласти́нка *f* (*gen. pl.* пласти́нок) record

пластма́сса *f* plastic

плати́ть *II imp.* (плачу́, пла́тишь) pay

плато́к *m* (*gen.* платка́) handkerchief

платфо́рма *f* platform

пла́тье *n* 1. clothes; 2. (*pl.* пла́тья, пла́тьев) dress

плащ *m* (*gen.* плаща́) raincoat

племя́нник *m* nephew

плечо́ *n* (*pl.* пле́чи, плеч, плеча́м, *etc.*) shoulder

пло́тн|ый, -ая, -ое; -ые compact, thick

пло́хо *adv.* badly; *predic. impers.* (it is) bad

плох|о́й, -а́я, -о́е; -и́е bad

площа́дка *f* (*gen. pl.* площа́док) pich, ground; site

пло́щадь *f* (*gen. pl.* площаде́й) 1. square; 2. territory

плыть *I imp.* (плыву́, плывёшь; *past* плыл, -о, -и, плыла́) swim

по *prep.* 1 (+ *dat.*) along, on; by; according to; through; in; at; 2. (+ *acc.*) to, till

побе́да *f* victory

победи́тель *m* winner

побере́жье *n* coast

поблагодари́ть *II p* thank

побли́зости near at hand, in the vicinity

побри́ться *I p* (побре́юсь, побре́ешься) have a shave

поброди́ть *II p* (поброжу́, побро́дишь) roam

побыва́ть *I p где, у кого* be, visit

повезти́ *I p* 1. (повезу́, повезёшь; *past* повёз, повезла́, -о́; -и́) *see* везти́; 2. *impers.* (повезёт; по-

везло́) be lucky; **ему́ (ей) повезло́** he (she) was lucky

пове́рить *II p* believe

пове́сить *II p* (пове́шу, пове́сишь) hang

по́весть *f* (*gen. pl.* повесте́й) story

повора́чивать *I imp.* turn

поворо́т *m* turn

повтори́ть *II p* repeat

повторя́ть *I imp.* repeat

погаси́ть *II p* (погашу́, пога́сишь) switch off; put out

пога́снуть *I p* (пога́снет; *past* пога́с, пога́сл|а, -о; -и) go out; become dim

погла́дить *II p* (погла́жу, погла́дишь) iron, press

погляде́ть *II p* (погляжу́, погляди́шь) have a look

поговори́ть *II p* have a talk

пого́да *f* weather

погуля́ть *I p* go for a walk

под, подо *prep.* 1. (+ *instr.*) under, by; near; 2. (+ *acc.*) to, towards

подава́ть *I imp.* (подаю́, подаёшь) give; serve; hand

пода́льше a little farther on

подари́ть *II p* (подарю́, пода́ришь) give as a present

пода́рок *m* (*gen.* пода́рка) gift, present

пода́ть *p* (пода́м, пода́шь, пода́ст, подади́м, подади́те, подаду́т; *past* по́дал, -о, -и, подала́) give; serve; hand

подво́дн|ый, -ая, -ое; -ые underwater

подготови́тельн|ый, -ая, -ое; -ые: ~ **факульте́т** preparatory faculty

подгото́виться *II p* (подгото́влюсь, подгото́вишься) prepare

подде́рживать *I imp.* support, second; keep up

подзе́мн|ый, -ая, -ое; -ые underground

Подмоско́вье *n* the environs of Moscow

поднима́ть *I imp.* lift; raise; pick up

поднима́ться *I imp.* go up, rise

подня́ться *I p* (подниму́сь, подни́мешься; *past* подня́лся, поднял|а́сь, -о́сь; -и́сь) go up, rise

подожда́ть *I p* (подожду́, подождёшь; *past* подожда́л, -о, -и, подождала́) wait (for)

203

подойти́ *I p* (подойду́, подойдёшь; *past* подошёл, подошл|а́, -о́; -и́) 1. come up; 2. (*3rd pers. only*) fit, suit

подписа́ть *I p* (подпишу́, подпи́шешь) sign

по́дпись *f* signature

подро́бно in detail

подру́га *f* friend

подружи́ться *II p* (подружу́сь, подру́жишься) make friends

поду́мать *I p* think

подходи́ть *II imp.* (подхожу́, подхо́дишь) 1. come (up), approach; 2. (*3rd pers. only*) fit, suit

подходя́щ|ий, -ая, -ее; -ие suitable

подчеркну́ть *I p* (подчеркну́, подчеркнёшь) underline; emphasize

подъе́зд *m* entrance; porch

подъезжа́ть *I imp.* **к чему́** drive up (to)

по́езд *m* (*pl.* поезда́) train

пое́здка *f* (*gen. pl.* пое́здок) journey, trip

пое́хать *I p* (пое́ду, пое́дешь) *куда́* go (in a vehicle)

пожале́ть *I p* be sorry

пожа́луй perhaps; very likely

пожа́луйста please

пожела́ние *n* wish

пожени́шься *II p* (поже́нимся) get married

пожива́ть *I imp.* get on; **Как пожива́ете?** How are you getting on?

пожил|о́й, -а́я, -о́е; -ы́е elderly

поза́втракать *I p* have breakfast

позавчера́ the day before yesterday

позва́ть *I p* (позову́, позовёшь; *past* позва́л, -о, -и, позвала́) call

позво́лить *II p* allow

позвони́ть *II p* ring; ring up

поздне́е (*comp. of* по́здно) later

по́здн|ий, -яя, -ее; -ие late

по́здно *predic. impers.* (it is) late

поздоро́ваться *I p* greet

поздрави́тельн|ый, -ая, -ое; -ые complimentary, congratulatory

поздра́вить *II p* (поздра́влю, поздра́вишь) *с чем* congratulate

поздравле́ние *n* congratulation

поздравля́ть *I imp. с чем?* congratulate; **~ с Но́вым го́дом** wish somebody a happy New Year

по́зже (*comp. of* по́здно) later, later on

познако́мить *II p* (познако́млю, познако́мишь) introduce

познако́миться *II p* (познако́млюсь, познако́мишься) get acquainted, meet

пойма́ть *I p* catch

пойти́ *I p* (пойду́, пойдёшь; *past* пошёл, пошл|а́, -о́; -и́) go; come

пока́ *conj.* 1. while; 2. until, till; **пока́ не...** until, till

показа́ть *I p* (покажу́, пока́жешь) show

пока́зывать *I imp.* show

поката́ться *I p see* **ката́ться**

покупа́тель *m* customer, buyer

покупа́ть *I imp.* buy

поку́пка *f* (*gen. pl.* поку́пок) purchase

покури́ть *II p* (покурю́, поку́ришь) have a smoke

пол *m* (*pl.* полы́) floor

по́ле *n* (*pl.* поля́, поле́й) field

полежа́ть *II p* (полежу́, полежи́шь) lie

поле́зн|ый, -ая, -ое; -ые useful

полете́ть *II p* (полечу́, полети́шь) fly

полёт *m* flight

по́лка *f* (*gen. pl.* по́лок) shelf

по́лн|ый, -ая, -ое; -ые full, complete

полови́на *f* half

положи́ть *II p* (положу́, поло́жишь) lay, put

по́лон, полна́, полно́; полны́ *short form of* **по́лный** (*see*)

полоса́ *f* (*acc.* по́лосу; *pl.* по́лосы, поло́с, полоса́м, *etc.*) stripe, strip; zone

полоска́ть *I imp.* (полощу́, поло́щешь) gargle

полтор|а́ *for m and n;* **~ы́** *for f* one and a half

получа́ть *I imp.* receive, get, obtain

получи́ть *II p* (получу́, полу́чишь) receive, get, obtain

по́льза *f* use

по́льзоваться *I imp.* (по́льзуюсь, по́льзуешься) use; enjoy; **~ успе́хом** be a success

по́льск|ий, -ая, -ое; -ие Polish

полюби́ть *II p* (полюблю́, полю́бишь) come to love

полюбова́ться *I p* (полюбу́юсь, полюбу́ешься) admire

поля́к *m* Pole

поме́рить *II p* try on

поместить II p (помещу́, поме́стишь) place; accommodate

помеша́ть I p prevent; hinder; disturb

помеща́ть I imp. place; accommodate

помеще́ние n room, premises

поме́щик m landowner

помидо́р m tomato

по́мнить II imp. remember, bear in mind

помога́ть I imp. help

помо́чь I p (помогу́, помо́жешь; past помо́г, помогла́, -ло́; -ли́) help

по́мощь f help

пони́зиться II p fall, go down

понима́ть I imp. understand

понима́юще with understanding

понра́виться II p (понра́влюсь, понра́вишься) like, please

поня́тно clearly, plainly

поня́ть I p (пойму́, поймёшь; past по́нял, -о, -и, поняла́) understand

пообе́дать I p have dinner, lunch

пообеща́ть I p promise

попада́ть I imp. get to; manage to get to

попа́сть I p (попаду́, попадёшь; past попа́л, -а, -о; -и (imp. попада́ть) get to; manage to get to

попо́зже a little later

попола́м in two; half-and-half

по-по́льски Polish, (in) Polish; à la Polonaise

попра́виться II p (попра́влюсь, попра́вишься) recover

по-пре́жнему as before

попро́бовать I p (попро́бую, попро́буешь) try; test; taste

попроси́ть II p (попрошу́, попро́сишь) ask (for), request

популя́рн|ый, -ая, -ое; -ые popular

пора́ predic. impers. (it is) time; до сих пор up to now

порабо́тать I p do some work

по-ра́зному differently; in different ways

порошо́к m (gen. порошка́) powder

порт m (prepos. о по́рте ‖ в порту́) port, harbour

портфе́ль m briefcase

по-ру́сски (in) Russian; in the Russian style

поруче́ние n errand; mission

по́рция f portion; helping

поря́док m (gen. поря́дка) order

посади́ть II p (посажу́, поса́дишь) 1. plant; 2. land

поса́дка f landing; embarkation

посла́ть I p (пошлю́, пошлёшь) send

по́сле prep. (+ gen.) after

после́дн|ий, -яя, -ее; -ие last, latter, latest

послеза́втра the day after tomorrow

послу́шать I p listen

послу́шаться I p кого́, чего́ listen to; obey; ~ сове́та take somebody's advice

посме́яться I p (посмею́сь, посмеёшься) laugh

посмотре́ть II p (посмотрю́, посмо́тришь) look

посо́бие n text-book

посове́товаться I p (посове́туюсь, посове́туешься) с кем consult

поспо́рить II p argue

посреди́ prep. (+ gen.) in the middle (of)

поссо́риться II p quarrel

поста́вить II p (поста́влю, поста́вишь) put; place

постано́вка f (gen. pl. постано́вок) staging; production

постара́ться I p try

по-ста́рому as before; as of old

посте́ль f bed

постепе́нно gradually, little by little

постоя́нн|ый, -ая, -ое; -ые permanent

постоя́ть II p (постою́, постои́шь) stand a while

постро́ить II p build

поступи́ть II p (поступлю́, посту́пишь) куда́, во что enter; join

постуча́ть II p knock

посу́да f plates and dishes; kitchen utensils

посыла́ть I imp. send

посы́лка f (gen. pl. посы́лок) parcel

потанцева́ть I p (потанцу́ю, потанцу́ешь) dance

потеря́ть I p lose

потоло́к m (gen. потолка́) ceiling

пото́м then

потому́ что conj. because

потре́бовать I p (потре́бую, потре́буешь) demand; require

потро́гать I p touch

по-туре́цки Turkish; (in) Turkish

поу́жинать I p have supper

по-францу́зски French; (in) French

похо́д *m* hike; trip; **ходи́ть в тури́стический** ~ go on a hiking trip

походи́ть *II p* (похожу́, похо́дишь) have a walk, go, walk

похо́ж, -а, -е; -и (*short form of* **похо́жий**) *на кого́, на что* alike; like; resembling; **похо́же, что...** it looks as if... .

поцелова́ть *I p* (поцелу́ю, поцелу́ешь) kiss

почему́ why

почему́-нибудь for some reason or other

почини́ть *II p* (починю́, почи́нишь) repair

почи́стить *II p* (почи́щу, почи́стишь) clean

по́чта *f* post

почтальо́н *m* postman

почти́ almost

почти́ть *II p* (почту́, почти́шь... почтя́т) honour

почто́в|ый, -ая, -ое; -ые post; postal

почу́вствовать *I p* (почу́вствую, почу́вствуешь) feel

пошути́ть *II p* (пошучу́, пошу́тишь) joke

поэ́тому *conj.* that is why

появи́ться *II p* (появлю́сь, поя́вишься) appear, make one's appearance

по́яс *m* (*pl.* пояса́) belt

прав, -ы, права́ (*short form of* **пра́вый**) right; **она́ была́ права́** she was right

пра́вда *f* truth

пра́вило *n* rule

пра́вильн|ый, -ая, -ое; -ые correct

пра́в|ый, -ая, -ое; -ые right

пра́здник *m* holiday, festival

пра́здничн|ый, -ая, -ое, -ые holiday, festive

предлага́ть *I imp.* offer; suggest

предложе́ние *n* 1. offer, suggestion; 2. sentence, clause

предложи́ть *II p* (предложу́, предло́жишь) offer; suggest

предме́т *m* thing; object

предполага́ть *I imp.* suppose

предпочита́ть *I imp.* prefer

представи́тель *m* representative

предста́вить *II p* (предста́влю, предста́вишь) 1. imagine; 2. introduce; represent

предупрежда́ть *I imp.* let know beforehand; warn

предъявля́ть *I imp.* show; produce

пре́жде всего́ [-во] above all

пре́жн|ий, -яя, -ее; -ие previous, former

прекра́сно (it is) fine

прекра́сн|ый, -ая, -ое; -ые beautiful; fine

прекраща́ть *I imp.* stop, put an end

прекраща́ться *I imp.* end, cease

преодолева́ть *I imp.* overcome

преподава́тель *m* teacher

преподава́ть *I imp.* (преподаю́, преподаёшь) teach

преподнести́ *I p* (преподнесу́, преподнесёшь; *past* преподнёс, преподнесл|а́; -й) present

при *prep.* (+ *prepos.*) attached to; in the time of; by; about; of

приближа́ться *I imp.* approach; ~ **к концу́** come to an end

приблизи́тельно approximately; roughly

прибо́р *m* instrument; **столо́вый** ~ cover

прибыва́ть *I imp.* arrive

прибы́ть *I p* (прибу́ду, прибу́дешь; *past* при́был, -о, -и, прибыла́) arrive

прива́л *m* halt; **де́лать** ~ halt

привезти́ *I p* (привезу́, привезёшь; *past* привёз, привезл|а́, -о́; -й) carry

приве́т *m* greeting, regards; **переда́ть** ~ convey greetings

приве́тлив|ый, -ая, -ое; -ые friendly

приве́тствовать *I imp.* (приве́тствую, приве́тствуешь) welcome, greet

привлека́ть *I imp.* attract, draw

привле́чь *I p* (привлеку́, привлечёшь; *past* привлёк, привлекл|а́, -о́; -й) attract, draw

приводи́ть *II imp.* (привожу́, приво́дишь) lead; bring

привози́ть *II imp.* (привожу́, приво́зишь) bring

привыка́ть *I imp.* get used to, get accustomed

привы́чка *f* (*gen. pl.* привы́чек) habit

пригласи́ть *II p* (приглашу́, пригласи́шь) invite

приглаша́ть *I imp.* invite

при́городн|ый, -ая, -ое; -ые suburban

пригото́вить *II p* (пригото́влю, пригото́вишь) prepare

приду́мать *I p* think of; devise

прие́зд *m* arrival

приезжа́ть *I imp.* arrive, come

приём *m* reception

прие́хать *I p* (прие́ду, прие́дешь) arrive, come

приз *m* (*pl.* призы́) prize

приземли́ться *II p* land

призна́ться *I p* admit

прийти́ *I p* (приду́, придёшь... приду́т; *past* пришёл, пришл|а́, -о́; -и́) come

прийти́сь *impers.* (придётся, пришло́сь): **мне придётся** I'll have to; **мне пришло́сь** I had to

прика́зывать *I imp.* order, command

приключе́ние *n* adventure

приме́р *m* example

приме́рить *II p* try on; fit

приме́рно approximately

принадлежа́ть *II imp.* belong

принести́ *I p* (принесу́, принесёшь; *past* принёс, принесл|а́, -о́; -и́) bring; fetch

принима́ть *I imp.* take; receive, accept

приноси́ть *II imp.* (приношу́, прино́сишь) bring

приня́ть *I p* (приму́, при́мешь; *past* при́нял, -о́, -и, приняла́) take; receive, accept

приня́ться *I p* (приму́сь, при́мешься; *past* приня́лся, приня́л|ась, -о́сь; -и́сь) *за что* set to; begin

приро́да *f* nature

присла́ть *I p* (пришлю́, пришлёшь) send

при́стань *f* landing-stage; pier

прису́тствовать *I imp.* (прису́тствую, прису́тствуешь) be present

приходи́ть *II imp.* (прихожу́, прихо́дишь) come, arrive

приходи́ться *II imp. impers.* (прихо́дится; приходи́лось) have to

причёсываться *I imp.* do one's hair; comb one's hair

причи́на *f* cause, reason

прия́тно *adv.* pleasantly; *predic. impers.* it is pleasant

прия́тн|ый, -ая, -ое; -ые pleasant, good, nice

про́бовать *I imp.* (про́бую, про́буешь) try; taste, test

пробы́ть *I p* (пробу́ду, пробу́дешь; *past* про́был, -о, -и, пробыла́) stay, remain

прове́рить *II p* check

провести́ *I p* (проведу́, проведёшь; *past* провёл, провел|а́, -о́; -и́) ~ **вре́мя** spend time

проводи́ть *II imp.* (провожу́, прово́дишь) spend; conduct; show

проводи́ться *II imp.* (прово́дится) be done

проводни́к *m* (*gen.* проводника́) guide, conductor

провожа́ть *I imp.* accompany; see off

проголода́ться *I p* feel / get hungry

прогу́лка *f* (*gen. pl.* прогу́лок) walk; drive; ride

продава́ть *I imp.* (продаю́, продаёшь) sell

продаве́ц *m* (*gen.* продавца́) shop assistant

прода́ж|а *f* sale; **в ~e** on sale

прода́ть *p* (прода́м, прода́шь, прода́ст, продади́м, продади́те, продаду́т; *past* про́дал, -о, -и, продала́) sell

продово́льственн|ый, -ая, -ое; -ые food, provision; ~ **магази́н** food-store

продолжа́ть *I imp.* continue; go on

продолжа́ться *I imp.* continue; go on

проду́кты *pl.* (*sing.* проду́кт *m*) food, provisions; products

проезжа́ть *I imp.* go, cover; pass by

прое́хать *I p* (прое́ду, прое́дешь) go, cover; pass by

прожи́ть *I p* (проживу́, проживёшь; *past* про́жил, -о, -и, прожила́) live

прозра́чн|ый, -ая, -ое; -ые transparent

прои́грывать *I imp.* lose

произведе́ние *n* work; composition

произноше́ние *n* pronunciation

происходи́ть *II imp.* (происхо́дит) take place

пройти́ *I p* (пройду́, пройдёшь; *past* прошёл, прошл|а́, -о́; -и́) pass

пролета́ть *I imp.* fly (over)

промы́шленность *f* industry

пропада́ть *I imp.* get lost; disappear

пропуска́ть *I imp.* let pass; omit; miss

проси́ть II *imp.* (прошу́, про́сишь) *чего́* ask (for)

прослу́шать I *p* hear; listen to; attend

просма́тривать I *imp.* look over / through

просмотре́ть II *p* (просмотрю́, просмо́тришь) look through

просну́ться I *p* (просну́сь, проснёшься) awake

проспе́кт *m* avenue

прости́ть II *p* (прощу́, прости́шь) forgive

прости́ться II *p* (прощу́сь, прости́шься) *с кем, с чем* say good-bye

про́сто simply

прост|о́й, -а́я, -о́е; -ы́е simple; common; plain

простуди́ться II *p* (простужу́сь, просту́дишься) catch cold

просту́живаться I *imp.* catch cold

про́сьба *f* request

про́тив *prep.* (+ *gen.*) against; opposite

проти́вник *m* opponent, adversary

протяну́ть I *p* (протяну́, протя́нешь) stretch; extend; reach out

профе́ссор *m* (*pl.* профессора́) professor

прохла́дн|ый, -ая, -ое; -ые cool

проходи́ть II *imp.* (прохожу́, прохо́дишь) 1. pass; 2. take place

прохо́жий *m* passer-by

проце́нт *m* per cent

проце́сс *m* process

прочита́ть I *p* read

про́чн|ый, -ая, -ое; -ые durable; solid; firm

проше́дш|ий, -ая, -ее; -ие past

прошлого́дн|ий, -яя, -ее; -ие last year's

про́шлое *n* the past

про́шл|ый, -ая, -ое; -ые past; last

проща́ть I *imp.* forgive

проща́ться I *imp. с кем, с чем* say good-bye

пры́гать I *imp.* jump

прыжо́к *m* (*gen.* прыжка́) jump

пря́мо directly, straight

прям|о́й, -а́я, -о́е; -ы́е straight, through

пря́тать I *imp.* (пря́чу, пря́чешь) hide

пти́ца *f* 1. bird; 2. *only sing.* fowl

пу́блика *f* public; audience

пуска́ть I *imp.* 1. let (go); 2. set in motion

пусте́ть I *imp.* become empty

пуст|о́й, -а́я, -о́е; -ы́е empty; deserted

пусть *particle* let

путёвка *f* accommodation card (for a sanatorium or tourist centre)

путеше́ственник *m* traveller

путеше́ствие *n* trip; journey

путеше́ствовать I *imp.* (путеше́ствую, путеше́ствуешь) travel

путь *m* (*instr.* путём, *gen., dat., prepos.* пути́; *pl.* пути́, путе́й, путя́м, *etc.*) way, means

пыль *f* (*prepos.* о пы́ли ‖ в пыли́) dust

пыта́ться I *imp.* try

пя́тница *f* Friday

Р, р

рабо́та *f* work, labour

рабо́тать I *imp.* work

рабо́тник *m* worker

рабо́тница *f* worker

рабо́ч|ий, -ая, -ее; -ие working; labour

рабо́чий *m* worker

ра́вен, равн|а́, -о́; -ы́ (*short form of* ра́вный) equal; всё ~о́ all the same

ра́вн|ый, -ая, -ое; -ые equal

рад, -а, -о; -ы *short adj.* glad

радиоприёмник *m* radio-set

ра́доваться I *imp.* (ра́дуюсь, ра́дуешься) *чему́* be glad, rejoice

ра́дости|ый, -ая, -ое; -ые glad; joyful

ра́дость *f* joy; gladness

раз *m* time; ещё ~ once more; как ~ just; мно́го ~ many times; два, три, четы́ре ра́за twice, three, four times; не ~ repeatedly; ни ра́зу not once

разби́ть I *p* (разобью́, разобьёшь) break

разбуди́ть II *p* (разбужу́, разбу́дишь) wake up

ра́зве *particle* really?

развива́ться I *imp.* develop

разгова́ривать I *imp.* talk; converse

разгово́р *m* talk; conversation

разгово́рчив|ый, -ая, -ое; -ые talkative

раздава́ться I *imp.* (раздаётся) sound, resound; be heard

раздева́ться I *imp.* undress

раздели́ть II p (разделю́, разде́-лишь) divide

разде́ться I p (разде́нусь, разде́-нешься) undress

разжига́ть I imp. light

разли́чие n difference; distinction

разли́чн|ый, -ая, -ое; -ые different; various

разме́р m size

размести́ть II p (размещу́, разме́стишь) put up; accommodate

размеща́ть I imp. put up; accommodate

ра́зница f difference

разнообра́зн|ый, -ая, -ое; -ые various; diverse

разноцве́тн|ый, -ая, -ое; -ые multicoloured

ра́зн|ый, -ая, -ое; -ые different; various

разойти́сь I p (разойдёмся) depart, go away in different directions

разреша́ть I imp. allow

разреши́ть II p allow

разуме́ется of course

разъе́хаться I p (разъе́демся) depart, go away in different directions

райо́н m district

ра́нн|ий, -яя, -ее; -ие early

ра́но early

ра́ньше 1. (comp. of ра́но) earlier; 2. before, formerly, previously

раски́нуться I p spread out / over

раскрыва́ть I imp. open; discover; disclose

раскры́ть I p (раскро́ю, раскро́ешь) open; discover; disclose

расписа́ние n time-table, schedule

расплати́ться II p (расплачу́сь, распла́тишься) pay off

располо́жен, -а, -о; -ы (short form of **располо́женный**) situated

рассерди́ться II p (рассержу́сь, рассе́рдишься) get angry

расска́з m tale; short story

рассказа́ть I p (расскажу́; расска́жешь) tell; narrate

расска́зывать I imp. tell; narrate

рассма́тривать I imp. look, discern; consider

расста́ться I p (расста́нусь, расста́нешься) с кем, с чем part from / with

расстоя́ние n distance

расстра́иваться I imp. feel / be upset; be disappointed

расте́ние n plant

расти́ I imp. (расту́, растёшь; past рос, -ла́, -ло́, -ли́) grow, grow up

расходи́ться II imp. (расхо́димся) depart

расши́рить II p widen

рвать I imp. (рву, рвёшь; past рвал, -о, -и, рвала́) pick; tear

ребёнок m (gen. ребёнка; pl. де́ти, дете́й) child; baby

револю́ция f revolution

регуля́рно regularly

ре́дк|ий, -ая, -ое; -ие rare; uncommon

ре́дко rarely, seldom

ре́же comp. of ре́дко

ре́зать I imp. (ре́жу, ре́жешь) cut; slice

ре́зко sharply

река́ f (acc. ре́ку; pl. ре́ки) river

реце́пт m prescription

речн|о́й, -а́я, -о́е; -ы́е river

реша́ть I imp. decide; solve

реше́ние n solution; decision

реши́ть II p decide; solve

рис m rice

рискова́ть I imp. (риску́ю, риску́ешь) risk

рисова́ть I imp. (рису́ю, рису́ешь) draw

ри́сов|ый, -ая, -ое; -ые rice

рису́нок m (gen. рису́нка) drawing; picture; design

ро́вно exactly; ~ в час at one o'clock sharp

ро́вн|ый, -ая, -ое; -ые flat, even

род m gender

ро́дина f motherland

роди́тели pl. (gen. роди́телей) parents

роди́ться II p be born

родн|о́й, -а́я, -о́е; -ы́е kindred; own; native; ~ язы́к native language

ро́дственник m relative

рожде́ни|е n birth; день ~я birthday

ро́зов|ый, -ая, -ое; -ые pink; rosy

роль f (gen. pl. роле́й) role, part

росси́йск|ий, -ая, -ое; -ие Russian

рост m height

рот m (gen. рта, prepos. во рту́) mouth

роя́ль m grand piano

руба́шка f (gen. pl. руба́шек) shirt

рубе́ж *m* (*gen.* рубежа́) border; за ~о́м abroad

руга́ть *I imp.* scold; rail

рука́ *f* (*acc.* ру́ку; *pl.* ру́ки, рук, рука́м, *etc.*) hand; arm

руководи́тель *m* leader

руководи́ть *II imp.* (руковожу́, руководи́шь) lead

ру́копись *f* manuscript

румы́нск|ий, -ая, -ое; -ие Rumanian

ру́сск|ий, -ая, -ое; -ие Russian

ру́сский *m* Russian

ру́чка *f* (*gen. pl.* ру́чек) pen (holder); fountain-pen

ры́ба *f* fish

ры́бн|ый, -ая, -ое; -ые fish

ры́нок *m* (*gen.* ры́нка) market

рю́мка *f* (*gen. pl.* рю́мок) wine-glass

ряд *m* (*gen.* ря́да ‖ 2, 3, 4 ряда́; *prepos.* о ря́де ‖ в ряду́; *pl.* ряды́) row; line

ря́дом quite near, side-by-side, next to

С, с

с, со *prep.* 1. (+ *instr.*) with, and; 2. (+ *gen.*) from, at, on; since

сад *m* (*prepos.* о са́де ‖ в саду́; *pl.* сады́) garden; orchard; де́тский ~ kindergarten

сади́ться *II imp.* (сажу́сь, сади́шься) sit down; sit up; take a seat; land; set

сала́т *m* 1. salad; 2. lettuce

салфе́тка *f* (*gen. pl.* салфе́ток) napkin

сам, сама́, само́; са́ми himself, herself, itself, themselves

самоде́ятельность *f*: худо́жественная ~ amateur art activities

самолёт *m* aircraft, aeroplane

самостоя́тельн|ый, -ая, -ое; -ые independent

са́м|ый, -ая, -ое; -ые the very; the same; most; ~ большо́й the greatest, the biggest; тот ~ this (that) very

санато́рий *m* sanatorium

са́хар *m* sugar

сбо́рная кома́нда selected team

све́ж|ий, -ая, -ее; -ие fresh; latest

сверну́ть *I p* turn

све́рху from above; from the top

свет *m* (*prepos.* о све́те ‖ на свету́) light

светло́ *predic. impers.* (it is) light

све́тл|ый, -ая, -ое; -ые light, bright, fair

свида́ние *n* meeting; appointment, rendez-vous

свиде́тель *m* witness

свист *m* whistling

свисто́к *m* (*gen.* свистка́) whistle

сви́тер *m* sweater

свобо́ден, свобо́дн|а, -о; -ы (*short form of* свобо́дный) free; vacant

свобо́дно freely; fluently

свобо́дн|ый, -ая, -ое; -ые free; vacant

сво́йство *n* property

свы́ше *prep.* (+ *gen.*) over, beyond

свя́зывать *I imp.* tie together; connect

связь *f* communication; connection

сдава́ть *I imp.* (сдаю́, сдаёшь): ~ экза́мены take examinations

сдать *p* (сдам, сдашь, сдаст, сдади́м, сдади́те, сдаду́т; *past* сдал, -о, -и, сдала́): ~ экза́мены pass examinations

сде́лать *I p* do; make

себя́ (*dat.* себе́, *instr.* собо́й) (one)self

се́вер *m* North

се́верн|ый, -ая, -ое; -ые northern

сего́дня today

сего́дняшн|ий, -яя, -ее; -ие today's

сейча́с now

секу́нда *f* second

село́ *n* (*pl.* сёла) village

се́льск|ий, -ая, -ое; -ие rural; ~ое хозя́йство agriculture

семина́р *m* seminar

семья́ *f* (*pl.* се́мьи) family

серди́т|ый, -ая, -ое; -ые angry

серди́ться *II imp.* (сержу́сь, се́рдишься) be angry

се́рдце *n* (*pl.* сердца́, серде́ц, сердца́м, *etc.*) heart

середи́на *f* middle

се́р|ый, -ая, -ое; -ые grey

серьёзн|ый, -ая, -ое; -ые serious

се́ссия *f* session; экзаменацио́нная ~ examination session

сестра́ *f* (*pl.* сёстры, сестёр, сёстрам, *etc.*) sister; медици́нская ~ nurse

сесть *I p* (ся́ду, ся́дешь; *past* сел, се́л|а, -о; -и) *see* сади́ться

сза́ди (*где?*) from behind; from the end

сигна́л *m* signal

сиде́ть II *itr.* (сижу́, сиди́шь) sit

си́льн|ый, -ая, -ое; -ые strong; powerful intense; hard; heavy

симфони́ческ|ий, -ая, -ое; -ие symphonic

си́н|ий, -яя, -ее, -ие dark-blue

систе́ма *f* system; **не́рвная ~** nervous system

сказа́ть I *p* (скажу́, ска́жешь) say, tell

ска́терть *f* (*gen. pl.* ска́тертей) tablecloth

сквозь *prep.* (+ *acc.*) through

ско́лько how many, how much

скоре́е 1. (*compr. of* **ско́ро**) sooner; 2. rather

ско́ро soon

скоростн|о́й, -а́я, -о́е; -ы́е express, high speed

ско́рость *f* (*gen. pl.* скоросте́й) speed

ско́р|ый, -ая, -ое; -ые fast, speedy; **~ по́езд** express

скри́пка *f* (*gen. pl.* скри́пок) violin

скро́мн|ый, -ая, -ое; -ые modest

скрыва́ть I *imp.* hide, conceal

скуча́ть I *imp.* be bored; miss

ску́чно *adv.* boringly, tediously; *predic. impers.* **мне ~** I am bored

сла́бость *f* weekness

сла́б|ый, -ая, -ое; -ые weak, faint, poor

сла́ва *f* glory; fame

сла́вн|ый, -ая, -ое; -ые glorious, famous

славя́нск|ий, -ая, -ое; -ие Slav

сла́дк|ий, -ая, -ое; -ие sweet

сле́ва *(где?)* on the left

следи́ть II *itr.* (слежу́, следи́шь) watch, observe

сле́довательно *conj.* therefore; hence

сле́довать I *itr.* 1. (сле́дую, сле́дуешь) *за кем* follow, come next; 2. *impers.* (сле́дует, сле́довало) one ought (to)

сле́дующ|ий, -ая, -ее; -ие following; next

слеза́ *f* (*pl.* слёзы, слёз, слеза́м, *etc.*) tear

сли́шком too; more than enough

слова́рь *m* (*gen.* словаря́) dictionary; vocabulary

сло́во *n* (*pl.* слова́) word

сложи́ть II *p* (сложу́, сло́жишь; *imp.* скла́дывать) 1. pack; 2. fold

сло́жн|ый, -ая, -ое; -ые complicated; complex

слома́ть I *p* break

слу́ча|й *m* (*gen.* слу́чая) case; **в ~ е чего́-либо** in case of something; **несча́стный ~** accident

случа́йно by chance, by accident; accidentally

случа́ться I *imp.* happen; come to pass

случи́ться II *p* happen; come to pass

слу́шатель *m* hearer; listener

слу́шать I *imp.* listen

слы́шать II *imp.* hear

слы́шно *predic. impers.* (it is) audible, one can hear

сме́л|ый, -ая, -ое; -ые bold; courageous

смеша́ть I *p* mix; mix up; confuse

сме́шивать I *imp.* mix; mix up; confuse

смешно́ *adv.* in a funny manner; *predic. impers.* it is ridiculous

смешн|о́й, -а́я, -о́е; -ы́е ridiculous, funny

смея́ться I *imp.* laugh

смотре́ть II *imp.* (смотрю́, смо́тришь) look (at)

смочь I *p* (смогу́, смо́жешь; *past* смог, смогл|а́, -о́; -и́) be able

снача́ла firstly; at first; from / at the beginning

снег *m* (*prepos.* на снегу́; *pl.* снега́) snow

сне́жн|ый, -ая, -ое; -ые snowy

снима́ть I *imp.* take off; remove

сно́ва again

снять I *p* (сниму́, сни́мешь; *past* снял, -и, сняла́) take off; remove

соба́ка *f* dog

собира́ть I *imp.* gather; collect; assemble

собира́ться I *imp.* 1. assemble, gather (together); 2. intend; be going to

собо́р *m* cathedral

собра́ние *n* meeting; assembly

собы́тие *n* event

соверша́ть I *imp.* make; accomplish; perform

сове́т *m* advice

сове́товать I *imp.* (сове́тую, сове́туешь) advise

сове́товаться I *imp.* (сове́туюсь, сове́туешься) *с кем* consult

сове́тск|ий, -ая, -ое; -ие Soviet

совеща́ние *n* conference

совреме́нн|ый, -ая, -ое; -ые modern; up-to-date; contemporary

211

совсе́м quite, entirely; ~ **не** not at all

согла́сен, согла́сн|а, -о, -ы (*short form of* **согла́сный**) *as predic.* agree

согласи́ться II *p* (соглашу́сь, согласи́шься) agree

соглаша́ться I *imp.* agree

сожале́ни|е *n* regret; **к ~ю** unfortunately

создава́ть I *imp.* (создаю́, создаёшь) create

созда́ть *p* (созда́м, созда́шь, созда́ст, создади́м, создади́те, создаду́т; *past* со́здал, -о, -и, создала́) create, make

сойти́ I *p* (сойду́, сойдёшь; *past* сошёл, сошл|а́, -о́; -и́) come down; descend; get off; go downstairs

со́лнечн|ый, -ая, -ое; -ые sunny; solar

со́лнце *n* sun

соль *f* salt

сомнева́ться I *imp.* doubt

сообща́ть I *imp.* *о чём кому́* inform; tell

сообще́ни|е *n* 1. report, information; 2. **сре́дства ~я** means of communication

сообщи́ть II *p* *о чём кому́* inform; tell

сооруже́ние *n* building; construction

соревнова́ние *n* competition

сосе́д *m* (*pl.* сосе́ди, сосе́дей, сосе́дям, *etc.*) neighbour

сосе́дн|ий, -яя, -ее; -ие neighbouring; next

сосно́в|ый, -ая, -ое; -ые pine; pinewood

соста́в *m* composition

состоя́ть II *imp.* *из чего* consist (of)

состоя́ться II *p* take place

со́тня *f* (*gen. pl.* со́тен) hundred

со́ус *m* sauce

спа́льня *f* (*gen. pl.* спа́лен) bedroom

спаси́бо thank you

спать II *imp.* (сплю, спишь; *past* спал, -о, -и, спала́) sleep

спеши́ть II *imp.* hurry

спина́ (*acc.* спи́ну; *pl.* спи́ны) back

спи́сок *m* (*gen.* спи́ска) list

спи́чка *f* (*gen. pl.* спи́чек) match

сплошн|о́й, -а́я, -о́е, -ы́е continuous; solid

споко́йно *adv.* quietly; *predic. impers.* (it is) quiet

споко́йн|ый, -ая, -ое; -ые calm, quiet; composed

спо́рить II *imp.* argue

спорти́вный, -ая, -ое; -ые sporting, sports

спортсме́н *m* sportsman

спосо́бн|ый, -ая, -ое; -ые able; clever

спра́ва *(где?)* on the right

спра́вочное бюро́ inquiry bureau

спра́шивать I *imp.* ask

спроси́ть II *p* (спрошу́, спро́сишь) ask

спуска́ться I *imp.* come down; go down

спусти́ться II *p* (спущу́сь, спу́стишься) come down; go down

сравня́ть: ~ **счёт** even the score

сра́зу at once

среди́ *prep.* (+ *gen.*) among

сре́дн|ий, -яя, -ее; -ие middle, average; ~ **род** neuter gender

сре́дство *n* means; remedy; ~ **сообще́ния** means of communication

сро́чн|ый, -ая, -ое; -ые urgent; express

ссо́ра *f* quarrel

ссо́риться II *imp.* quarrel

ста́вить II *imp.* (ста́влю, ста́вишь) put, place

стадио́н *m* stadium

стака́н *m* glass

станови́ться II *imp.* (становлю́сь, стано́вишься) become; grow

ста́нция *f* station

стара́ться I *imp.* try

стари́к *m* (*gen.* старика́) old man

стари́нн|ый, -ая, -ое; -ые old; ancient

ста́рше older

ста́рш|ий, -ая, -ее; -ие older, elder, eldest; senior

ста́р|ый, -ая, -ое; -ые old

стать I *p* (ста́ну, ста́нешь) 1. become grow; 2. begin; 3. stop; 4. go and stand

статья́ *f* (*gen. pl.* стате́й) article

стекло́ *n* (*pl.* стёкла, стёкол, стёклам, *etc.*) glass

стемне́ть I *p impers.* (стемне́ет; стемне́ло) get dark

стена́ *f* (*acc.* сте́ну; *pl.* сте́ны) wall

стенн|о́й, -а́я, -о́е; -ы́е wall; ~ **шкаф** wall cupboard

стипе́ндия *f* allowance; grant, scholarship

стира́льн|ый, -ая, -ое; -ые: ～ая маши́на washing-machine

стихи́ pl. (gen. pl. стихо́в; sing. стих m) lines, poetry

сто́ить II imp. 1. cost; 2. (+ inf.) be worth

стол m (gen. стола́) table

столи́ца f capital

столи́чн|ый, -ая, -ое; -ые capital

столо́вая f dining room; canteen

сто́лько so much / many, as much / many, etc.

сторона́ f (acc. сто́рону; pl. сто́роны, сторо́н, сторона́м, etc.) side

стоя́нка f (gen. pl. стоя́нок): ～ такси́ taxi-stand

стоя́ть II imp. (стою́, стои́шь) stand, stop; be; **стои́т хоро́шая пого́да** the weather is fine

страда́ть I imp. suffer

страна́ f (pl. стра́ны) country, land

страни́ца f page

стра́стный, -ая, -ое; -ые passionate, ardent

стра́шн|ый, -ая, -ое; -ые terrible, frightful, dreadful

стреми́ться II imp. (стремлю́сь, стреми́шься) к чему́ speed; strive

строи́тельство n building, construction

стро́ить II imp. build, construct

стро́йн|ый, -ая, -ое; -ые slender

студе́нт m student

студе́нческ|ий, -ая, -ое; -ие student's, students'

стул m (pl. сту́лья) chair

сты́дно predic. impers. it is a shame; **мне** ～ I am ashamed

суббо́та f Saturday

суда́к m (gen. судака́) pike-perch

судья́ m (pl. су́дьи, суде́й, су́дьям, etc.) referee; judge, umpire

су́мка f (gen. pl. су́мок) handbag, shopping bag

су́мочка f (gen. pl. су́мочек) handbag

суп m (pl. супы́) soup

суро́вый, -ая, -ое; -ые severe; stern

су́тки only pl. (gen. су́ток) twenty-four hours

сух|о́й, -а́я, -о́е; -и́е dry

суши́ть II imp. (сушу́, су́шишь) dry

сходи́ть II imp. (схожу́, схо́дишь) go down, go downstairs, get off, descend

счастли́в|ый, -ая, -ое; -ые happy; ～ого пути́! happy journey!

сча́стье n happiness; luck

счёт m score; bill; account

счита́ть I imp. 1. count; calculate; 2. consider

съезд m congress

съесть p (съем, съешь, съест, съеди́м, съеди́те, съедя́т; past съел, -а, -о; -и) eat up

сыгра́ть I p play

сын m (pl. сыновья́, сынове́й, сыновья́м, etc.) son

сыр m (pl. сыры́) cheese

сыр|о́й, -а́я, -о́е; -ы́е wet, damp

сюда́ (куда́?) here

Т, т

табле́тка f (gen. pl. табле́ток) tablet

табли́чка f (gen. pl. табли́чек) price tag

та́йна f secret; mystery

так so; thus

та́кже too, also

так как conj. as

так|о́й, -а́я, -о́е; -и́е such

тала́нтлив|ый, -ая, -ое; -ые talented

там (где?) there

та́нец m (gen. та́нца) dance

танцева́ть I imp. (танцу́ю, танцу́ешь) dance

таре́лка f (gen. pl. таре́лок) plate

театра́льн|ый, -ая, -ое; -ые theatre

телеви́дение n television

телеви́зор m T. V. set

телефо́н-автома́т m public telephone

телефо́нн|ый, -ая, ое; -ые telephone; ～ая тру́бка receiver

темне́ть I imp. impers. (темне́ет; темне́ло) get dark

темно́ predic. impers. it is dark

тёмн|ый, -ая, -ое; -ые dark

темп m rate; speed

тепе́рь now; at present

теплохо́д m motor ship

тёпл|ый, -ая, -ое; -ые warm

теря́ть I imp. lose

те́сно adv. narrowly; tight; closely; predic. impers.: **здесь** ～ it is crowded, tight

тетра́дь f copy-book

тётя f aunt

ти́х|ий, -ая, -ое; -ие quiet, low, silent; ～им го́лосом in a low voice

ти́хо quietly; **говори́ть** ～ speak in a low voice

ти́ше comp. of **ти́хий** & **ти́хо**

тишина́ *f* quiet, silence
ткань *f* cloth; fabric
то *conj.* then; то... то... now...
now; не то... не то... either...
or
това́р *m* ware; article
това́рищ *m* somrade, friend; colleague
тогда́ then
то́же too; also
толка́ть *I imp.* push
толпа́ *f* (*pl.* то́лпы) crowd
то́лст|ый, -ая, -ое; -ые thick; stout
то́лько only; ~ что just now
том *m* (*pl.* тома́) volume
то́нк|ий, -ая, -ое; -ие thin; delicate
тонне́ль *m* tunnel
торт *m* cake, tart
тот, та, то; те that; those
то́чка *f* (*gen. pl.* то́чек) point
то́чно exactly, precisely
то́чн|ый, -ая, -ое; -ые exact, precise
трава́ *f* (*pl.* тра́вы) grass
трамва́й *m* (*gen.* трамва́я) tram
тре́бовать *I imp.* (тре́бую, тре́-
буешь) demand, require
тре́боваться *I imp.* (тре́буется; тре́-
бовалось) require; на э́то тре́-
буется мно́го вре́мени it requires
much time
тре́нер *m* trainer; coach
трениро́ваться *I imp.* (трениру́юсь,
трениру́ешься) train
трениро́вка *f* training; coaching
тро́е three (together)
тролле́йбус *m* trolley-bus
труба́ *f* (*pl.* тру́бы) trumpet
тру́бка *f* (*gen. pl.* тру́бок) 1. pipe; 2.
receiver
труд *m* (*gen.* труда́) work, labour;
с ~о́м with difficulty
труди́ться *II imp.* (тружу́сь, тру́-
дишься) work, labour
тру́дно *predic. impers.* (it is) difficult
тру́дн|ый, -ая, -ое; -ые difficult
туале́т *m* lavatory
туда́ *(куда́?)* there; ~ и обра́тно
there and back
тури́ст *m* tourist
туристи́ческ|ий, -ая, -ое; -ие tourist
тури́р *m* tournament
ту́фли *pl.* (*gen. pl.* ту́фель; *sing.*
ту́фля *f*) shoes
ту́ча *f* (black) cloud
тяжело́ *adv.* heavily; seriously; dan-
gerously; *predic. impers.* ~ кому́

де́лать *что* it is hard for somebody to do something
тяну́ть *I imp.* 1. (тяну́, тя́нешь) pull;
2. *impers.* (тя́нет; тяну́ло) long
for; его́ тя́нет сюда́ he longs to get
here
тяну́ться *I imp.* (тяну́сь, тя́нешься)
stretch; extend; reach out

У, у

у *prep.* (+ *gen.*) by, near; ~ меня́,
~ тебя́, ~ него́, *etc.* есть... I
have, you have, he has....
убеди́ть *II p* (–, убеди́шь) convince;
persuade
убеди́ться *II p* (–, убеди́шься) make
sure; be convinced
убива́ть *I imp.* kill
убира́ть *I imp.* take away; clear, tidy
уби́т|ый, -ая, -ое; -ые *part.* killed
убра́ть *I p* (уберу́, уберёшь; *past*
убра́л, -и, убрала́) take away;
clear, tidy
уважа́ем|ый, -ая, -ое; -ые *part. &*
adj. respected; dear
уважа́ть *I imp.* respect
уве́рен, -а, -о; -ы (*short form of*
уве́ренный) sure; confident; certain
уве́ренно with assurance
уви́деть *II p* (уви́жу, уви́дишь) see
увлека́ться *I imp. чем* go in for; be
keen on
у́гол *m* (*gen.* угла́, *prepos.* в, на углу́;
pl. углы́) corner
угости́ть *II p* (угощу́, угости́шь)
treat
удава́ться *I imp. impers.* (удаётся;
удава́лось) succeed; Всё ему́ уда-
ва́лось. He succeeded in everything.
удали́ть *II p* extract
уда́р *m* stroke, blow
уда́ться *p impers.* (уда́стся; уда-
ло́сь) succeed; ему́ удало́сь he
succeeded
уда́чно successfully
уда́чн|ый, -ая, -ое; -ые successful
удо́бн|ый, -ая, -ое; -ые convenient,
comfortable
удо́бства *only pl.* conveniences
удово́льствие *n* pleasure; с ~м with
pleasure
уезжа́ть *I imp.* leave; depart
уе́хать *I p* (уе́ду, уе́дешь) leave;
depart

уже́ already
у́жин *m* supper
у́жинать *I imp.* have supper
у́зк|ий, -ая, -ое; -ие narrow
узна́ть *I p* find out; learn
уйти́ *I p* (уйду́, уйдёшь; *past* ушёл, ушл|а́; -и́) go away
ука́зывать *I imp.* show; point out
уко́л *m* injection
украи́нск|ий, -ая, -ое; -ие Ukrainian
укрепля́ть *I imp.* strengthen
у́ксус *m* vinegar
у́лица *f* street
улыба́ться *I imp.* smile
улы́бка *f* (*gen. pl.* улы́бок) smile
уме́ть *I imp.* be able; know how to… .
у́мн|ый, -ая, -ое; -ые clever, wise
умыва́ться *I imp.* wash one's face
универма́г *m* department / general store(s)
университе́тск|ий, -ая, -ое; -ие university
упакова́ть *I p* (упаку́ю, упаку́ешь) pack
употребле́ние *n* use; usage
употребля́ть *I imp.* use
упражне́ние *n* exercise
уро́к *m* lesson
уса́дьба *f* (*gen. pl.* уса́деб) estate
усло́вие *n* condition
услы́шать *II p* hear
успева́ть *I imp.* 1. have time (for); arrive in time; 2. be successful
успе́ть *I p* have time (for); arrive in time
успе́х *m* success
успе́шно successfully
устава́ть *I imp.* (устаю́, устаёшь) be tired, get tired
уста́лость *f* tiredness; weariness
уста́ть *I p* (уста́ну, уста́нешь) get tired
у́стн|ый, -ая, -ое; -ые oral; verbal
устро́иться *II p* settle; find oneself accommodation
у́тка *f* (*gen. pl.* у́ток) duck
у́тренн|ий, -яя, -ее; -ие morning
у́тро *n* morning
у́тром in the morning
у́хо *n* (*pl.* у́ши, уше́й, уша́м, *etc.*) ear
уходи́ть *II imp.* (ухожу́, ухо́дишь) leave, go away
уча́ствовать *I imp.* (уча́ствую, уча́ствуешь) *в чём* take part in
уча́стие *n* participation
уче́бник *m* text-book; manual

учени́к *m* (*gen.* ученика́) pupil
учени́ца *f* pupil
учён|ый, -ая, -ое; -ые scientific
учёный *m* scientist
учи́тель *m* (*pl.* учителя́) teacher
учи́тельница *f* teacher
учи́ться *II imp.* (учу́сь, у́чишься) study, learn
учрежде́ние *n* institution
ую́тн|ый, -ая, -ое; -ые cosy, comfortable

Ф, ф

фа́брика *f* factory
факульте́т *m* faculty, department
фами́лия *f* (sur)name
фигу́ра *f* figure
фигу́рн|ый, -ая, -ое: ~ **ое ката́ние** figure skating
фи́зика *f* physics
физи́ческ|ий, -ая, -ое; -ие physical, physics
филологи́ческ|ий, -ая, -ое; -ие philological; ~ **факульте́т** philology faculty
филосо́фск|ий, -ая, -ое; -ие philosophy
фи́нск|ий, -ая, -ое; -ие Finnish
фойе́ *n* (*not decl.*) foyer
фонд *m* fund; stock
фонта́н *m* fountain
фо́рма *f* form
фотографи́ровать *I imp.* (фотографи́рую, фотографи́руешь) take photographs
францу́женка *f* Frenchwoman
францу́з *m* Frenchman
францу́зск|ий, -ая, -ое; -ие French; ~ **язы́к** French
фрукто́в|ый, -ая, -ое; -ые fruit
фру́кты *pl.* (*sing.* фрукт *m*) fruit
футбо́л *m* football
футбо́льн|ый, -ая, -ое; -ые football

Х, х

хала́т *m* 1. dressing-gown; 2. doctor's white coat
хвали́ть *II imp.* (хвалю́, хва́лишь) *за что* praise
хвата́ть *I imp.* 1. *что* seize, grasp; 2. *impers.* (хвата́ет; хвата́ло) *чего́* suffice; be sufficient; **не** ~ not be enough
хи́мик *m* chemist

215

хими́ческ|ий, -ая, -ое; -ие chemical
хи́мия *f* chemistry
хлеб *m* bread
хле́бн|ый, -ая, -ое; -ые bread; baker's
ходи́ть *II imp.* (хожу́, хо́дишь) go, walk
ходьба́ *f* walking
хозя́ин *m* (*pl.* хозя́ева, хозя́ев) host; master
хозя́йка *f* (*gen. pl.* хозя́ек) hostess; mistress
хозя́йство *n* economy; housekeeping
хоккéй *m* (*gen.* хоккéя) hockey
холл *m* hall
хо́лодность *f* coldness
холо́дн|ый, -ая, -ое; -ые cold
холост|о́й; -ы́е unmarried
хор *m* choir
хоро́ш|ий, -ая, -ее; -ие good
хорошо́ good, well, nice
хотéть *imp.* (хочу́, хо́чешь, хо́чет, хоти́м, хоти́те, хотя́т) want, wish
хотéться *imp. impers.* (хо́чется; хотéлось): **мне хо́чется, мне хотéлось бы** I should like to
хотя́ *conj.* though, although; **~ бы** even if
храм *m* church
храни́ть *II imp.* keep
хро́ника *f* chronicle; news-reel
худо́жественн|ый, -ая, -ое; -ые artistic
худо́жник *m* artist; painter
ху́же (*comp. of* плохо́й & пло́хо) worse; **больно́му ста́ло ~** the patient is worse

Ц, ц

царь *m* (*gen.* царя́) tsar
цвет *m* (*pl.* цвета́) colour
цветн|о́й, -а́я, -о́е; -ы́е colour; **~ фильм** colour film
цвето́к *m* (*gen.* цветка́; *pl.* цветы́) flower
целова́ть *I imp.* (целу́ю, целу́ешь) kiss
целова́ться *I imp.* (целу́юсь, целу́ешься) kiss
це́л|ый, -ая, -ое; -ые whole
цель *f* aim, purpose; **с ~ю** for the purpose
цена́ *f* (*acc.* це́ну; *pl.* це́ны) price
це́нн|ый, -ая, -ое; -ые valuable

центр *m* centre
центра́льн|ый, -ая, -ое; -ые central
це́рковь *f* (*gen.* це́ркви) church
цирк *m* circus
цита́та *f* quotation
ци́фра *f* figure, cipher

Ч, ч

чай *m* (*gen.* ча́я ‖ ча́ю) tea
ча́йн|ый, -ая, -ое; -ые tea
час *m* (*gen.* часа́ ‖ 2, 3, 4, часа́; *pl.* часы́) hour
ча́сто often
ча́ст|ый, -ая, -ое; -ые frequent
часть *f* (*gen. pl.* частéй) part
часы́ *only pl.* (*gen.* часо́в) watch; clock
ча́шка *f* (*gen. pl.* ча́шек) cup
ча́ще (*comp. of* ча́сто) more often
чей, чья, чьё; чьи whose
человéк *m* (*pl.* лю́ди) man, person
чемода́н *m* suitcase
чемпио́н *m* champion
чемпиона́т *m* championship
чéрез *prep.* (+ *acc.*) through; in; via
чёрн|ый, -ая, -ое; -ые black; **~ хлеб** brown bread
чéстн|ый, -ая, -ое; -ые honest
честь *f* honour
четвéрг *m* Thursday
чéтверо four (together)
чéтверть *f* (*gen. pl.* четвертéй) quarter
чётко clearly, distinctly
чéшск|ий, -ая, -ое; -ие Czech
число́ *n* (*pl.* чи́сла, чи́сел, чи́слам, *etc.*) number; date
чи́ст|ый, -ая, -ое; -ые clean; pure
чита́льн|ый, -ая, -ое; -ые: ~ зал reading-hall
чита́тель *m* reader
чита́ть *I imp.* read
член *m* member
чтéние *n* reading
что 1. *pron.* what; 2. *conj.* that
что́бы *conj.* in order that
что-нибудь anything
чу́вствовать *I imp.* (чу́вствую, чу́вствуешь) feel; **~ себя́** feel
чудéсн|ый, -ая, -ое; -ые wonderful

Ш, ш

ша́пка *f* (*gen. pl.* ша́пок) cap
шарф *m* scarf

шахмати́ст *m* chess-player
ша́хматы *only pl.* chess; игра́ть в ~ play chess
шёлков|ый, -ая, -ое; -ые silk
шерсть *f* wool
шерстян|о́й, -а́я, -о́е; -ы́е woollen; ~а́я ткань woollen stuff
ше́я *f* neck
широ́к|ий, -ая, -ое; -ие wide; broad
шкаф *m* wardrobe; кни́жный ~ bookcase
шко́ла *f* school
шко́льник *m* schoolboy
шля́па *f* hat
шокола́д *m* chocolate
шоссе́ *n* (*not decl.*) highway
шофёр *m* driver
шу́мно noisily
шути́ть II *imp.* (шучу́, шу́тишь) joke
шу́тка *f* (*gen. pl.* шу́ток) joke

Щ, щ

щека́ (*acc.* щёку; *pl.* щёки, щёк, щека́м, *etc.*) cheek
щётка *f* (*gen. pl.* щёток) brush
щи *only pl.* (*gen.* щей, *dat.* щам, *etc.*) cabbage soup

Э, э

экза́мен *m* examination
экску́рсия *f* excursion; tour
экскурсово́д *m* (excursion) guide
экспеди́ция *f* expedition
электри́чество *n* electricity
электри́чка *f* (*gen. pl.* электри́чек) electric train

электробри́тва *f* electric shaver
электроприбо́р *m* electric appliance
энерги́чн|ый, -ая, -ое; -ые energetic
эне́ргия *f* energy
эстра́дн|ый, -ая, -ое; -ые variety; ~ арти́ст variety actor
эта́ж *m* (*gen.* этажа́) storey, floor

Ю, ю

ю́бка *f* (*gen. pl.* ю́бок) skirt
ювели́рн|ый, -ая, -ое; -ые jewelry; ~ магази́н jeweller's
юг *m* South
ю́жн|ый, -ая, -ое; -ые southern
ю́мор *m* humour
ю́ность *f* youth
ю́ноша *m* youth, young man
юриди́ческ|ий, -ая, -ое; -ие juridical; ~ факульте́т faculty of law

Я, я

я́блоко *n* (*pl.* я́блоки) apple
явле́ние *n* phenomenon; occurrence
явля́ться I *imp.* 1. appear; 2. occur; be
я́года *f* berry
язы́к *m* (*gen.* языка́) 1. tongue; 2. language
яйцо́ *n* (*pl.* я́йца, яи́ц, я́йцам, *etc.*) egg
янта́рь *m* (*gen.* янтаря́) amber
я́рк|ий, -ая, -ое; -ие bright
я́сн|ый, -ая, -ое; -ые clear
я́щик *m* box, case; почто́вый ~ letter-box

INDEX

of the Exercises on Grammar and Vocabulary

Use of Cases

Use of Verbs

---

* Arabic numerals denote lessons.
** Roman numerals denote exercises.

Use of Conjunctions:
что, чтобы 12X; 18 VII; если 11 XI, XII; 12 XII; и, а, но 11 IX, X;
который 1 VII; 14 VII; хотя 15 VII
Different Conjunctions 1 VIII; 5 X; 7 X; 13 VI; 16 VIII
Impersonal Constructions 8 X, XI; 11 II; 12 V; 13 IV
Negative Constructions 2 VII; 3 XI; 15 V; 17 VII,VIII
Active and Passive Constructions 11 VIII; 18 III
Direct and Indirect Speech 12 IX; 13 VIII; 14 VIII; 16 V; 17 X; 18 VIII
Constructions with Gerund 16 IX

Certain Expressions

Ско́лько вам лет? 1 III
Ско́лько сто́ит...? 7 IX; 8 III
Кото́рый час? 4 II, III
Когда́? 4 IV, V, VIII
Ско́лько вре́мени? 4 V

Пусть ⎫
          ⎬ 12 VII, VIII
Дава́йте ⎭
мал, вели́к,
по... дням 1 IX
за обе́дом,
това́рищ по... 6 XIII
У меня́, etc. грипп, etc. 13 III
чемпио́н по + dat. 14 III
оди́н из + gen. 18 II
Antonyms and Antonymous Constructions 5 XII; 8 XVI; 16 VIII

KEY TO EXERCISES

1.

III. 1. вам, мне. 2. ему́, ему́. 3. ей, ей. 4. ва́шей сестре́, мое́й сестре́. 5. ва́шему бра́ту, моему́ бра́ту. 6. ва́шей до́чери, мое́й до́чери.

IV. 1. лет. 2. го́да. 3. лет. 4. го́да. 5. год. 6. го́да. 7. лет. 8. го́да.

V. 1. на заво́де. 2. на заво́д. 3. в Москве́. 4. в Москву́. 5. в институ́те. 6. в де́тской поликли́нике. 7. в бассе́йн. 8. в теа́тр, в кино́, на конце́рты. 9. в Оде́ссе. 10. в Оде́ссу. 11. в Ло́ндоне. 12. в шко́ле. 13. в шко́лу.

VI. 1. меня́. 2. вас. 3. бра́та. 4. на́шего. 5. ва́шего. 6. вас. 7. Москвы́. 8. Ленингра́да.

VII. 1. на кото́ром. 2. в кото́ром. 3. в кото́ром. 4. в кото́ром. 5. в кото́рой. 6. в кото́рой. 7. в кото́ром.

VIII. 1. и. 2. и поэ́тому. 3. потому́ что. 4. где. 5. кото́рый.

IX. 1. по суббо́там. 2. по среда́м. 3. по вечера́м. 4. по воскресе́ньям. 5. по утра́м. 6. по четверга́м.

X. 1. поступлю́, посту́пишь; люблю́, лю́бишь; хожу́, хо́дишь; живу́, живёшь; пою́, поёшь.

XII. 1. Меня́ зову́т Ири́на. А как вас зову́т? 2. Джим око́нчил институ́т и тепе́рь рабо́тает на заво́де. А где рабо́таете вы? 3. Моя́ сестра́ ста́рше меня́ на́ три го́да. Моя́ мать моло́же отца́ на́ пять лет. 4. – Ско́лько лет э́тому челове́ку? – Я ду́маю, ему́ со́рок лет. 5. Они́ ча́сто хо́дят в го́сти к друзья́м. Вчера́ они́ бы́ли в гостя́х у роди́телей. 6. По суббо́там мы хо́дим в теа́тр, в кино́ и́ли на конце́рты. 7. Приходи́те к нам в го́сти. 8. Переда́йте приве́т ва́шим роди́телям.

2.

II. 1. есть, -. 2. есть, -. 3. есть, -. 4. есть, -. 5. есть, -. 6. есть, -.

III. 1. есть, есть, -. 2. есть, есть, -. 3. есть, -. 4. есть, -. 5. -. 6. -.

IV. 1. у меня́, у него́, у неё, у нас, у моего́ дру́га, у мое́й сестры́, у на́шего преподава́теля. 2. у э́того студе́нта, у моего́ сосе́да, у э́той де́вушки. 3. у моего́ мла́дшего бра́та, у одно́й на́шей студе́нтки, у на́шего профе́ссора.

VI. 1. ста́ршего бра́та. 2. меня́. 3. моего́ дру́га. 4. вас. 5. отца́.

XI. 1. Мои́ роди́тели живу́т в небольшо́м городке́ недалеко́ от Ло́ндона. Мой оте́ц рабо́тал дире́ктором шко́лы. Сейча́с он не рабо́тает.

Он получа́ет пе́нсию. 2. У меня́ есть сестра́. Её зову́т Анна. Анна моло́же меня́ на четы́ре го́да. Она́ рабо́тает в библиоте́ке. Анна изуча́ет ру́сский язы́к. Она́ хо́чет преподава́ть ру́сский язы́к в шко́ле. 3. А э́то мой друг Джим. Неда́вно он жени́лся. У Джи́ма о́чень краси́вая жена́. Её зову́т Мэ́ри. У неё тёмные во́лосы и се́рые глаза́. 4. – У вас есть де́ти? – Да, есть. – У вас ма́ленькие де́ти? – Нет, не о́чень: сы́ну де́сять лет, а до́чери – семь. – На кого́ похо́ж ваш сын? – Говоря́т, он похо́ж на жену́. – А на кого́ похо́жа ва́ша дочь? – А дочь – на меня́.

3.

II. 1. в теа́тре, в па́рке, в клу́бе, в музе́е, в университе́те, в шко́ле, в библиоте́ке, в рестора́не; на конце́рте, на ле́кции, на уро́ке. 2. в теа́тр, в па́рк, в клу́б, в музе́й, в университе́т, в шко́лу, в библиоте́ку, в рестора́н; на конце́рт, на ле́кцию, на уро́к. 3. в дере́вне, в друго́м го́роде, в Ли́дсе, в Эдинбу́рге, в Ливерпу́ле, в Ки́еве, в Ленингра́де, в Сове́тском Сою́зе, в Англии, в По́льше, во Фра́нции; на ро́дине, на ю́ге. 4. в дере́вню, в друго́й го́род, в Ли́дс, в Эдинбу́рг, в Ливерпу́ль, в Ки́ев, в Ленингра́д, в Сове́тский Сою́з, в Англию, в По́льшу, во Фра́нцию; на ро́дину, на ю́г. 5. на заво́де, на фа́брике, на вокза́ле, на ста́нции; в ба́нке, в институ́те, в университе́те, в библиоте́ке, в лаборато́рии, в шко́ле. 6. на заво́д, на фа́брику, на вокза́л, на ста́нцию; в ба́нк, в институ́т, в университе́т, в библиоте́ку, в лаборато́рию, в шко́лу.

III. 1. в большо́м ста́ром до́ме, на тре́тьем этаже́, в са́мом це́нтре го́рода, на у́лице Дру́жбы. 2. в друго́м райо́не, на Пу́шкинской пло́щади, в ма́леньком до́ме, на второ́м этаже́. 3. на большо́м автомоби́льном заво́де, в лаборато́рии. 4. в университе́те, на истори́ческом факульте́те, на второ́м ку́рсе. 5. в большо́м ста́ром па́рке, в одно́й ма́ленькой дере́вне, на берегу́ реки́. 6. в о́перном теа́тре, на симфони́ческом конце́рте.

IV. a) 1. сто́ит. 2. сто́ит. 3. сто́ит. 4. сто́ит. 5. стоя́т. 6. сто́ит. b) 1. лежа́т. 2. лежи́т. 3. лежа́т. 4. лежи́т. 5. лежа́т. c) 1. виси́т. 2. вися́т, вися́т. 3. вися́т. 4. виси́т. 5. виси́т.

V. сто́ит, лежа́т, сто́ит, сто́ит, виси́т, стоя́т, лежа́т, сто́ит.

VI. жи́ли, живу́т, получи́ли, перее́хали, состои́т, выхо́дят, купи́ли, пригласи́ли.

VII. 1. в большо́м но́вом девятиэта́жном. 2. в большо́м ста́ром кни́жном. 3. в на́шей ма́ленькой, тёплой и ую́тной. 4. в своём ста́ром люби́мом удо́бном. 5. в на́шей са́мой большо́й.

VIII. 1. кладу́, кладёшь; положу́, поло́жишь. 2. ста́влю, ста́вишь; поста́влю, поста́вишь. 3. ве́шаю, ве́шаешь; пове́шу, пове́сишь.

X. a) 1. сто́ит, поста́вил. 2. сто́ит, поста́вили. 3. стоя́л, поста́вили. 4. поста́вьте. 5. поста́вить. b) 1. положи́л, лежи́т. 2. положи́ла, лежи́т. 3. кладу́, лежи́т, положи́л. 4. положи́ть. 5. положи́те. c) 1. виси́т, виси́т. 2. пове́сили. 3. вися́т, ве́шает. 4. виси́т. 5. пове́сить. 6. пове́сьте.

XII. 1. сту́льев, кре́сла. 2. ко́мнаты. 3. газе́т и журна́лов. 4. кни́ги. 5. столо́в, сту́ла. 6. о́кна. 7. этаже́й. 8. дом. 9. карти́н. 10. книг. 11. дете́й. 12. госте́й. 13. веще́й. 14. челове́ка.

XV. 1. Мы живём в Оксфорде, в небольшо́м до́ме. В на́шем до́ме пять ко́мнат, ку́хня, ва́нная и туале́т. Ку́хня, столо́вая и гости́ная нахо́дятся на пе́рвом этаже́, а спа́льни – на второ́м. 2. Мой брат живёт в но́вом пятиэта́жном до́ме. В но́вых дома́х есть (все удо́бства –) электри́чество, газ, горя́чая вода́, телефо́н. Каки́е удо́бства есть в ва́шем до́ме? 3. – Что стои́т у вас в ко́мнате? – У меня́ в ко́мнате стои́т стол, кни́жный шкаф, дива́н, два сту́ла и кре́сло. На стена́х вися́т фотогра́фии. На полу́ лежи́т большо́й се́рый ковёр. 4. Я ста́влю кни́ги в шкаф. Газе́ты и журна́лы я кладу́ на стол. Куда́ мо́жно положи́ть портфе́ль? Куда́ мо́жно пове́сить пальто́?

4.

II. 4.10; 12.25; 12.05; 2.15; 2.45; 1.40; 9.30; 12.50; 3.20; 4.55; 11.15; 12.30.

III. пять мину́т второ́го; два́дцать мину́т шесто́го; де́сять мину́т деся́того; два́дцать пять мину́т двена́дцатого; семна́дцать мину́т четвёртого; де́сять мину́т пе́рвого; полови́на пе́рвого; че́тверть (пятна́дцать мину́т) тре́тьего; без че́тверти (без пятна́дцати мину́т) три; полови́на пя́того; без двадцати́ пять; без че́тверти пять; без двадцати́ де́сять; без двадцати́ пяти́ де́сять; без десяти́ де́сять; без пяти́ де́вять; де́сять мину́т оди́ннадцатого; че́тверть (пятна́дцать мину́т) оди́ннадцатого; полови́на оди́ннадцатого; без че́тверти оди́ннадцать; без пяти́ оди́ннадцать.

IV. без че́тверти семь; че́тверть восьмо́го; в полови́не девя́того; в полови́не пе́рвого; в полови́не шесто́го; че́тверть двена́дцатого.

VI. 1. с восьми́ часо́в утра́ до шести́ часо́в ве́чера. 2. с ча́су до двух. 3. с девяти́ часо́в утра́ до трёх часо́в дня. 4. с семи́ до девяти́ ве́чера. 5. с двух (часо́в дня) до восьми́ (часо́в ве́чера). 6. с пяти́ до шести́. 7. с двена́дцати часо́в дня до семи́ часо́в ве́чера. 8. с двух до четырёх. 9. с четырёх до шести́. 10. с шести́ часо́в утра́ до ча́су но́чи.

VII. 1. че́рез три часа́. 2. по́сле рабо́ты. 3. че́рез ме́сяц. 4. по́сле экза́менов. 5. по́сле ле́кции. 6. че́рез час. 7. че́рез три дня. 8. по́сле пра́здников. 9. по́сле обе́да. 10. че́рез год.

VIII. в семь часо́в, без че́тверти во́семь, де́сять мину́т девя́того, два́дцать мину́т девя́того, в полови́не девя́того, че́тверть двена́дцатого, без двадцати́ два, в два часа́, в полови́не пя́того, два часа́, в семь часо́в, в полови́не оди́ннадцатого.

XI. А. 1. начина́ем, конча́ем; начина́ются, конча́ются. 2. откры́лось, откры́л. 3. продолжа́ется, продолжа́ют. 4. останови́л, останови́лась. 5. открыва́ется, закрыва́ется, закрыва́ем.

В. 1. мо́ет, мо́ется. 2. бре́юсь, бре́ет. 3. оде́лась, оде́ла.

XIII. 1. чита́л, прочита́ли, прочита́л. 2. гото́вит, пригото́вил, пригото́вил. 3. расска́зывал. 4. просмотре́л. 5. вста́ли, встаю́, встава́л. 6. ложи́тесь, ложу́сь, лёг. 7. у́жинали, поу́жинали.

XV. А. 1. идёте, иду́. 2. идёте, иду́. 3. хожу́. 4. хожу́. 5. иду́т, иду́т. 6. ходи́ть.

В. 1. е́зжу. 2. е́здите. 3. е́хать. 4. е́дете, е́ду. 5. е́здит. 6. е́дем, е́дем.

XVI. 1. Обы́чно я встаю́ в семь часо́в утра́. Я де́лаю заря́дку и принима́ю душ. 2. Мы начина́ем рабо́тать (на́шу рабо́ту) в во́семь часо́в. Я выхожу́ из до́ма в полови́не восьмо́го. 3. Я рабо́таю во́семь часо́в в день, а Мари́на (рабо́тает) – шесть часо́в. 4. Мы обе́даем с ча́су до двух. 5. Петро́в выхо́дит из до́ма в полови́не девя́того и прихо́дит на заво́д за де́сять мину́т до нача́ла рабо́ты. 6. Вы е́здите на рабо́ту и́ли хо́дите пешко́м? 7. По суббо́там к нам в го́сти прихо́дят на́ши друзья́. 8. По вечера́м мы смо́трим телеви́зор. 9. Я приду́ к вам к семи́ часа́м. 10. – Чем занима́ется ваш брат? – Мой брат у́чится в университе́те. Он у́чится на истори́ческом факульте́те.

5.

II. 1. шла. 2. шёл. 3. е́здил. 4. шли. 5. ходи́л(а). 6. е́здили. 7. шла. 8. ходи́ли.

III. 1. пойдём, пое́дем. 2. пое́ду. 3. пойдёт. 4. пойти́. 5. пойти́. 6. пое́хать.

IV. А. 1. иду́. 2. идёте, идём. 3. хо́дите. 4. идём. 5. хо́дите, хо́дим. 6. идёт, идёт, иду́т. 7. хо́дит.

В. 1. е́здит, е́здит. 2. е́дут. 3. е́здит. 4. е́дут, е́дут. 5. е́здите, е́здим.

V. 1. бы́ли на конце́рте. 2. не была́ на рабо́те. 3. был в столо́вой. 4. не́ был в Ленингра́де. 5. бы́ли в Большо́м теа́тре. 6. был в Ита́лии. 7. была́ в университе́те.

VI. 1. Куда́ вы е́здили ле́том? 2. Куда́ вы ходи́ли вчера́? 3. Вы ходи́ли у́тром в библиоте́ку? 4. Вы ходи́ли вчера́ на ве́чер? 5. Вы е́здили в Москву́? 6. Когда́ вы е́здили в Сове́тский Сою́з? 7. Вы е́здили ле́том на юг?

VII. 1. на, в. 2. в, на. 3. в, на. 4. на, на, в. 5. на, в.

IX. 1. останови́те. 2. сади́тесь. 3. спроси́те. 4. покажи́те. 5. скажи́те.

X. куда́, где, как, где, како́й, где, кака́я.

XI. 1. та́к как. 2. потому́ что. 3. е́сли (когда́). 4. е́сли (когда́). 5. е́сли (когда́).

XII. 1. вы́шел из за́ла. 2. вы́шли из до́ма. 3. вы́шел из магази́на. 4. вошли́ в теа́тр. 5. вошла́ в метро́. 6. ушёл с рабо́ты. 7. уе́хал из Москвы́. 8. прие́хала из дере́вни. 9. пришёл с рабо́ты.

XIII. 1. – Вы е́здите на рабо́ту и́ли хо́дите пешко́м? – Обы́чно я е́зжу на рабо́ту на авто́бусе. Домо́й я хожу́ пешко́м, потому́ что в э́то вре́мя в авто́бусе мно́го наро́ду. 2. – Скажи́те, пожа́луйста, отсю́да далеко́ до гости́ницы «Москва́»? – Нет, недалеко́, три остано́вки. – Как дое́хать до гости́ницы? – Вам на́до сесть на тре́тий авто́бус. – А где он остана́вливается? – Ви́дите, там напро́тив стоя́т лю́ди? Это и есть остано́вка тре́тьего. – Спаси́бо. 3. – Скажи́те, пожа́луйста, когда́ мне сходи́ть? Мне ну́жен Большо́й теа́тр. – Большо́й теа́тр – четвёртая остано́вка. Я вам скажу́, когда́ сходи́ть. 4. – Кака́я сле́дующая остано́вка? – «Музе́й Че́хова». 5. – Вы не зна́ете, где остана́вливается второ́й авто́бус? – Прости́те, я не москви́ч. Спроси́те лу́чше у милиционе́ра. 6. – Где мне сойти́, что́бы попа́сть на Кра́сную пло́щадь? – Вам ну́жно сойти́ на остано́вке «Пло́щадь Револю́ции». 7. – Мне ну́жно сесть на шесто́й авто́бус. – Шесто́й здесь не хо́дит. Остано́вка шесто́го у метро́. 8. Ско́лько сто́ит биле́т? 9. Да́йте, пожа́луйста, два биле́та. 10. – Такси́ свобо́дно? – Свобо́дно. Сади́тесь. Вам куда́? – Мне в центр. 11. Где ближа́йшая остано́вка авто́буса и́ли тролле́йбуса?

6.

II. 1. с мои́м ста́рым знако́мым. 2. с на́шими друзья́ми и знако́мыми. 3. с жено́й и детьми́. 4. с рабо́чими и инжене́ром на́шей лаборато́рии. 5. со ста́рым о́пытным преподава́телем. 6. со свои́ми роди́телями, со свое́й жено́й, со свои́ми друзья́ми. 7. с сове́тскими тури́стами.

III. 1. ру́сским языко́м и ру́сской литерату́рой. 2. литерату́рой, му́зыкой, теа́тром. 3. ру́сско-англи́йским словарём, уче́бником и други́ми кни́гами. 4. спо́ртом и та́нцами.

IV. 1. встреча́емся, встреча́ю. 2. ви́димся, ви́дел. 3. собра́л, собрали́сь. 4. останови́лся, останови́л. 5. купа́емся, купа́ет.

V. 1. взя́ли. 2. се́ли. 3. вы́шли. 4. останови́лись. 5. искупа́лись. 6. пригото́вили. 7. отпра́вилась. 8. попроща́лась. 9. договори́лись.

VI. 1. на, в. 2. на, в. 3. на, на. 4. в. 5. на. 6. на, на. 7. на, на, в.

VIII. А. 1. приезжа́ли, прие́хали. 2. пришёл, приходи́л. 3. приходи́л, пришёл. 4. прихо́дит, придёт. 5. приду́, прихожу́. 6. прихо́дим, прийти́.

В. 1. ушли́, уходи́ли. 2. уходи́ла, ушла́. 3. уходи́ли, ушёл. 4. ухо́дит, ушли́.

IX. че́тверо мужчи́н, две же́нщины, тро́е друзе́й, тро́е това́рищей, че́тверо солда́т, дво́е ма́льчиков, три сестры́, тро́е бра́тьев, пя́теро ученико́в, пять учени́ц, че́тверо дете́й, ше́стеро рабо́чих.

X. 1. оди́ннадцать. 2. два́дцать оди́н. 3. четы́ре. 4. тро́е. 5. во́семь.

XI. 1. в шесть часо́в, часо́в в шесть. 2. в во́семь часо́в, часо́в в во́семь. 3. в пять часо́в, часо́в в пять. 4. в два часа́, часа́ в два. 5. пятна́дцать лет, лет пятна́дцать. 6. два́дцать два го́да; го́да два́дцать два. 7. восемна́дцать дней, дней восемна́дцать. 8. четы́ре ра́за, ра́за четы́ре. 9. пять мину́т, мину́т пять. 10. со́рок копе́ек, копе́ек со́рок.

XII. е́здили, вы́ехали, пое́хали, е́хали, вы́ехали, прое́хали, вы́шли, побежа́ли, пое́хали, прие́хали.

XIII. 1. по университе́ту. 2. по институ́ту. 3. по рабо́те. 4. по шко́ле.

XV. 1. – Что вы де́лаете по воскресе́ньям? – Мы с друзья́ми ча́сто прово́дим воскресе́нье за́ городом, в лесу́ и́ли на берегу́ реки́. Обы́чно мы е́здим за́ город на по́езде и́ли на маши́не. 2. – Ми́ша, хо́чешь пое́хать в воскресе́нье за́ город? – На маши́не? – Нет, мы хоти́м пое́хать на велосипе́дах. – Кто ещё пое́дет с на́ми? Ско́лько челове́к пое́дет? – Нас бу́дет пя́теро. – Где мы встре́тимся? – Обы́чно мы собира́емся о́коло ста́нции метро́ «Ки́евская». 3. От Москвы́ до ста́нции «Лесна́я» по́езд идёт мину́т три́дцать – три́дцать пять. От ста́нции до ле́са киломе́тра три-четы́ре. 4. От ста́нции до ле́са мы шли пешко́м. Вы лю́бите ходи́ть пешко́м? 5. Обы́чно мы возвраща́емся в Москву́ часо́в в шесть.

7.

II. 1. сы́ра, са́хару, ма́сла, мя́са, ры́бы, конфе́т, я́блок, виногра́да. 2. молока́, ма́сла, пи́ва. 3. со́ли, ча́я, ко́фе, са́хара, сигаре́т.

III. 1. в магази́не «Молоко́» и́ли моло́чном отде́ле «Гастроно́ма». 2. в овощно́м магази́не и на ры́нке. 3. в мясно́м отде́ле магази́на. 4. в ры́бном отде́ле и́ли в магази́не «Ры́ба». 5. в конди́терских магази́нах. 6. в бу́лочной.

IV. 1. моло́чный магази́н (магази́н «Молоко́»). 2. бу́лочная. 3. овощно́й магази́н. 4. мясно́й магази́н (магази́н «Мя́со»). 5. ры́бный магази́н.

V. зашёл (зашла́), обошёл (обошла́), вы́брал (вы́брала), пошёл (пошла́), продаю́т, вы́брал(а), (купи́л, купи́ла), пошёл (пошла́), продаю́т, купи́л (купи́ла), заплати́л (заплати́ла).

VI. 1. покупа́ем, покупа́л, купи́л. 2. заплати́л, плати́ть, заплати́ли, плати́л. 3. выбира́л, вы́брал. 4. прино́сят, принесу́т.

VII. А. 1. хожу́, иду́, пойду́. 2. идёте, иду́, хожу́.

В. 3. прино́сит, принесли́. 4. прино́сит, принесла́. 5. принёс, прино́сит.

VIII. 1. па́чку, коро́бку, ба́нку. 2. ба́нку, па́чку, коро́бков. 3. па́чку, буты́лку, ба́нку. 4. буты́лки.

IX. 1. со́рок во́семь копе́ек. 2. три́дцать три копе́йки. 3. одну́ копе́йку. 4. оди́н рубль два́дцать две копе́йки. 5. девяно́сто четы́ре копе́йки. 6. три рубля́ пятьдеся́т шесть копе́ек. 7. шесть рубле́й два́дцать копе́ек. 8. два рубля́ пятна́дцать копе́ек.

X. 1. где. 2. куда́ (кому́). 3. что. 4. ско́лько. 5. где.

XII. А. Недалеко́ от на́шего до́ма есть большо́й продово́льственный магази́н. Там мо́жно купи́ть всё – мя́со, ры́бу, ма́сло, молоко́, чай, ко́фе, са́хар и други́е проду́кты. Магази́н рабо́тает с восьми́ часо́в утра́ до девяти́ часо́в ве́чера. Ря́дом с ним нахо́дится магази́н «Фру́кты-о́вощи», где мы покупа́ем карто́фель, капу́сту, лук, морко́вь, я́блоки, апельси́ны, сли́вы.

В. 1. – Вы не хоти́те зайти́ в магази́н? Мо́жет быть, вам на́до что́-нибудь купи́ть? – Да, мне на́до купи́ть сигаре́ты и спи́чки. 2. – Да́йте, пожа́луйста, сигаре́ты «Ко́смос» и спи́чки. – Пожа́луйста. Се́мьдесят одна́ копе́йка. 3. – Где мо́жно купи́ть грузи́нскую минера́льную во́ду? – В любо́м магази́не «Гастроно́м». 4. – Ско́лько сто́ят э́ти конфе́ты? – Э́ти конфе́ты сто́ят три рубля́ шестьдеся́т копе́ек килогра́мм. 5. – Скажи́те, пожа́луйста, ско́лько сто́ит цейло́нский чай? – Три́дцать во́семь копе́ек па́чка. 6. – Скажи́те, пожа́луйста, хлеб све́жий? – Да, то́лько что привезли́. – Да́йте три бу́лочки и полови́ну чёрного. – Пожа́луйста. Два́дцать во́семь копе́ек. 7. Да́йте, пожа́луйста, три́ста грамм ма́сла и буты́лку молока́. 8. – Кака́я колбаса́ есть сего́дня? – У нас есть не́сколько сорто́в колбасы́. 9. – Ско́лько сто́ит мя́со? – Два рубля́ килогра́мм. – Покажи́те, пожа́луйста, э́тот кусо́к.

8.

II. 1. книг, тетра́дей, ру́чек, карандаше́й. 2. пальто́, пла́тьев, костю́мов, плаще́й, блу́зок. 3. су́мку и чемода́н. 4. руба́шку и га́лстук.

III. 1. сто́ит ... рубле́й, рубля́, рубль. 2. сто́ят ... рубля́, рубле́й, рубль. 3. сто́ит ... рубль, рубля́, рубле́й. 4. сто́ят ... рубле́й, рубля́, рубле́й. 5. сто́ит ... копе́ек, копе́ек, копе́йки. 6. сто́ят ... копе́йки, копе́йки, копе́ек. 7. сто́ит ... копе́ек, копе́йку, копе́йки.

IV. 1. сре́днего ро́ста. 2. шко́льного во́зраста. 3. я́рких цвето́в. 4. глубо́ких зна́ний. 5. си́него и́ли голубо́го цве́та.

V. 1. мои́х роди́телей. 2. моего́ ста́ршего бра́та. 3. мое́й мла́дшей сестры́. 4. на́ших сосе́дей. 5. на́шего преподава́теля. 6. одного́ изве́стного англи́йского писа́теля.

VI. 1. на́шему но́вому студе́нту. 2. одно́й знако́мой де́вушке. 3. моему́ мла́дшему сы́ну. 4. своему́ дру́гу. 5. свои́м гостя́м. 6. свои́м това́рищам по рабо́те.

VIII. 1. Да, мне нра́вятся таки́е фи́льмы. Нет, мне не нра́вятся таки́е фи́льмы. 2. Да, мне нра́вится ру́сская му́зыка. 3. Да, мне нра́вятся рома́ны э́того писа́теля. 4. Да, мне нра́вится така́я пого́да. 5. Да, мне нра́вится гуля́ть по у́лицам го́рода. 6. Да, мне нра́вится отдыха́ть в гора́х.

IX. А. 1. понра́вилась. 2. понра́вилась. 3. понра́вился. 4. понра́вилась. 5. не понра́вился.

В. 1. люблю́. 2. лю́бят. 3. люблю́. 4. лю́бят. 5. лю́бим. 6. лю́бите.

XI. 1. Я по́мню. 2. Брат ... хо́чет. 3. Я не ве́рю ... 4. Я не хоте́л ... 5. Я пло́хо рабо́тал. 6. Вы не хоти́те ... 7. Он жил ...

XII. 1. чита́л, прочита́ли, прочита́л. 2. купи́л, покупа́л, купи́л.

3. писа́л, написа́л. 4. понра́вился, нра́вятся. 5. да́рим, подари́ла.
6. ду́мал, поду́мал. 7. реши́л, реша́ли.

XVI. све́тлый костю́м, чёрные ту́фли, тяжёлый чемода́н, некраси́вая
вещь, дешёвое пла́тье, гру́бая рабо́та, молодо́й челове́к, ле́тнее пальто́,
жёсткая (гру́бая) ткань.

XVII. 1. Когда́ открыва́ются магази́ны? Я хочу́ зайти́ в универма́г.
Мне на́до купи́ть не́сколько веще́й. 2. Скажи́те, на како́м этаже́ продаю́т
костю́мы для ма́льчиков? 3. Скажи́те, пожа́луйста, где я могу́ купи́ть
зи́мнюю ша́пку? 4. – Ско́лько сто́ит э́тот га́лстук? – Два рубля́ два́дцать
копе́ек. 5. Мне нра́вится э́то пла́тье. Ско́лько оно́ сто́ит? 6. – Вам
нра́вится э́та су́мка? – Очень нра́вится. 7. Мне нра́вится э́то пальто́, но
оно́ мне велико́.. 8. Покажи́те, пожа́луйста, да́мские перча́тки. Како́й э́то
разме́р? 9. – Мо́жно приме́рить бе́лые ту́фли? – Како́й разме́р?
– Три́дцать пя́тый. – Пожа́луйста. 10. Эти боти́нки мне малы́. Да́й-
те, пожа́луйста, другу́ю па́ру. 11. Да́йте, пожа́луйста, три ме́тра
ше́рсти.

9.

II. 1. с молоко́м. 2. с ма́слом и сы́ром. 3. с мя́сом. 4. с ри́сом и́ли
карто́шкой. 5. с молоко́м. 6. с капу́стой.

III. 1. сто́ит. 2. лежа́т. 3. поста́вил, положи́л. 4. поста́вьте.
5. положи́те.

IV. 1. на столе́, на стол. 2. на стул, на сту́ле. 3. на буфе́те, на буфе́т.
4. на окно́, на окне́. 5. в шкафу́, в шкаф.

V. 1. Принеси́те ... 2. Переда́йте ... 3. Да́йте ...

VI. 1. одну́ котле́ту, холо́дную ры́бу, о́стрый сыр, ча́шку ко́фе.
2. мя́со с гарни́ром, котле́ту с капу́стой. 3. буты́лку воды́, таре́лку
су́па, у́тку с ри́сом, ча́шку ко́фе. 4. воды́, молока́, пи́ва, лимона́да,
со́ка.

VII. 1. в э́тот рестора́н, в э́том рестора́не. 2. в но́вой столо́вой,
в но́вую столо́вую. 3. в э́том ма́леньком кафе́, в э́то ма́ленькое
кафе́.

VIII. ем, ешь, ест, еди́м, еди́те, едя́т; пью, пьёшь; беру́, берёшь;
возьму́, возьмёшь; закажу́, зака́жешь.

IX. 1. Мне нра́вится чай с молоко́м. 2. Мне нра́вится апельси́новый
сок. 3. Мне нра́вятся апельси́ны, я́блоки, бана́ны. 4. Мне нра́вятся
ры́бные блю́да. 5. Мне нра́вится о́стрый сыр. 6. Мне нра́вится ру́сская
ку́хня.

X. 1. за за́втраком. 2. за у́жином. 3. за обе́дом.

XII. 1. – Вы не хоти́те пойти́ пообе́дать? – С удово́льствием. Я как
ра́з собира́лся пойти́. – Куда́ мы пойдём? – Мо́жно пойти́ в кафе́
«Ко́смос». Там непло́хо гото́вят. И в э́то вре́мя там ма́ло наро́ду.
2. – Что мы возьмём на пе́рвое? Вы бу́дете зака́зывать суп? Что вы
бу́дете пить – сок и́ли минера́льную во́ду? – Я хоте́л бы вы́пить ча́ш-

ку кóфе. 3. – Мне óчень понрáвилась эта минерáльная водá. Как онá называ́ется? – «Боржóми». Это грузи́нская минерáльная водá. 4. – Я не знаю, что мне взять на вторóе. – Я бы посовéтовал вам заказáть котлéту по-ки́евски. Это óчень вку́сно. 5. Принеси́те, пожáлуйста, салáт и холóдное мя́со. 6. Дáйте, пожáлуйста, счёт. 7. Передáйте, пожáлуйста, мáсло. Спаси́бо. 8. – Это мéсто свобóдно? – Да, сади́тесь, пожáлуйста. 9. Обы́чно я зáвтракаю и у́жинаю дóма, а обéдаю на рабóте. У нас в институ́те хорóшая столóвая. Здесь вку́сно готóвят и всегдá большóй вы́бор мясны́х и ры́бных блюд.

10.

II. 1. мóжно. 2. Мне нáдо. 3. мóжно. 4. Мне нáдо. 5. Им нáдо. 6. мóжно. 7. мóжно.

III. 1. послáл (отпрáвил), полу́чат. 2. послáть. 3. послáли. 4. брóсить (опусти́ть). 5. получи́ли. 6. принёс. 7. брóсьте (опусти́те). 8. писáть, получáть. 9. принóсит.

IV. 1. из Ленингрáда, от моегó дру́га. 2. из Москвы́, от свои́х совéтских друзéй. 3. из Ки́ева, от однóго знакóмого студéнта. 4. из роднóй дерéвни, от мои́х роди́телей. 5. из родны́х мест, от друзéй, рóдственников и знакóмых.

V. 1. от брáта из Ки́ева. 2. срóчную телегрáмму сестрé в Одéссу. 3. мáрку на конвéрт ... письмó в конвéрт. 4. на пóчте. 5. из дóма от роди́телей. 6. телегрáмму из Ленингрáда от моегó млáдшего брáта.

VI. 1. со свои́м млáдшим брáтом, с друзья́ми по институ́ту, со свои́ми роди́телями. 2. с Ни́ной и Ми́шей, со свои́ми товáрищами. 3. с однóй знакóмой жéнщиной. 4. с одни́м интерéсным молоды́м человéком. 5. с инженéром и рабóчими.

VII. 1. встрéтиться, встрéтил. 2. посовéтоваться, посовéтовал. 3. ви́дел, ви́делись, ви́дитесь. 4. обня́лись, обняла́.

X. 1. со свои́м сосéдом, моегó сосéда. 2. с её млáдшей дóчерью, её млáдшая дочь, своéй млáдшей дóчери. 3. свои́м преподавáтелем, их преподавáтелю. 4. оди́н мой знакóмый, у одногó моегó знакóмого. 5. от своéй стáршей сестры́, её стáршая сестрá.

XII. 1. пи́шут, написáл. 2. получáю, получи́л. 3. начинáла, начала́. 4. отпрáвил, отправля́л. 5. писáли, посылáли, написáл, послáл. 6. запи́сывал, записáл. 7. забы́л, забывáет.

XIV. 1. – Скажи́те, пожáлуйста, где нахóдится ближáйшая пóчта? – Пóчта нахóдится недалекó отсю́да, на у́лице Ки́рова. – Вы не знáете, как (когдá?) рабóтает пóчта? – Я ду́маю, с восьми́ часóв утрá до восьми́ вéчера. 2. – Где мóжно купи́ть конвéрты, мáрки? – В сосéднем окнé. – Дáйте, пожáлуйста, конвéрт с мáркой, две откры́тки и два блáнка для телегрáммы. 3. – Скóлько стóит конвéрт? – Шесть копéек. – Скóлько врéмени идёт письмó из Москвы́ в Ки́ев? – Оди́н день. 4. – Мне нáдо посла́ть не́сколько поздрави́тельных телегра́мм. Где принима́ют телегра́ммы? – В сосе́днем за́ле. – Ско́лько вре́мени идёт телегра́мма из Москвы́ в Ленингра́д? – Два часа́. 5. Ка́ждое у́тро почтальо́н прино́сит нам газе́ты и пи́сьма. Сего́дня у́тром он принёс мне не́сколько пи́сем. Одно́ письмо́ бы́ло из Ки́ева от моего́ ста́рого дру́га. Мне на́до отве́тить на э́то письмо́. Я не люблю́ писа́ть пи́сьма. Обы́чно я посыла́ю откры́тки.

11.

II. 1. мне ну́жно. 2. нам на́до. 3. вам ну́жно. 4. мне на́до. 5. мне на́до.

III. 1. мой, моего́, своего́. 2. своём, свои́м, его́. 3. свой, его́, его́. 4. своего́, его́, свое́й. 5. мой, свои, его́ своё.

IV. Приезжа́л, остана́вливался, обраща́лся, дава́л, зака́зывал, поднима́лся, пока́зывала; прие́хал, останови́лся, обрати́лся, дал, заказа́л, подня́лся, показа́ла.

V. 1. рису́ет. 2. игра́ет, не танцу́ет. 3. организу́ет. 4. ночу́ют. 5. критику́ют. 6. бесе́дует. 7. волну́юсь. 8. интересу́ется.

VI. 1. проговори́ли. 2. поговори́ли, покури́ли. 3. проспа́л. 4. поспа́л. 5. прогуля́ла. 6. погуля́й. 7. пролежа́л. 8. просиде́ли. 9. посиде́ли.

VII. прие́хала, вы́ехали, прие́хали, е́здила, вы́ехала (уе́хала), прие́хала, ходи́ли, пошли́ (пойду́т), приду́т.

VIII. 1. Наш дом постро́ен пять лет наза́д. 2. В журна́ле напеча́таны мои́ стихи́. 3. Магази́н уже́ закры́т. 4. Телегра́мма уже́ по́слана? 5. Это письмо́ полу́чено на про́шлой неде́ле. 6. Го́сти приглашены́ к семи́ часа́м. 7. На ве́чере нам был пока́зан сове́тский фильм. 8. Эта кни́га ку́плена в кио́ске. 9. Но́мер в гости́нице ещё не зака́зан.

X. 1. и, но. 2. и, но, а. 3. но, а. 4. и, но, а. 5. а, и, но.

XI. 1. Если у вас бу́дет вре́мя, ... 2. ..., е́сли ра́но ко́нчу рабо́ту. 3. Если хоти́те посмотре́ть э́тот фильм, ... 4. ..., е́сли у меня́ бу́дут де́ньги. 5. Если в воскресе́нье бу́дет тепло́, ... 6. Если уви́дите где́-нибудь э́тот уче́бник, ... 7. Если ва́ши часы́ спеша́т, ...

XIV. 1. На́шу гру́ппу размести́ли в гости́нице «Украи́на». В хо́лле нас встре́тил администра́тор. Мы о́тдали ему́ свои́ паспорта́ и запо́лнили бла́нки для приезжа́ющих. Он сказа́л нам номера́ на́ших ко́мнат. 2. Мой но́мер на девя́том этаже́. Я подня́лся на ли́фте на девя́тый эта́ж. Дежу́рная дала́ мне ключ от моего́ но́мера и сказа́ла: «Когда́ бу́дете уходи́ть, оставля́йте ключ у меня́». Она́ проводи́ла меня́ и показа́ла мне мою́ ко́мнату. 3. О́кна мое́й ко́мнаты выхо́дят на Москву́-реку́. Из окна́ я ви́жу у́лицы, дома́ и мост че́рез Москву́-реку́. Моя́ ко́мната больша́я и тёплая. 4. Нам сказа́ли, что за́втракать, обе́дать и у́жинать мы бу́дем в рестора́не, кото́рый нахо́дится на пе́рвом этаже́ гости́ницы. 5. – Скажи́те, пожа́луйста, у вас есть свобо́дные номера́? – Есть. Вам ну́жен но́мер на двои́х? – Да, я с жено́й. – Запо́лните, пожа́луйста, бланк. Ваш но́мер на тре́тьем этаже́. Мо́жете подня́ться на ли́фте. Дежу́рная даст вам ключ от ва́шего но́мера. – Спаси́бо.

12.

II. 1,7. с мои́м ста́рым дру́гом Никола́ем и его́ жено́й; с мои́ми роди́телями и мое́й мла́дшей сестро́й; с Петро́выми. 2,8. своего́ ста́рого дру́га Никола́я и его́ жену́; свои́х роди́телей и свою́ мла́дшую сестру́; Петро́вых. 3. у своего́ ста́рого дру́га Никола́я и его́ жены́; у свои́х роди́телей и свое́й мла́дшей сестры́; у Петро́вых. 4. о моём ста́ром дру́ге Никола́е и его́ жене́; о мои́х роди́телях и мое́й мла́дшей сестре́; о Петро́вых. 5,6. моему́ ста́рому дру́гу Никола́ю и его́ жене́; мои́м роди́телям и мое́й мла́дшей сестре́; Петро́вым. 9. Мой ста́рый друг Никола́й и его́ жена́; мои́ роди́тели и моя́ мла́дшая сестра́; Петро́вы.

III. 1. Позови́те. 2. Позвони́те. 3. Переда́йте. 4. Подожди́те. 5. Приходи́те.

IV. шёл, вошёл, подошла́, ушла́, зашла́, пошли́, придёт, придёт.

V. 1. вам. 2. мне. 3. им. 4. Ма́ше. 5. мне.

VI. 1. позвони́те. 2. набра́ли. 3. позвони́те. 4. положи́л. 5. набра́ть. 6. клади́те.

VII. 1. дава́йте, пусть. 2. дава́йте, пусть. 3. дава́йте, пусть.

VIII. 1. пое́дем. 2. напи́шем. 3. напи́шет. 4. возьмём. 5. возьмёт. 6. попро́сим. 7. попро́сит.

IX. 1. Ни́на сказа́ла мне, что́бы я купи́л(а) биле́ты в кино́. 2. ..., что́бы она́ пришла́ сего́дня в шесть часо́в ве́чера. 3. ..., что́бы мы присла́ли ей свои́ фотогра́фии. 4. ..., что́бы она́ позвони́ла ему́ ве́чером. 5. ..., что́бы он подожда́л меня́ здесь. 6. ..., что́бы я присла́л ему́ журна́л «Ра́дио». 7. ..., что́бы мы повтори́ли восьмо́й уро́к. 8. ..., что́бы я обяза́тельно прочита́л э́ту кни́гу.

X. 1. что́бы, что. 2. что́бы, что. 3. что, что́бы. 4. что, что́бы. 5. что́бы. 6. что, что́бы.

XII. 1. ли. 2. ли, е́сли. 3. е́сли, ли. 4. е́сли, ли, е́сли.

XV. 1. Когда́ я пришёл домо́й, жена́ сказа́ла, что мне звони́л мой ста́рый друг Серге́й. Он сказа́л, что позвони́т ещё раз. 2. – Вчера́ я хоте́л позвони́ть вам, но я не знал ва́шего телефо́на. – Запиши́те его́: 253-80-85. Это дома́шний телефо́н. 3. – Вы не мо́жете позвони́ть мне за́втра у́тром, часо́в в де́вять? – Могу́. По како́му телефо́ну? – 299-22-11. 4. – Когда́ я могу́ позвони́ть вам? – В любо́е вре́мя по́сле пяти́ ве́чера. 5. – Вчера́ я звони́л вам, но никто́ не подходи́л к телефо́ну (не отвеча́л). 6. – Если кто́-нибудь позвони́т мне, скажи́те, что я бу́ду до́ма по́сле семи́ ве́чера. 7. – Это Ва́ля? – Нет, Ва́ли нет до́ма. – Вы не мо́жете сказа́ть, когда́ она́ бу́дет? – Подожди́те мину́тку, сейча́с узна́ю... Вы слу́шаете? Ва́ля бу́дет до́ма по́сле 12. 8. – Позови́те, пожа́луйста, Ольгу Ива́новну. – Это я.

– Здра́вствуйте, говори́т ваш студе́нт Петро́в. Извини́те, что я беспоко́ю вас. Я ко́нчил свою́ рабо́ту и хоте́л бы показа́ть вам. – За́втра я бу́ду в университе́те у́тром. Приходи́те и приноси́те свою́ рабо́ту. – Спаси́бо. До свида́нья.

13.

II. 1. жа́ловалась. 2. принима́ть. 3. боле́ю. 4. боли́т. 5. жа́луетесь. 6. вы́писал. 7. ле́чит. 8. жа́луется. 9. принима́ть. 10. боля́т. 11. бо́лен.

III. 1. У него́ грипп. 2. Давно́ у неё грипп? 3. У моего́ бра́та бы́ло воспале́ние лёгких. 4. ..., та́к как у меня́ была́ анги́на.

IV. 1. вам на́до. 2. вам на́до. 3. ей на́до (ну́жно). 4. ему́ нельзя́. 5. мне мо́жно. 6. ему́ нельзя́. 7. ему́ нельзя́. 8. ему́ на́до (ну́жно). 9. ей нельзя́.

V. 1. боле́ет (боле́л). 2. боле́ет (боле́л). 3. боли́т (боле́ла). 4. боля́т (боле́ли). 5. боле́л. 6. боли́т. 7. боле́ете (боле́ли). 8. боли́т.

VI. 1. Если у вас боли́т голова́, ... 2. Если (когда́) вы больны́, ... 3. Я пошёл к врачу́, та́к как (потому́ что) ... 4. Вам нельзя́ выходи́ть на у́лицу, та́к как ... 5. Никола́й не пришёл на рабо́ту, та́к как ... 6. Мое́й сестре́ нельзя́ е́хать на юг, потому́ что ... 7. Если вы почу́вствуете себя́ ху́же, ... 8. Когда́ (та́к как) он почу́вствовал себя́ ху́же, ...

VII. 1. в поликли́нику к зубно́му врачу́. 2. в больни́цу к свое́й больно́й подру́ге. 3. в дере́вню к свои́м роди́телям. 4. в кабине́т к медици́нской сестре́. 5. в медици́нский институ́т к изве́стному профе́ссору.

VIII. 1. ..., что у неё боли́т голова́. 2. ..., когда́ придёт врач. 3. ..., что врач придёт за́втра. 4. ..., что она́ должна́ лечь в больни́цу. 5. ..., как я себя́ чу́вствую. 6. ..., что че́рез неде́лю я смогу́ вы́йти на рабо́ту. 7. ..., что он до́лжен принима́ть э́то лека́рство два ра́за в день.

XI. 1. – Как вы себя́ чу́вствуете? – Спаси́бо, хорошо́. – Говоря́т вы бы́ли больны́? – Да, я боле́л. – Вы лежа́ли в больни́це? – Нет, я лежа́л до́ма. 2. – У вас больно́й вид. Вы должны́ идти́ к врачу́. – Вчера́ я был у врача́. – Что он сказа́л? – Он сказа́л, что мне на́до лежа́ть в посте́ли и принима́ть лека́рство. – Почему́ же вы не лежи́те в посте́ли? – Я иду́ из апте́ки. (Я был в апте́ке). 3. – У моего́ отца́ ча́сто боли́т голова́. Врач вы́писал ему́ лека́рство от головно́й бо́ли. Оте́ц говори́т, что лека́рство помога́ет ему́. 4. – Я давно́ не ви́дел Никола́я. Что с ним? – Он не рабо́тает сейча́с. Говоря́т, он простуди́лся и лежи́т до́ма. 5. – Ва́ша сестра́ была́ больна́? – Да, ей сде́лали опера́цию, и она́ ме́сяц лежа́ла в больни́це. – Как она́ чу́вствует себя́ сейча́с? – Спаси́бо, лу́чше. Она́ уже́ до́ма. Врач сказа́л, что че́рез неде́лю она́ смо́жет вы́йти на рабо́ту. 6. – Что у вас боли́т? – У меня́ си́льный на́сморк и боли́т голова́. – Кака́я у вас температу́ра?–Утром была́ 37,7. 7. Врач изме́рил температу́ру и осмотре́л больно́го. 8. Врач вы́писал мне лека́рство. Он сказа́л, что на́до принима́ть его́ по одно́й табле́тке пе́ред обе́дом. 9. У Влади́мира боли́т зуб, но он бои́тся идти́ к врачу́. 10. – Мари́я Ива́новна жа́луется на плохо́й аппети́т. – Да? Я не заме́тил э́того.

14.

II. 1. хоро́шей спортсме́нкой. 2. чемпио́нкой го́рода по гимна́стике. 3. спо́ртом. 4. лы́жами и пла́ванием. 5. футбо́лом и велосипе́дом. 6. велосипе́дом и ша́хматами.

III. 1. по бо́ксу. 2. по те́ннису. 3. по волейбо́лу. 4. по гимна́стике. 5. по насто́льному те́ннису. 6. по ша́хматам. 7. по гимна́стике, пла́ванию и фигу́рному ката́нию.

IV. игра́ли, игра́ли, проигра́ли, вы́играл, игра́ет, вы́играли, проигра́ли, сыгра́ли.

V. 1. a) пла́вать, пла́ваете, пла́ваю; b) плыву́т, плывёт, плывёт; c) плыть, пла́вать. 2. a) хо́дите, ходи́л, ходи́ть; b) хо́дите, хожу́, идёте (пойдёте), иду́ (пойду́), идёмте (пойдёмте); c) идёте, идём, идёте, хожу́. 3. a) бежи́те, бегу́; b) бежи́т, бежи́т, бежи́т, бежи́т, бе́гает.

VI. 1. на пиани́но, в волейбо́л, в футбо́л, в хокке́й, на роя́ле, в пинг-по́нг, на скри́пке, в ша́хматы, на гита́ре, в те́ннис, на трубе́. 2. на лы́жах, на конька́х, на ло́дке, на велосипе́де.

VII. 1. кото́рая. 2. в кото́рой. 3. в кото́рой. 4. кото́рую. 6. с кото́рой. 6. о кото́рой.

VIII. 1. ..., каки́м спо́ртом я занима́лся ра́ньше. ..., когда́ я на́чал игра́ть в футбо́л. ..., в како́й кома́нде я игра́л ра́ньше. 2. ..., что я занима́лся бо́ксом. ..., что я на́чал игра́ть в футбо́л семь лет наза́д. ..., что я игра́л в футбо́л и в хокке́й в кома́нде «Зени́т». 3. ..., лю́бит ли он спорт. ..., занима́ется ли он спо́ртом. ..., ката́ется ли он на лы́жах. 4. ..., что́бы он занима́лся спо́ртом. ..., что́бы он бро́сил кури́ть. ..., что́бы он де́лал у́треннюю гимна́стику.

XI. 1. Мой брат занима́ется спо́ртом с де́тства. Он ката́ется на лы́жах и на конька́х. Бо́льше всего́ он лю́бит пла́вание. Кру́глый год он хо́дит в бассе́йн. Я то́же люблю́ пла́вать. Иногда́ я хожу́ в бассе́йн вме́сте с ним. 2. Ни́на хорошо́ игра́ет в те́ннис. В про́шлом году́ она́ заняла́ пе́рвое ме́сто в соревнова́ниях и ста́ла чемпио́нкой страны́ по те́ннису. 3. – Вы занима́етесь спо́ртом? – Нет, сейча́с я не занима́юсь спо́ртом. Ра́ньше, когда́ я был молоды́м, я игра́л в футбо́л и волейбо́л. 4. – Вы занима́етесь гимна́стикой? – Да. Я о́чень люблю́ гимна́стику. По-мо́ему, э́то са́мый краси́вый вид спо́рта. 5. – Ва́ши де́ти де́лают у́треннюю гимна́стику? – Да, де́лают. Ка́ждое у́тро. – А вы? – Нет, я давно́ бро́сил. 6. – Вы ча́сто хо́дите на като́к? – Нет, не ча́сто, раз в неде́лю, иногда́ два ра́за в неде́лю. 7. Вчера́ я был на стадио́не. Игра́ли «Дина́мо» и «Арсена́л». Матч был о́чень интере́сный. Он зако́нчился со счётом 1:0. Вы́играла англи́йская кома́нда. 8. Я ви́жу, вы боле́ете за кома́нду «Дина́мо». Я то́же боле́ю за э́ту кома́нду. 9. – Вы лю́бите игра́ть в футбо́л? – Нет, не люблю́. Но по телеви́зору смотрю́ футбо́льные ма́тчи с удово́льствием.

15.

II. 1. поёт. 2. критику́ют. 3. идёт. 4. аплоди́руют. 5. продаю́т. 6. беру́.

III. 1. в теа́тр на бале́т «Зо́лушка». 2. в консервато́рии на конце́рте. 3. в парте́ре, в пя́том ряду́. 4. в Большо́й теа́тр на о́перу «Бори́с Годуно́в». 5. на воскресе́нье на ве́чер.

IV. 1. исполня́ется, исполня́ет, исполня́ет. 2. ко́нчил, ко́нчился. 3. встре́тились, встре́тил. 4. верну́ли, верну́лись.

V. 1. У меня́ нет но́вого уче́бника. 2. ... ста́ршего бра́та. 3. сего́дняшней газе́ты. 4. а́нгло-ру́сского словаря́. 5. книг э́того писа́теля. 6. дете́й. 7. о́перного теа́тра. 8. хоро́ших певцо́в. 9. свобо́дных номеро́в.

VI. А. 1. слу́шали. 2. слы́шали. 3. слу́шаю. 4. слу́шать. 5. слы́шит. 6. слы́шал.

Б. 1. ви́дели, ви́дел. 2. посмотре́л. 3. ви́дит. 4. уви́дел, смотре́л, ви́дел. 5. смотре́ть. 6. ви́дели (смотре́ли).

VII. 1. ..., хотя́ я люблю́ э́того а́втора. 2. ..., хотя́ он неда́вно пришёл на сце́ну. 3. Хотя́ конце́рт ко́нчился по́здно, ... 4. ..., хотя́ (я) ви́дел её ра́ньше. 5. ..., хотя́ (я) чита́л его́ неда́вно. 6. ..., хотя́ он изуча́ет ру́сский язы́к уже́ не́сколько лет. 7. Хотя́ мой това́рищ изуча́ет ру́сский язы́к всего́ не́сколько ме́сяцев, ...

IX. 1. Когда́ я был в Москве́, я посмотре́л бале́т «Лебеди́ное о́зеро» в Большо́м теа́тре. 2. Бо́льше всего́ я люблю́ бале́т. Я ви́дел все бале́ты Большо́го теа́тра. 3. Мы хоте́ли посмотре́ть э́ту пье́су, но не смогли́ доста́ть биле́ты. 4. – Что идёт сего́дня в Худо́жественном теа́тре? – «Три сестры́» Че́хова. – Я ви́дел э́ту пье́су в про́шлом году́. 5. – Когда́ бу́дет премье́ра пье́сы Толсто́го «Живо́й труп»? – 20 ма́рта. – Говоря́т, тру́дно доста́ть биле́ты на э́тот спекта́кль. – Да, э́то пра́вда. 6. – Аня, ты свобо́дна в суббо́ту? Я хочу́ пригласи́ть тебя́ в Большо́й теа́тр на бале́т «Спя́щая краса́вица». 7. – У вас есть биле́ты на «Ча́йку»? – Есть на седьмо́е января́ на вече́рний спекта́кль. – Да́йте, пожа́луйста, два биле́та. 8. – У вас нет ли́шних биле́тов? – Есть. Оди́н. – Мне ну́жно два. 9. – Где на́ши места́? – В парте́ре, в шесто́м ряду́. – А где сидя́т Ли́да и Ви́ктор? – В ло́же № 3. 10. – Когда́ начина́ются спекта́кли в моско́вских теа́трах? – Утренние в 12 часо́в, вече́рние в 7.

16.

II. 1. к на́шим роди́телям в Приба́лтику. 2. в пионе́рском ла́гере на берегу́ Чёрного мо́ря. 3. со свои́ми колле́гами, со свои́ми друзья́ми.

4. всем свои́м друзья́м и знако́мым. 5. в ма́леньком куро́ртном городке́ Но́вый Афо́н. 6. на Во́лгу и́ли на Украи́ну.

III. 1. на ме́сяц, ме́сяц. 2. на всё ле́то, всё ле́то. 3. два ме́сяца, на́ два ме́сяца. 4. на́ три дня, три дня. 5. на неде́лю, неде́лю. 6. три го́да, на́ три го́да.

IV. 1. купа́ться. 2. провели́. 3. собира́емся. 4. ката́ться. 5. загоре́л. 6. проводи́те.

V. 1. Па́вел спроси́л меня́, где мы бу́дем отдыха́ть ле́том. 2. ..., что мы собира́емся пое́хать в Крым. 3. ..., что они́ то́же пое́дут на юг. 4. Я спроси́л, в како́м ме́сте они́ бу́дут отдыха́ть. 5. Он отве́тил, что они́ хотя́т пое́хать в Со́чи. 6. Я сказа́л, что мы бу́дем жить недалеко́ от них.

VI. 1. реша́ли, реши́ли. 2. отдыха́ли, отдохну́ли. 3. получи́л, получа́ли. 4. искупа́лись, купа́лись. 5. собра́л и сложи́л, собира́л и скла́дывал. 6. провожа́ли, проводи́ли. 7. поднима́лись, подняли́сь.

VII. 1. прие́хали с Украи́ны. 2. пришёл домо́й. 3. подъе́хала к на́шему до́му. 4. вы́шел из до́ма. 5. прие́хали из санато́рия. 6. отошёл от окна́. 7. уе́хали от нас. 8. вошёл в ваго́н.

VIII. 1. Я посмотре́л на часы́ и ... 2. Когда́ (по́сле того́ как) тури́сты подняли́сь на́ гору, они́ ... 3. Когда́ я уезжа́л в о́тпуск, ... 4. Когда́ я отдыха́л на ю́ге, ... 5. Та́к как она́ не зна́ла ру́сского языка́, ... 6. Когда́ я слу́шаю переда́чи на ру́сском языке́, ... 7. По́сле того́ как он изучи́л ру́сский язы́к, ... 8. По́сле того́ как мы попроща́лись с друзья́ми, ... 9. Когда́ я выхожу́ из университе́та, ... 10. Я позвони́л на вокза́л и узна́л, когда́ ...

IX. 1. купа́ясь, искупа́вшись. 2. обе́дая, пообе́дав. 3. отдохну́в, отдыха́я. 4. возврати́вшись, возвраща́ясь. 5. си́дя, посиде́в. 6. прочита́в, чита́я.

XI. 1. – Где вы отдыха́ли ле́том? – Мы е́здили в Крым. – Хорошо́ отдохну́ли? – Очень. 2. В про́шлом году́ мы провели́ о́тпуск на ю́ге, в Ялте. 3. – В э́том году́ ле́том мы хоти́м пое́хать в Приба́лтику. Мы никогда́ не́ были там. Говоря́т, там прекра́сные пля́жи и не так жа́рко, как на ю́ге. – Если пого́да бу́дет хоро́шая, там мо́жно хорошо́ отдохну́ть. 4. А мы обы́чно прово́дим ле́то в гора́х. Мы лю́бим ходи́ть пешко́м. 5. – Вы пое́дете в санато́рий? – Да, неда́вно мне де́лали опера́цию, и тепе́рь врачи́ посыла́ют меня́ в санато́рий. 6. Куда́ пое́дут ле́том ва́ши де́ти? – Ста́рший сын – он студе́нт – пое́дет в ла́герь. Он ка́ждый год е́здит на Кавка́з. Мла́дший сын пое́дет в пионе́рский ла́герь. – А он не бу́дет скуча́ть в ла́гере? – Нет, он о́чень живо́й ма́льчик, и у него́ всегда́ мно́го друзе́й. 7. – Мы ещё не реши́ли, где бу́дем отдыха́ть в э́том году́. – А когда́ у вас о́тпуск? – В а́вгусте. – В а́вгусте хорошо́ пое́хать на юг, наприме́р в Молда́вию. 8. В э́том году́ мы никуда́ не пое́дем и бу́дем жить на да́че, недалеко́ от Москвы́. 9. В а́вгусте мы пое́дем на́ две неде́ли в Болга́рию, а остально́е вре́мя то́же бу́дем в Москве́.

II. éду, éдешь, éдет, éдем, éдете, éдут; éзжу, éздишь, éздит, éздим, éздите, éздят; иду́, идёшь, идёт, идём, идёте, иду́т; лечу́, лети́шь, лети́т, лети́м, лети́те, летя́т.

III. 1. éздил, éхал. 2. летáли, летéли. 3. ходи́л, шёл. 4. éздил, éхал.

IV. 1. Вчерá мы ходи́ли в теáтр. 2. ... éздили на Кавкáз. 3. ... летáл в Ленингрáд. 4. éздил в Вéнгрию. 5. ... хóдим на стадиóн. 6. – Кудá вы ходи́ли? – Мы ходи́ли в библиотéку. 7. ... не éздил в Сиби́рь.

V. éздит, éздили, éхали, летéли, éхали, выходи́ли, вы́шли, пошли́ (побежáли), поéхали, éздили.

VI. вы́шли, поéхали, подошли́, отошёл, отходи́л, вы́шли, вошли́, идёт, вы́шли, пройти́, идти́, пошли́, шли, прошли́, вошли́.

VII. 1. Мы никудá не пойдём сегóдня вéчером. 2. не пойду́ ни к кому́. 3. никогдá не ви́дел. 4. никогдá нé был. 5. никому́ не пишу́ пи́сем. 6. никому́ не расскáзывал. 7. никогó не ждёт. 8. Ни у когó нет такóго учéбника. 9. Ни у когó из нас нет маши́ны. 10. ни с кем не говорю́.

VIII. 1. нигдé. 2. никудá. 3. ни с кем. 4. ничегó (никогдá). 5. ничéм. 6. никогó и ничегó. 7. никтó. 8. никогдá. 9. никому́ (никогдá).

X. 1. Я спроси́л дежу́рного, когдá прихóдит пóезд из Ки́ева. Он отвéтил, что пóезд из Ки́ева прихóдит в дéвять часóв утрá. 2. Ни́на спроси́ла милиционéра, как пройти́ на Ленингрáдский вокзáл. Милиционéр отвéтил, что пешкóм идти́ далекó и нáдо сесть на седьмóй трамвáй. 3. Я спроси́л сосéда по купé, когдá отхóдит наш пóезд. 4. Сосéд по купé спроси́л меня́, не хочу́ ли я пойти́ в вагóн-рсторáн поу́жинать. 5. В письмé мой друг спрáшивал меня́, когдá я приéду к ним. Я отвéтил ему́, что приéду к ним в концé мéсяца. 6. На платфóрме проводни́ца попроси́ла нас показáть нáши билéты (чтóбы мы показáли нáши билéты). 7. На вокзáле незнакóмый человéк попроси́л нас помóчь ему́ найти́ спрáвочное бюрó.

XII. 1. Зáвтра я éду в Ленингрáд. Пóезд отхóдит в 9.15. 2. – Скóлько часóв идёт пóезд от Москвы́ до Ленингрáда? – Вóсемь часóв. 3. Дáйте, пожáлуйста, два билéта до Ми́нска на 27 числó. 4. – Когдá вы éдете в Ки́ев? – Послезáвтра. – Вы поéдете пóездом и́ли полети́те самолётом? – Полечу́ самолётом. – Скóлько часóв лети́т самолёт до Ки́ева? – Тóчно не знáю, ду́маю, час-полторá. 5. Зáвтра мои́ роди́тели уезжáют в Крым. Мы пойдём на вокзáл провожáть их. 6. Когдá пóезд подошёл к стáнции, на платфóрме я уви́дел своегó брáта. Он пришёл встречáть меня́. 7. – Товáрищ проводни́к, где нáши местá? – Вáши местá в пя́том купé. 8. – Скóлько мину́т стои́т пóезд на э́той стáнции? – Пять мину́т. 9. Теплохóд бу́дет стоя́ть в Сóчи три часá. Вы мóжете сойти́ на бéрег и пойти́ посмотрéть гóрод. 10. – Как вы себя́ чу́вствуете в самолёте? – Нормáльно. 11. Самолёт приземли́лся. Откры́лась дверь, по лéстнице стáли спускáться пассажи́ры. Вот и мой товáрищ.

II. 1. одного́ из свои́х знако́мых. 2. одного́ из на́ших студе́нтов. 3. об одно́м из свои́х това́рищей. 4. оди́н из англи́йских студе́нтов, обуча́ющихся ... 5. одна́ из са́мых больши́х и бога́тых университе́тских библиоте́к. 6. оди́н из преподава́телей. 7. одну́ из но́вых книг.

III. 1. постро́ено. 2. бу́дет откры́та но́вая библиоте́ка. 3. Экза́мены успе́шно сданы́ все́ми студе́нтами. 4. всё пригото́влено. 5. бы́ло объя́влено. 6. по́слано.

IV. 1. на́шем. 2. свой, своего́. 3. свою́, его́. 4. свои́м, его́, своего́, на́ши. 5. своего́, свою́. 6. свою́, его́.

V. прие́хала, пое́хали, е́хали, подъе́хали, вы́шли, вошли́, подошла́.

VI. 1. до поступле́ния. 2. до встре́чи с ва́ми. 3. по́сле оконча́ния шко́лы. 4. по́сле оконча́ния. 5. до знако́мства. 6. до нача́ла экза́менов. 7. по́сле у́жина.

VII. 1. что. 2. что. 3. что́бы. 4. что. 5. что. 6. что. 7. что́бы. 8. что. 9. что́бы.

VIII. 1. Преподава́тель сказа́л нам, что за́втра мы начнём изуча́ть но́вую те́му. Оди́н студе́нт спроси́л, каку́ю те́му мы начнём изуча́ть. 2. Студе́нтка попроси́ла преподава́теля объясни́ть э́то пра́вило ещё раз. 3. Преподава́тель спроси́л, когда́ у нас бы́ло после́днее заня́тие по ру́сскому языку́. Мы отве́тили, что в про́шлую пя́тницу. 4. Профе́ссор сказа́л нам, что́бы мы обяза́тельно прочита́ли э́ту кни́гу. 5. Мой сосе́д спроси́л меня́, по́нял ли я после́днюю ле́кцию. 6. Оди́н студе́нт спроси́л меня́, всё ли я по́нял в после́дней ле́кции. 7. В общежи́тии я спроси́л, нет ли мне письма́. Дежу́рный отве́тил, что мне есть письмо́. 8. В письме́ мой друг пи́шет, что ему́ о́чень хо́чется прие́хать в Москву́.

IX. а) два́дцать седьмо́е апре́ля ты́сяча семьсо́т пятьдеся́т пя́того го́да; четы́рнадцатое ию́ля ты́сяча семьсо́т во́семьдесят девя́того го́да; седьмо́е ноября́ ты́сяча девятьсо́т семна́дцатого го́да; пе́рвое января́ ты́сяча девятьсо́т тридца́того го́да; восемна́дцатое ма́рта ты́сяча девятьсо́т со́рок второ́го го́да; двена́дцатое апре́ля ты́сяча девятьсо́т шестьдеся́т пе́рвого го́да.

б) деся́тое февраля́ ты́сяча восемьсо́т тридца́того го́да; пятна́дцатое апре́ля ты́сяча девятьсо́т два́дцать четвёртого го́да; три́дцать пе́рвое ию́ля ты́сяча девятьсо́т пятьдеся́т пе́рвого го́да; второ́е сентября́ ты́сяча восемьсо́т девяно́сто тре́тьего го́да; два́дцать тре́тье декабря́ ты́сяча семьсо́т пятьдеся́т пя́того го́да; шесто́е ию́ня ты́сяча девятьсо́т шестьдеся́т тре́тьего го́да.

XI. 1. В на́шем университе́те шесть факульте́тов. Я учу́сь на истори́ческом факульте́те. Я изуча́ю исто́рию Росси́и. По́сле оконча́ния университе́та я бу́ду преподава́ть исто́рию. 2. Мой брат у́чится в университе́те на второ́м ку́рсе. Он изуча́ет ру́сский язы́к и ру́сскую литерату́ру. Он хо́чет быть преподава́телем. 3. – Вы у́читесь и́ли рабо́таете? – Учу́сь. – Где? – В университе́те. 4. В Моско́вском университете учатся студенты из 90 стран. 5. В университете учатся пять лет. 6. – Какие предметы изучают студенты на первом курсе филологического факультета? – Историю, древнерусскую литературу, историю русского языка. 7. Этот студент много занимается. 8. – Где вы любите заниматься – дома или в библиотеке? – Я люблю заниматься в библиотеке. 9. Наши студенты любят спорт. Одни играют в футбол или волейбол, другие занимаются гимнастикой, третьи плавают. 10. В клубе университета работают кружки самодеятельности. Я занимаюсь в драматическом кружке. 11. – Я давно вас не видел. – Мы сдаём экзамены. – Как ваши дела? – Спасибо, хорошо. – Сколько экзаменов вы сдали? – Три. – Сколько ещё осталось? – Один. – Что вы будете делать после экзаменов? – Поеду домой к родителям.

Серафима Алексеевна Хавронина

ГОВОРИТЕ ПО-РУССКИ

(для говорящих на английском языке)

Редакторы *И. Н. Малахова, Т. А. Плешкова*
Художественный редактор *Н. И. Терехов*
Технические редакторы *Л. П. Коновалова, Н. И. Герасимова*
Корректор *Г. Н. Кузьмина*

ИБ № 6014

Сдано в набор 09.06.88. Подписано в печать 24.03.89. Формат 84 × 108/$_{32}$. Бумага офс. № 1. Гарнитура таймс. Печать офсетная. Усл. печ. л. 12,6. Усл. кр.-отт. 25,41. Уч.-изд. л. 13,53. Тираж 36 300 экз. Заказ № 696. Цена 85 коп.

Издательство «Русский язык» В/О «Совэкспорткнига» Государственного комитета СССР по делам издательств, полиграфии и книжной торговли. 103012 Москва, Старопанский пер., 1/5.

Можайский полиграфкомбинат В/О «Совэкспорткнига» Государственного комитета СССР по делам издательств, полиграфии и книжной торговли. 143200 Можайск, ул. Мира, 93.

В издательстве «Русский язык»
в 1990 году выйдут в свет:

Пехливанова К. И., Лебедева М. Н. Грамматика русского языка в иллюстрациях. Учебное пособие для говорящих на английском языке – 27 л.

«Грамматика русского языка в иллюстрациях» является учебным пособием, в котором в максимально наглядной форме представлены особенности грамматической системы русского языка.

Большое число иллюстраций облегчает понимание и запоминание русской грамматики. Пособие может быть привлечено в качестве дополнительного материала к любому учебнику русского языка.

Издание имеет комментарий на английском языке. Начальный этап обучения.

Есина З. И., Максимова Е. Р. Десять уроков фонетики русского языка. Учебное пособие для говорящих на английском языке – 9 л.

Цель пособия – выработать артикуляционные навыки, познакомить с фонетикой и интонацией русского языка, дать некоторые грамматические сведения. Материал даётся на базе элементарной лексики и речевых ситуаций.

Оно предназначено для учащихся стран Юго-Восточной Азии языком-посредником которых является английский язык. Им могут пользоваться те, кто впервые приступает к изучению русского под руководством преподавателя или самостоятельно. К пособию прилагается компакт-кассета.

Журавлёв А. П., Григоров О. Н., Дэвидсон Д. и др. 100 компьютерных упражнений по русскому языку. Учебное пособие для говорящих на английском языке – 10 л. + 2 дискеты для системы IBM(133 мм).

Учебное пособие из 2 дискет, на которых записаны все упражнения и управляющие команды, и брошюры. Брошюра содержит методические рекомендации по работе с дискетами.

Пособие направлено на усвоение и отработку сложного и разнообразного языкового материала, сгруппированного в упражнениях (род имени существительного, орфографический тренинг, виды глагола, антонимы, паронимы и др.). Книга может быть использована в качестве дополнения к существующим учебникам русского языка. Издание предназначено как для студентов, находящихся на разных этапах обучения русскому языку, так и для самостоятельной работы с индивидуальным компьютером.